May Royle

ON

ant

...lyn

Mat Royle

Tân yn fy Nghalon

HUNANGOFIANT

Hywel Heulyn Roberts

gyda

Ioan Roberts

Gomer

Gyda diolch i
Margaret Eluned
am drigain mlynedd godidog.

Cyhoeddwyd yn 2007 gan
Wasg Gomer, Llandysul, Ceredigion SA44 4JL

ISBN 978 1 84323 656 0

Dymuna'r cyhoeddwyr gydnabod cymorth
Cyngor Llyfrau Cymru.

Argraffwyd a rhwymwyd yng Nghymru gan
Wasg Gomer, Llandysul, Ceredigion

DEFFRO

Mae'n anodd credu bod deng mlynedd a thrigain wedi mynd heibio ers y diwrnod hwnnw ym Medi 1936 pan oedd fy nghefnder Noel a minnau'n aros yn nhŷ Nain ym Mhwllheli. Tŷ mawr Fictorianaidd yn wynebu'r môr oedd Aberkin, lle byddai Nain yn cadw ymwelwyr gydol yr haf. I mi, oedd yn byw yn Lerpwl, roedd treulio fy hafau ym mhrifddinas Pen Llŷn yn help i atgyfnerthu fy Nghymreictod. Roedd cartref Noel mewn rhan arall o Bwllheli, ond gan mai fo oedd fy ffrind pennaf byddai yntau'n cael mudo i dŷ Nain pan oeddwn i yno. Doeddwn i fawr o feddwl, wrth ddeffro i sŵn y môr y bore hwnnw, y byddai digwyddiadau'r wythfed o Fedi 1936 yn newid cwrs fy mywyd am byth.

Yn groes i'n harfer, roedd Noel a minnau wedi codi'n gynnar y bore hwnnw, ac yn bwyta ein brecwast yng nghwmni Nain yn y gegin gefn. Mwy na thebyg y bydden ni wedi treulio'r diwrnod yn stelcian ar y traeth, neu'n nofio yn y môr, gan wneud y gorau o'r Haf Bach Mihangel. Hwn fyddai fy haf hir olaf ym Mhwllheli, gan fy mod newydd adael yr ysgol ac ar fin cychwyn ar fy swydd gyntaf mewn banc yn Lerpwl.

Tua wyth o'r gloch y bore, a ninnau ar hanner ein brecwast, dyma'r drws cefn yn agor a'r dyn gwerthu ffrwythau yn rhuthro i mewn â'i wynt yn ei ddwrn. 'Mae'r diawliaid wedi rhoi Penyberth ar dân!' meddai. Ymateb Nain oedd, 'Cerwch allan a golchwch eich ceg!' Beth bynnag oedd ei barn am losgi'r Ysgol Fomio, doedd neb yn cael rhegi yn Aberkin. Aeth y dyn ffrwythau allan yn ddigon ufudd a dod yn ôl i mewn gan ymddiheuro.

Heb feddwl ddwywaith, dyma Noel a finnau'n gadael y bwrdd bwyd a charlamu nerth ein traed ar hyd South Beach a'r

West End, trwy'r cwrs golff, a chyrraedd Penyberth i weld â'n llygaid ein hunain hynny oedd ar ôl o'r Tân yn Llŷn. Roedd y diffoddwyr wedi mynd adref a doedd neb ond ni'n dau yno yn y distawrwydd. Er bod y fflamau wedi diffodd, roedd y marwydos yn dal i fudlosgi a rhimyn o fwg yn codi. Roedd gweld y cochni yng ngweddillion y goelcerth yn creu iasau i lawr fy nghefn. Allwn i ddim peidio â theimlo rhyw wefr a gorfoledd fod cenedl y Cymry, wedi'r holl ganrifoedd, yn dal i wrthod moesymgrymu.

O'm cartref dros y ffin roeddwn i wedi bod yn dilyn y dadlau ynglŷn â lleoliad gorsaf hyfforddi'r Awyrlu am fisoedd cyn hynny, yn bennaf yn nhudalennau argraffiad Cymreig y *Liverpool Daily Post*. Gwyddwn fod y gwrthwynebiad i'r Ysgol Fomio wedi cychwyn ddwy flynedd cyn y llosgi, bod safle Penyberth ar hen ffordd y pererinion i Ynys Enlli gyda'i 'hugain mil o saint', mai Pen Llŷn oedd un o brif gadarnleoedd yr iaith Gymraeg, a bod cynllun blaenorol i leoli'r Ysgol Fomio yn Dorset wedi ei wrthod oherwydd y bygythiad i adar. Onid oedd ein hawydd ninnau i ddiogelu'n hiaith a'n traddodiadau yn haeddu'r un parch?

Ar ôl i Noel a minnau ddychwelyd i Bwllheli fe welsom Saunders Lewis, D. J. Williams a Lewis Valentine yn gadael y llys ynadon, a thorf ddigon gwyllt yn eu herlid. Roedd y Parchedig J. P. Davies, Porthmadog, yn cyd-gerdded â'r tri, ac mae'n siŵr fod amryw o'u cefnogwyr eraill yn bresennol. Ond roedd y stori wedi mynd ar led trwy'r ardal fod arfau seiri ac adeiladwyr wedi eu difa yn y tân. Roedd yna addewidion am greu gwaith ar y safle, a doedd dim dwywaith fod mwyafrif y dorf am waed y llosgwyr. Rhedeg gyda'r dyrfa wnaethom ninnau – nid er mwyn uno yn yr erlid, ond rhag ofn inni golli rhywbeth.

Gyda'r nos wedi'r cynnwrf aeth Noel a minnau am dro yng nghwmni Yncl Bertie. Roedd Bertie Knowles yn briod ag un o chwiorydd Mam, yn byw yn Llundain, yn Brydeiniwr brwd ac yn ffyrnig ei feirniadaeth o'r Tri. Bu hynny'n help i grisialu fy meddwl innau. Po fwyaf y condemniai Yncl Bertie'r weithred, mwyaf y dadleuwn innau o'i phlaid.

Nid gormodiaith yw dweud fod yr hyn a welais ym Mhenyberth, yn ddwy ar bymtheg oed, wedi llywio cwrs fy mywyd. Cryfhaodd fy heddychiaeth Gristnogol, a olygai na allwn godi arfau yn y rhyfel oedd i gychwyn ymhen tair blynedd. Dyfnhaodd fy Nghymreictod, a sicrhau mai yng ngwlad fy hynafiaid yn hytrach nag yng ngwlad fy mebyd y byddwn yn treulio fy nyfodol. Fyth ers y diwrnod hwnnw, saith deg o flynyddoedd yn ôl, gallwn ddweud gyda Prosser Rhys:

Bydd Cymru byth, waeth beth fo'i rhawd,
Ym mêr fy esgyrn i, a'm cnawd.

PLENTYN Y DDINAS

Doedd fy nhad byth yn fodlon cydnabod ei oed. Pan gyrhaeddodd ei saith deg pump, mynnai nad oedd ond chwe deg saith. Y noson cyn ei briodas cyfaddefodd wrth Mam ei fod yn bymtheg ar hugain oed, a hithau'n credu tan hynny nad oedd ond saith ar hugain. Beth bynnag oedd ei theimladau hi, roedd yn rhy hwyr iddi wneud dim ynghylch y peth, a'r trefniadau ar gyfer y seremoni drannoeth wedi eu hen gwblhau. Ac felly, yng Nghapel Penmownt, Pwllheli, ar y chweched o Ebrill 1909, gyda'r Parchedig Puleston Jones, 'y pregethwr dall', yn gweinyddu, fe unwyd John Roberts o'r Felinheli a Lily Jones o Bwllheli mewn glân briodas.

Cyn priodi, roedd fy mam wedi dychwelyd i Bwllheli o Northampton lle bu'n gweithio fel nyrs. Bu'n nyrsio wedyn yn yr hen Wyrcws yn ei thref enedigol, gan gydweithio gyda meddyg enwog yn y cylch, Dr Wynne Griffith, neu 'Doctor Mela'. Bu un o ferched y doctor, Mrs Cowell, fyw i fod yn gant oed; dywedodd wrthyf tua diwedd ei hoes ei bod yn bresennol ym mhriodas fy rhieni ac mai honno oedd 'priodas y flwyddyn' ym Mhwllheli.

Cartrefodd y ddau yn Lerpwl – yn 34 Bundoran Road, Aigburth – er nad oedd Tada adref yn aml gan ei fod yn gweithio fel peiriannydd ar y môr. Ganwyd fy mrawd, Glyn Lloyd Roberts, ar 18 Ionawr 1910. Petai wedi cyrraedd ychydig oriau ynghynt byddai wedi cael ei ben-blwydd ar yr un diwrnod â David Lloyd George, arwr ei dad. Hwyr neu beidio, cafodd ei enw canol ar ôl y Cymro oedd yn Ganghellor y Trysorlys ar y pryd.

Yn fuan wedyn symudodd y teulu i 36 Sudley Road, eto yn Aigburth. Yno, ar 16 Mawrth 1919, fe gyrhaeddais innau'r byd, yn naw pwys a thri chwarter o fabi, gan achosi straen corfforol na ddaeth Mam fyth drosto'n iawn – bu ganddi wendid ar ei chalon am weddill ei hoes. Oddi wrth afon Heulyn, sy'n llifo i'r cei yn y Felinheli, yr etifeddais i fy enw canol. Heulyn hefyd oedd enw barddol Ifan Roberts, brawd fy nain, bardd gwlad o'r ardal honno.

O'n stryd ni yn Lerpwl gallech edrych tua'r gorllewin i lawr Milner Road, a gweld Moel Famau ar y gorwel. Gannoedd o weithiau bûm yn syllu ar yr olygfa honno, oedd yn ein clymu rywsut gyda'n gwreiddiau. Doedd dim perygl inni anghofio mai Cymry oedden ni.

Roedd tua 80,000 o Gymry'n byw ar Lannau Mersi pan anwyd fi, a'r mwyafrif llethol o'r rheini'n siarad Cymraeg. Canolbwynt y bywyd Cymraeg oedd y capel, ac roedd tua hanner cant o gapeli Cymraeg ar y Glannau pan oeddwn i'n blentyn.

Roedd yr arferiad o ymweld â chartrefi ffrindiau yn dal yn ei fri, a gallaf dystio bod naw o bob deg person a ymwelai â'n tŷ ni yn Gymry. Bûm yn darllen hen ddyddiaduron fy nhad yn ddiweddar, a'r hyn a'm synnodd oedd sylweddoli cymaint o'n perthnasau a ddaeth i aros efo ni ar hyd y blynyddoedd. Roedd y tŷ bron â bod yn westy. Yn Gymraeg y byddai fy rhieni'n fy nghyfarch hyd yn oed pan fyddwn yn chwarae gyda'm ffrindiau Saesneg eu hiaith. Roeddwn i'n ugain oed cyn y gallwn siarad Saesneg â Nhad mewn cwmni cymysg ei iaith. Yr unig bapurau newydd Cymraeg a welais gartref oedd yr *Herald Gymraeg* a'r *Winllan*, misolyn ar gyfer Wesleaid ifanc.

Mae'n wir, yn ôl y sôn, imi wrthryfela pan oeddwn tua saith oed, a dechrau ateb fy rhieni yn yr iaith fain. Roedd hyn yn ofid mawr i Nhad. 'Taswn i'n gorfod anfon yr hogyn 'ma i fyw i Gymru, mae o'n mynd i siarad Cymraeg!' meddai. Ond ddaeth hi ddim i hynny. Bob tro y dywedwn rywbeth yn Saesneg byddai'n ateb, 'Tydw i ddim yn dy ddeall di!' Fu'r seicoleg honno fawr o dro'n rhoi pen ar y strancio.

Pan gychwynnodd Glyn yn yr ysgol gynradd, roedd yn Gymro cwbl uniaith. Bu raid i Mam fynd at y brifathrawes ar ei ddiwrnod cynaf i ofyn iddi fod yn amyneddgar efo'r bachgen newydd nad oedd yn deall gair o Saesneg. Oherwydd y profiad hwnnw, efallai, roedd y drefn ieithyddol wedi llacio rhywfaint pan ddaeth fy nhro innau i fynd i'r ysgol naw mlynedd yn ddiweddarach. Yn wahanol i Glyn roeddwn i'n cael chwarae gyda phlant yr ardal, ac yn dair oed roeddwn yn gymharol rugl mewn dwy iaith. Rhaid i mi gyfaddef, serch hynny, fod Glyn yn sicrach ei afael ar y Gymraeg na fi pan oeddem yn blant, yn enwedig gyda chenedl geiriau.

Gan nad oedd gair o Gymraeg yn yr ysgol – ni chefais erioed unrhyw wers ffurfiol yn yr iaith – roedd Cymreictod plant Lerpwl yn dibynnu'n helaeth iawn ar y capel a'r ysgol Sul. Capel Wesle Mynydd Seion oedd ein capel ni, adeilad hardd gyda seddi ar gyfer wyth gant a hanner. Roedd y pen blaenor, John Jones, Devonshire Road, yn batriarch gwirioneddol. Pan ofynnodd i Tada pam nad oeddem yn mynychu ysgol Sul Mynydd Seion yn ogystal â'r oedfaon, ceisiodd fy nhad egluro ein bod yn byw dair milltir o'r capel ac y byddai'n anodd mynd adre i ginio ar ôl gwasanaeth y bore, dychwelyd i Fynydd Seion erbyn yr ysgol Sul, adre wedyn i de ac yn ôl i'r oedfa hwyrol am chwech. Roedd hyn yn y cyfnod pan oedd bron bawb yn ddi-gerbyd ac yn dibynnu ar y tramiau neu'n cerdded o le i le. Doedd yr esboniad ddim yn bodloni John Jones. Ei ateb oedd bod Mynydd Seion yn yr un safle'n union pan benderfynodd fy rhieni ym mha ran o'r ddinas i wneud eu cartref yn y lle cyntaf.

Roedd gan John Jones y fantais o fod yn byw o fewn hanner milltir i Fynydd Seion, a byddai yno'n amlach na neb arall. Âi i'r capel am saith o'r gloch bob bore Sul yng nghwmni ei gi i gynnal cyfarfod gweddi personol.

Doedd y pellter o Fynydd Seion ddim yn ein cadw ninnau rhag mynychu ysgol Sul, chwaith. Byddai honno'n cael ei chynnal ym Milner Road o fewn chwarter milltir i'n cartref, yn ysgoldy Belvedere, un o gapeli Cymraeg yr Hen Gorff. Ysgol Sul anenwadol oedd hon, un a gyfrannodd yn helaeth at brofiadau ysbrydol Eglwyswyr, Bedyddwyr, Annibynwyr a Wesleaid yn ogystal â'r Methodistiaid Calfinaidd. Tair oed oeddwn i'n mynd i'r ysgol Sul am y tro cyntaf; mynd law yn llaw gyda Marian Edwards, oedd yn cychwyn yr un diwrnod. Ein hathrawes oedd Miss Jinnie Hughes, modryb i Marian, a symudodd wedyn i fyw i Gaergybi, ei thref enedigol. Rhwng y plant a'r oedolion byddai tua deugain i hanner cant yn achub ar y cyfle i gael ysgol Sul Gymraeg ar drothwy'r drws. Roedd yna Gymry'n byw ym mhob stryd o fewn cyrraedd hwylus i Milner Road. Athro'r llanciau a'r dynion ifanc oedd Mr Jones, Lugard Road, saer coed o Nefyn ac aelod ffyddlon efo'r Annibynwyr yn Park Road. Dyn tawel oedd Mr Jones, ond roedd yn dod i ben â thrafod dosbarth siaradus, dadleugar heb unrhyw drafferth.

Daeth fy nghyfle innau yn fy nhro i fod yn ysgrifennydd yr ysgol Sul ac wedyn i'w chynrychioli mewn cyfarfodydd o holl ysgolion Sul Calfinaidd Cymraeg y Glannau. Disgwylid i'r cynrychiolydd roi adroddiad i'w ysgol Sul ei hun o'r hyn fyddai wedi digwydd yn y cyfarfodydd ysgolion. Fy anhawster ar adegau felly oedd ysgrifennu yn Gymraeg. Gwnawn fy ngorau i gofnodi'r gweithgareddau yn yr hyn oedd yn ymddangos i mi yn ffonetig, ac roedd darllen y llyfr emynau'n help gyda rhai geiriau. Roedd hyn yn baratoad gwerthfawr ar gyfer defnyddio'r Gymraeg yn gyhoeddus.

Yn ystod yr wythnos byddai awdurdod addysg Lerpwl yn defnyddio adeilad ysgol Sul Milner Road i hyfforddi merched ysgol Sudley Road sut i goginio. Diddanwch mawr i ni'r Cymry fyddai gweld rhai o blant yr ardal yn syllu ar hysbysfwrdd yr ysgol Sul gan geisio dyfalu pwy oedd 'Bob Saboth'.

Er bod poblogaeth Lerpwl yr adeg honno tua dwywaith yr hyn yw heddiw, roedd Aigburth yn ardal ddigon gwledig pan oeddwn i'n blentyn. O flaen ein tŷ ni roedd dau gae braf gyda gwartheg a cheffyl yn pori ynddynt; a dyna braf oedd cael fy neffro yn yr haf gan sŵn y peiriant lladd gwair yn cael ei dynnu gan y ceffyl, ac arogl y gwair yn llenwi fy ffroenau drwy'r ffenest agored.

Eiddo lleiandy Kelton oedd y caeau ac mae'n rhaid i mi gyfaddef y byddai Geoff Smerdon, fy ffrind pennaf, a minnau yn sleifio'n llechwraidd i ardd Kelton i chwilio am gwsberis – hynny yw, nes i ni bron gael ein dal. Y tro hwnnw roeddem wedi cyrraedd yr ardd heb i neb ein gweld, neu dyna a gredem ni, o leiaf. A ninnau ar ganol casglu'r cnwd, edrychodd y ddau ohonom i fyny a gweld dwy leian yn dod tuag atom. Dyma redeg nerth ein traed, nes i mi sylweddoli nad oedd fy nghap ysgol yn fy mhoced. Gwelwn hwnnw ar ben un o'r llwyni gwsberis. Rhedais yn ôl a chipio'r cap o'r llwyn fel yr oedd llaw un o'r lleianod yn ymestyn amdanaf. Tu mewn i'r cap, fel ar fy nillad ysgol i gyd, roedd Mam wedi gwnïo label â'm enw arno. Byddai gadael fy nghap ar ôl wedi bod yn dystiolaeth ddamniol yn fy erbyn.

Cofiaf glip, neu ddiffyg, ar yr haul tua 1927 a'm rhieni'n mynd â fi i Holt's Field yn ymyl Eglwys Mossley Hill yn blygeiniol i gael gwell golwg ar y rhyfeddod. Wrth edrych i gyfeiriad Woolton, y cyfan a welid oedd ffermydd a thir agored am filltiroedd. Erbyn hyn mae Solomon's Vaults, lle'r arferem fynd i chwilio am benbyliaid yn y corstir, wedi hen ddiflannu. Wrth edrych i gyfeiriad Woolton bellach, does dim i'w weld ond tai dirifedi.

Gyda chymaint o dir agored yn perthyn i Aigburth a Mossley Hill, fe benderfynodd rhywun sefydlu sw o fewn hanner milltir i'n cartref. Gan fod un fynedfa i'r sw yn Sudley Road, ein stryd ni, byddem yn gweld cannoedd os nad miloedd o bobl yn ciwio am fynediad, yn enwedig ar ŵyl y banc. Roedd cael sw ymhlith eich cymdogion yn siŵr o greu cyffro. Dihangodd neidr wenwynig un tro, a chafwyd hyd iddi yng ngardd yr Hutchinsons drws nesa i ni. Pan ddihangodd tri mwnci fe gawsom hwyl anghyffredin yn eu gwylio'n neidio o gangen i gangen yn y coed gyferbyn.

I gyfeiriad Barkhill Road roedd loj i un o'r tai mawr oedd yn britho'r ardal. Arferai gŵr y tŷ fynd â phaned o de i'w wraig bob bore cyn iddi godi. Un bore fe deimlodd y wraig dap ar ei hysgwydd a dywedodd wrth ei gŵr, fel y tybiai, am roi'r te ar y bwrdd bach wrth yr erchwyn. Daeth yr ail dap ar ei hysgwydd ac ailadroddodd y wraig y cyfarwyddyd. Pan ddaeth y trydydd tap dyma'r wraig yn eistedd i fyny a sgrechian nerth ei phen wrth weld simpansî yn syllu arni!

Dro arall fe welwyd llew yn cerdded ar hyd Bundoran Road am ddau o'r gloch y bore. Doedd hi'n syndod i neb pan gaeodd y sw, er cryn ryddhad i'r gymdogaeth, ar ôl rhyw ddwy flynedd.

Bu'r ffaith fod Sefton Park, gyda'i gannoedd o erwau, o fewn hanner milltir i'n cartref yn fendith fawr i ni. Roedd yno lyn gyda chychod rhwyfo, ac adeilad ar gyfer cadw modelau cychod bach – rhai ohonyn nhw gymaint â chwe throedfedd o hyd. Braf dros ben fyddai cerdded drwy Princess Park a Sefton Park ar ein ffordd adref o'r capel ar fore Sul, pan fyddem yn aml yn anelu am y Tŷ Palmwydd i brofi cyfaredd y coed, y planhigion a'r blodau trofannol, heb sôn am y ffynnon addurnol a'r pysgod. Cafodd y cyfan ei ddistrywio yn ystod y bomio a fu ar Lerpwl yn ystod y rhyfel, ond braf yw gwybod ei fod wedi ei adnewyddu erbyn hyn.

Dim ond tegan bach o gwch hwylio oedd gennyf i, ond cofiaf yn iawn am y brofedigaeth ddaeth i'm rhan, pan oeddwn tua saith oed, wrth yrru fy nghwch i'r dŵr. Gostegodd y gwynt yn ystod y fordaith, ac wrth imi geisio estyn am fy llong oddi ar garreg fawr ar fin y dŵr, syrthiais i'r llyn dros fy mhen. Yn wlyb at fy nghroen, dyma fi'n ei baglu hi am adre drwy'r 'entries' a'r 'jiggers' – enwau Lerpwl am y mynedfeydd rhwng tai – gan feddwl nad oedd neb wedi fy ngweld. Ar ôl y croeso a gefais y tro hwnnw, syrthiais i ddim i'r llyn byth wedyn!

Yn ystod yr haf byddai seindorf yn diddanu'r dorf yn y parc ambell benwythnos, a'r gynulleidfa'n eistedd ar y borfa neu ar gadeiriau cynfas mewn llecyn braf heb fod ymhell o'r llyn. Un atyniad mawr i ni blant oedd yr adardy agored. O amgylch y parc roedd rhodfa i geffylau, a gymharai'n ffafriol â'r un yn Hyde Park yn Llundain. Sefydlwyd sawl clwb tennis yn y parc, ac yno yng nghlwb tennis y Cymric y dysgais innau chwarae'r gêm. Roedd yr holl barc eang yn cael ei gadw mewn cyflwr da ac yn glod i'm dinas enedigol. Dangoswyd gweledigaeth anarferol gan gynllunwyr Lerpwl wrth ofalu fod gan y trigolion gymaint o barciau braf i'w mwynhau. Doedd neb yn gwerthfawrogi hynny'n fwy na'r miloedd o'r dinasyddion oedd â'u gwreiddiau yng nghefn gwlad Cymru.

DYDDIAU YSGOL

Pump oed oeddwn i yn mynd i'r ysgol am y tro cyntaf. Cofiaf y diwrnod yn dda oherwydd ei bod hi'n bwrw glaw. Nid y glaw oedd yn fy mhoeni ond y ffaith fy mod yn gorfod gwisgo hen gôt i Glyn, a honno'n llawer rhy laes. Roedd fy ffrind Geoff Smerdon yn dechrau'r ysgol yr un diwrnod.

Doedd cyrraedd yr ysgol yn ddim problem – roedd hi yn Sudley Road, ein stryd ni, heb ddim ond un tŷ a chae chwarae rhwng fy nghartref a'r ysgol. Roedd y maes chwarae, oedd yn eiddo i'r ysgol, yn eang a hynod gyfleus, er yn ddiffygiol ei borfa. Treuliais oriau dirifedi'n chwarae pêl-droed arno yn y gaeaf a chriced yn yr haf, heb sôn am farblis pan oeddwn yn iau.

Adeilad tun oedd yr ysgol, wedi ei godi ar ddechrau'r ganrif ddiwethaf. Y bwriad oedd codi ysgol newydd yn ei lle ar derfyn y Rhyfel Mawr. Ddigwyddodd hynny ddim hyd y 1960au, pan oedd yr hen adeilad wedi ei losgi bron yn llwyr.

Yn ôl arfer yr oes, ar lechen y dysgais ysgrifennu yn Ysgol Sudley Road. Does gen i ddim cof inni ddefnyddio cerrig nadd, fel y byddai rhai o blant Cymru'n ei wneud yr adeg honno. Sialc oedd ein hysgrifbin ni, oedd yn ei gwneud hi'n ddigon hawdd dileu camgymeriadau a dechrau eto. Dosbarth o hanner cant oedden ni, ac mi fûm yn yr ysgol honno am dair blynedd a hanner.

Betty Malcolmson oedd fy *dancing partner* yn Sudley Road, ond ni chofiaf i mi gael unrhyw lwyddiant yn y gelfyddyd o ddawnsio. Yn yr ysgol hon hefyd yr ymddangosais ar lwyfan drama am y tro cyntaf – a'r tro olaf. 'Y Brenin Alfred a'r Cacennau Llosg', yn cael ei pherfformio yn y David Lewis Theatre, oedd ein cyfraniad ni i fywyd artistig Lerpwl.

Rhoddid cryn bwyslais ar ddathlu'r Empire Day bob blwyddyn ar y 24ain o Fai, dyddiad pen-blwydd y Frenhines Victoria. Byddai'n rhieni'n ein gwisgo mewn dillad yn portreadu'r ugeiniau o wledydd trwy'r byd a ddaeth dan reolaeth yr Ymerodraeth Brydeinig. Cofiaf gael fy ngwisgo fel Nelson – fy nhad yn mynnu bod yn rhaid cael rhyw gysylltiad â'r môr. Doedd fy rhieni na minnau, er gwaetha'n Cymreictod, yn gweld dim byd o'i le ar y pryd mewn cymryd rhan yn y sbloet ymerodrol.

Gan fod tŷ'r Smerdons y drws nesaf ond un i'n tŷ ni, ac yn agos iawn i'r ysgol, fe gafodd Geoff a minnau'n difetha gan ein mamau, oedd yn mynnu dod â diod a bisgedi i ni at ymyl cae chwarae'r ysgol. Doedd pawb ddim mor ffodus.

Yn naw oed, daeth yn amser i mi adael Sudley Road a dechrau ar fy mhum tymor ar hugain yn yr Institute, ysgol uwchradd gyda thua saith gant a hanner o fechgyn, yng nghanol y ddinas. Ei henw llawn oedd The Liverpool Institute High School for Boys; fe'i sefydlwyd yn 1825, a hi oedd yr ysgol uwchradd gyntaf yn Lerpwl.

Dechreuais yn nosbarth cyntaf yr ysgol yn nhymor yr haf 1928, yr un pryd â bachgen o'r enw Slater. Roedd Slater yn drymach na fi, ond fi oedd y talaf. Ymhen ychydig ddyddiau gorfodwyd y ddau fachgen newydd i ymaflyd codwm â'i gilydd i weld pwy oedd y cryfaf. Doedd dim tynnu gwaed, ond credaf mai fi a enillodd.

Tymor yn unig a dreuliais yn y dosbarth isaf, cyn mynd ymlaen i ddosbarth Miss Makin. Yn arthes o athrawes, roedd gan hon ddisgyblaeth haearnaidd ac o'i dosbarth hi y bu'r unig dro i mi orfod mynd i ystafell y prifathro, y Parchedig H.H. Symonds, i gael y gansen. Doeddwn i ddim yn sant yn yr ysgol, ond cael bai ar gam wnes i y tro hwnnw. Aeth y cyhuddiad yn angof, ond gwn i ryw gamddealltwriaeth ddigwydd am nad oeddwn yn medru cyflwyno fy achos yn ddigon da yn Saesneg. I roi halen ar y briw, fel petai, Cymro oedd yr athro a gafodd y cyfrifoldeb o ddal fy nhrowsus yn dynn er mwyn gwneud yn siŵr y byddai'r gansen yn gadael ei marc ar fy mhen-ôl. Roedd Taffy Ellis, a fu'n athro dosbarth ar Glyn fy mrawd cyn hynny, yn frodor o Aberystwyth ac yn dipyn o arthiwr. Roedd yn ddyn mawr gyda'r OTC – yr Officers' Training Corps – yn yr ysgol. Byddai'n cyfarth arnaf yn Gymraeg ambell waith a doeddwn innau ddim yn ei ddeall bob tro. Byddai hynny'n gwneud iddo wylltio'n saith gwaeth.

Na, doedd fy ymddygiad ddim yn ddilychwin yn yr Institute. Yn hollol i'r gwrthwyneb – yn ystod fy nwy flynedd a hanner gyntaf mewn ysgol o saith gant a hanner o fechgyn, mi gefais fwy o *order marks* na'r un disgybl arall. Byddai'r 'marciau' hynny'n cael eu dyfarnu am gamymddwyn mewn amryfal ffyrdd, a chosb yn dilyn ar ôl cyrraedd nifer penodol o farciau. Nid cosb gorfforol fyddai hi fel arfer, ond pethau fel cael eich gwahardd rhag cymryd rhan mewn chwaraeon ar brynhawn Mercher, oedd yn fwy o benyd i mi nag unrhyw gansen. Yna, yn nosbarth 2B, ymunodd hogyn o'r enw Parsonage â'r ysgol, bendith arno, ac fe gurodd hwnnw fi'n ulw efo nifer ei *order marks*. Gan na allwn bellach fod ar y brig yng nghynghrair y troseddwyr, dyma fi'n diwygio'n llwyr, a phrin iawn oedd yr *order marks* a ddaeth i'm rhan am weddill fy nyddiau yn yr Institute.

Er i mi fod braidd yn llym fy meirniadaeth o Miss Makin a Mr Ellis, rhaid cydnabod fod gan y ddau eu rhinweddau. Miss Makin oedd yn bennaf gyfrifol am ein cael i ynganu Saesneg yn gywir, gan bwysleisio fod yna wahaniaeth rhwng ynganiad *butter* a *butcher*, hyd yn oed i fechgyn Lerpwl. Ei bwriad, o bosib, oedd ein harbed rhag tafodiaith y Lobsgowsars. Dwi ddim yn credu i mi erioed siarad efo llawer o acen Lerpwl, er fy mod yn ei deall wrth gwrs ar ôl byw yn ei chanol cyhyd. Ond rydw i'n meddwl y byd o bobl Lerpwl – does neb cleniach i'w cael. Un arall o gymwynasau Miss Makin oedd ein dysgu i ganu caneuon Ffrangeg, Almaeneg a Rwseg yn yr ieithoedd gwreiddiol.

Taffy Ellis, ar y llaw arall, a roddodd y sylfaen i mi ar gyfer ymgodymu'n weddol lwyddiannus ag algebra, oedd ddim yn ddrwg o beth i un oedd i dreulio llawer o'i oes yn trin arian. Rhaid cydnabod hefyd i Mr Ellis gael ei glwyfo'n weddol ddifrifol yn y Rhyfel Mawr, a phwy a ŵyr pa effaith a gafodd yr erchylltra hwnnw ar ei bersonoliaeth.

Roedd y rhan fwyaf o blant Lerpwl y dyddiau hynny'n dal i'w huniaethu eu hunain â phlwyf neu bentref yn hytrach na'r ddinas gyfan. Aigburth Village oedd canol ein milltir sgwâr ni, ac yno'r oedden ni fwyaf cartrefol. Hyd yn oed ar ôl gadael yr ysgol elfennol am yr Institute, byddwn yn dal i chwarae criced am oriau lawer gyda'r nos ar gae ysgol Sudley Road, lle caem bleser di-ben-draw.

Felly, roedd y siwrnai bedair milltir i'r Institute yn golygu mentro i fyd gwahanol. Ar y tramiau y teithiwn yn ôl a blaen – rhif 25 neu 33 i'r Rialto am geiniog, neu dram rhif 1, 20 neu 21 i gapel St George's Street, a cherdded i fyny Upper Duke Street i'r ysgol.

Byddai bechgyn côr yr Eglwys Gadeiriol Brotestannaidd yn ddisgyblion yn yr Institute. Roedd yr eglwys honno gyferbyn â'n hysgol ni. Dechreuwyd ar y gwaith adeiladu yn 1904 a'i gwblhau mor ddiweddar â 1978. Toc ar ôl i mi gychwyn yn yr ysgol yn 1928 fe ddechreuwyd adeiladu tŵr yr eglwys, sy'n fwy na thri chan troedfedd o uchder. Pan ddaeth yn amser i mi ymadael â'r ysgol yn 1936 roedd y tŵr ymhell o fod wedi ei gwblhau.

Adeiladwyd yr eglwys o flociau o dywodfaen a gweithiai'r seiri maen oddi ar sgaffaldau. Enw'r sgaffald mwyaf oedd Big Scott, oedd yn ymestyn i'r tŵr uchaf. Un bore gwyntog iawn, a minnau'n cyrraedd yr ysgol, gwelais y Big Scott yn siglo'n afreolus a thri o'r gweithwyr yn syrthio i'w marwolaeth. Nid mewn arian yn unig y mae mesur gwerth adeilad gwych.

Enw pensaer yr Eglwys Gadeiriol Brotestannaidd oedd Giles Scott, ac fe gymerodd hanner can mlynedd neu fwy i mi sylweddoli mai dyna sut y cafodd y sgaffald ei enw. Yn rhyfedd iawn, Pabydd oedd Scott, a Phrotestant oedd pensaer Eglwys Gadeiriol Babyddol Lerpwl.

Roedd fy ffrind Geoff Smerdon yn eglwyswr ac yn mynd i addoli yn St Anne's ar Aigburth Road. Ar y Groglith byddai Geoff yn mynd i'r eglwys tra byddwn innau, fel Anghydffurfiwr, yn cael mynd i chwarae ar gae'r ysgol. Dim ond ar ôl imi fynd i dreulio'r Pasg efo Taid a Nain ym Mhwllheli y sylweddolais y byddai rhai Anghydffurfwyr hefyd yn addoli ar y Groglith.

Yn wahanol i mi, disgleiriai Geoff Smerdon yn yr ysgol. Roedd ganddo ryw aeddfedrwydd a gwybodaeth ryfeddol o ystyried ei oed. Cofiaf iddo ddweud wrthyf pan nad oedd fwy na chwech oed y byddai'r byd yn dod i ben pe byddai'r atom yn cael ei hollti. Yn ddeg oed enillodd ysgoloriaeth i'r Collegiate, ond er bod yr Institute a'r ysgol honno'n elynion pennaf, wnaeth hynny ddim amharu ar gyfeillgarwch Geoff a minnau. Cafodd Geoff ei Matríc, rhywbeth tebyg i'r TGAU heddiw, yn dair ar ddeg oed a llwyddodd yn ei Dystysgrif Uwch, sy'n cyfateb i Lefel A, ddim llai na phedair gwaith yn olynol. Roedd hynny oherwydd ei fod yn gorfod aros nes cyrraedd ei ddeunaw cyn cael mynediad i Goleg Wadham, Rhydychen.

Gwneud cam â Geoff fyddai sôn am ei ragoriaethau'n unig. Gallai fod yn fachgen direidus ar adegau, fel y gwelwyd yn fuan iawn. Roedd modd mynd allan o ffenestri ail lawr ein tai ni ac i ben to ffenest grom yr ystafell wely ar y llawr cyntaf. Dyna'n union beth wnaeth y ddau ohonom yn nhŷ Geoff un tro, a ninnau'n ddim mwy na thair oed. Pan ddeallodd Mrs Smerdon lle'r oedden ni, rhedodd i nôl Mam. Yn ei ffordd addfwyn, ddigyffro, perswadiodd Mam ni i ddringo'n ôl trwy ffenest Ffrengig yr ail lawr i ddiogelwch.

Doedd y ffaith fod Geoff yn eglwyswr a minnau'n gapelwr yn tarfu dim ar ein cyfeillgarwch. Mater gwahanol oedd y Pabyddion. Mae'n anodd i'r sawl na chafodd ei fagu mewn dinas debyg i Lerpwl amgyffred maint y diffyg brawdgarwch a fodolai rhwng Protestant a Phabydd. Fydden ni ddim yn cyd-chwarae â Phabyddion, nac yn wir yn eu gweld yn aml iawn, gan nad oedd llawer ohonyn nhw'n byw yn ein hardal ni.

Er hynny, pan oeddwn yn fy arddegau deuthum yn gyfeillgar â Phabydd o'r enw Frank Davidson, oedd yn byw yn Wingate Road. Byddai Frank, Geoff a minnau'n mynd i'r pictiwrs efo'n gilydd, ond roedd Geoff yn llai parod na fi i faddau i Frank ei Babyddiaeth. Roedd gwraidd y ddrwgdybiaeth yn mynd yn ôl i fagwraeth rhieni Geoff yn Lerpwl yn y bedwaredd ganrif ar bymtheg pan oedd Pabyddiaeth y ddinas yn ei anterth oherwydd y mewnlifiad enfawr o Wyddelod – rhai Protestaniaid o Ogledd Iwerddon yn eu plith, ond y mwyafrif llethol yn Babyddion. Roedd y tyndra a fodolai rhwng y ddwy garfan o Wyddelod yn chwyrn, ac yn effeithio ar agweddau Protestaniaid a Phabyddion oedd y tu allan i'r cymunedau Gwyddelig. Hyd yn oed ar ôl rhyfel 1939–45 roedd yna bedwar aelod o Gyngor Dinas Lerpwl yn cael eu hethol o dan y faner 'Protestant', a'r Parchedig H.D. Longbottom yn eu harwain.

Cafodd rhagfarnau Protestannaidd Geoff a minnau fynegiant ymarferol un flwyddyn yn Lleiandy Kelton heb fod ymhell o'n cartrefi. Fel pob bachgen arall byddem yn casglu'n ddyfal ar gyfer noson Guto Ffowc, a dyma'r ddau ohonom yn cael y syniad un tro o guro ar ddrws y lleiandy i weld a oedd ganddyn nhw rywbeth y gallem ei losgi ar y goelcerth. Yr ateb a gawsom oedd, 'No, Guy Fawkes was a very bad man.' 'Yes, he was a Roman Catholic,' meddem ninnau cyn diflannu nerth ein traed gan feddwl inni wneud gwrhydri.

Un tro pan oeddem yn dod yn ôl o *matinee* yn y Rivoli ar fore Sadwrn aeth yn ffrae rhwng Geoff a minnau, er na wn i ar y ddaear ynglŷn â beth. Yn fy mhrofiad i mae bechgyn byr o gorff yn tueddu i fod yn fwy cwerylgar na bechgyn tal. Roedd hyn yn wir i raddau am Geoff. Yn sydyn, dyma fo'n ymosod arnaf ac yn wir roedd rhaid i mi dynnu gwaed o'i drwyn cyn iddo ildio. Dyna'r unig dro i ni godi dyrnau ar ein gilydd yn ystod holl flynyddoedd ein cyfeillgarwch. Wyth neu naw oed oedden ni ar y pryd.

Gan mai nyrs oedd Mam cyn priodi, pan oedd Geoff angen triniaeth am ryw glwyf neu anffawd, at Mam y byddai'n mynd.

Roedd yntau'n gwerthfawrogi hynny ar hyd ei oes – ni ddaeth adref ar *leave* erioed, yn ystod y rhyfel, heb ddod i weld fy rhieni. Pan euthum i weld Mam yn yr ysbyty yn Lerpwl ddau ddiwrnod cyn iddi farw yn 1955, pwy oedd yno ond Geoff Smerdon. Roedd wedi teithio i'w gweld er mai yn Rhydychen yr oedd yn byw erbyn hynny. Mynd yn feddyg wnaeth Geoff ar ôl y rhyfel, serch iddo ddechrau dilyn cwrs yn y gyfraith pan aeth i Rydychen.

Cadwodd Geoff a minnau'n gyfeillgar ar hyd ein hoes. Ar hyd y blynyddoedd buom yn atgoffa'n gilydd ein bod flwyddyn yn hŷn ar ein penblwyddi a'r Nadolig, a buom yn dal i gyfarfod yn achlysurol hyd at farwolaeth Geoff ar ddechrau 2004. Fedrwch chi ddim anghofio ffrindiau mynwesol bore oes.

Tra bod Geoff yn disgleirio'n academaidd, cyfeiriwyd hynny o ddoniau oedd gennyf i i fyd chwaraeon. Yn yr Institute roeddwn yn *gym leader* ym mhob dosbarth y bûm ynddo. Bûm yn chwarae pêl-droed i'r ysgol, ond heb ddisgleirio. Enillais y naid hir a'r clwydi yn y mabolgampau. Ond yr hyn a fwynheais fwyaf oedd chwarae criced. Un o fendithion mynd yn ifanc i'r Liverpool Institute oedd bod George Wass yn ein cymryd ni dan ei adain yn y rhwydi. Hen 'pro' wedi bod yn chwarae i Swydd Nottingham oedd George, a chafodd brawf ar gyfer chwarae i Loegr. Chwaraeodd Eddie Wass, ei fab, i Swydd Gaerhirfryn. Roedd George yn cael gafael arnom yn naw neu ddeg oed ac yn ein hyfforddi ni yn y modd mwyaf trwyadl. Hyd yn oed yn ein blwyddyn Matríc fe ddisgwylid i ni fynychu'r rhwydi dair gwaith yr wythnos yn nhymor yr haf.

Yn Greenbank Road y byddem yn chwarae, o fewn milltir a hanner i'm cartref. Symol oedd y cae criced o'i gymharu â chae'r Liverpool College yr awn heibio iddo ar fy ffordd yno, ond rwy'n amau a baratowyd gwell llain yn unman yng Ngogledd Lloegr na'r un a baratôdd George Wass ar ein cyfer ni.

Fe'm dewiswyd unwaith i chwarae yn nhîm ysgolion Lerpwl yn erbyn ysgolion Cilgwri, ond roedd yr ornest honno i'w chynnal pan oeddwn ar fy ngwyliau ym Mhwllheli. Er cymaint fy hoffter o griced, roedd y dynfa i Bwllheli yn gryfach.

Bowliwr cyflym oeddwn i, a chymerais fy wiced gyntaf yn erbyn ysgol Cowley, St Helen's. Hwnnw oedd yr unig dro imi dorri caten, neu *bail*, wrth fowlio. Mae'r gaten yn fy meddiant o hyd. Fy uchelgais oedd cymryd hanner cant o wicedi i'r ysgol mewn tymor. Cymerais 48 o wicedi yn 1935 a 49 yn 1936. Boddi yn ymyl y lan fu fy hanes, felly. Yn gam neu'n gymwys, roedd George Wass o'r farn y byddwn yn chwarae i Swydd Gaerhirfryn ryw ddydd. Fy ateb bob amser oedd mai i Forgannwg y chwaraewn pe byddwn yn cyrraedd y safon angenrheidiol.

Ddaeth y cyfle hwnnw ddim, yn rhannol oherwydd imi droi llawer o'm sylw at chwarae tennis ar ôl gadael yr ysgol. Roeddwn yn dal i chwarae criced i'r Liobians, cyn-ddisgyblion yr ysgol, ond yn syth ar ôl y gêm griced byddwn yn mynd i chwarae tennis am ddwy neu dair awr. Enillodd fy mhartneres Eirian Owen a minnau y dyblau cymysg y flwyddyn gyntaf y bûm i'n chwarae tennis. Ond os am gyrraedd y brig mae angen canolbwyntio ar un gêm neu faes. Mi ddysgais gymaint â hynny'n gynnar yn fy mywyd.

Lle cyfeillgar iawn oedd clwb tennis y Cymric, a dynnai ei aelodau o bob cwr o Lerpwl – Cymry i gyd, er nad oedd rhai ohonyn nhw'n siarad Cymraeg. Dau gwrt tennis porfa oedd gan y clwb, a'r ddau'n cael eu defnyddio'n ddi-baid. Dim ond wrth iddi dywyllu y byddai'r chwarae'n dod i ben. Bu Sefton Park yn feithrinfa i laweroedd gan fod amryw byd o glybiau tennis yn y parc. Chwaraewr celfydd dros ben oedd Selyf Roberts, y nofelydd. Gwnaeth Clwb y Cymric gyfraniad pwysig o ran cadw ysbryd cymunedol Cymry Lerpwl.

Prin iawn oedd y Cymry Cymraeg ymhlith fy nghyd-ddisgyblion yn yr Institute. Dau a gofiaf oedd Dewi Prys Thomas, a ddaeth yn bennaeth Ysgol Bensaernïol Cymru, a Ted Roberts, oedd â'i wreiddiau yn Llŷn ac a fu'n garcharor rhyfel am flynyddoedd cyn mynd yn athro. At ddydd Gŵyl Ddewi byddwn i'n gwisgo cenhinen Pedr yn ddi-feth. Os digwyddai i fachgen fod yn hwyr yn cyrraedd yr ysgol, disgwylid iddo aros y tu allan i'r giatiau haearn-gyr mawr gyferbyn â'r neuadd. Byddai hynny'n sicrhau fod y Prifathro'n gweld y troseddwr, wrth iddo fynd i'r neuadd ar gyfer y gwasanaeth boreol. Un bore Gŵyl Ddewi, a minnau'n hwyr, dyma'r prifathro'n fy ngweld ac yn fy nghyfarch, 'Late, Roberts, leek and all!' Roedd y Parchedig H. H. Symonds wedi bod yn athro'r Clasuron yn Rugby cyn dod i'r Institute. Ar lawer ystyr câi ei ystyried yn ddyn o flaen ei oes.

Yn ystod ei deyrnasiad yn yr ysgol fe sefydlodd y League of Public Order. Costiai ddimai'r tymor i ni ymaelodi mewn cymdeithas haearnaidd ei rheolau. Disgwylid i'r aelodau dalu sylw arbennig i drefn a glendid ble bynnag y byddent. Blwch papur gwastraff oedd yn hawlio'ch tocyn tram bob tro. Drwy'r blynyddoedd nid wyf wedi medru taflu unrhyw ddarn o bapur na dim arall drwy ffenest fy nghar.

Roedd H. H. Symonds hefyd wedi chwarae rhan flaenllaw yn y gwaith o sefydlu'r YHA (Youth Hostels Association) a roddodd gymaint o fwynhad i gynifer ohonom. Yn rhyfedd iawn, mi fûm yn pwyllgora efo fy nghyn-brifathro yn Aberystwyth yn 1952. Diogelu'r amgylchedd oedd yn mynd â'i fryd bryd hynny, pan oedd y posibilrwydd o greu cynllun trydan dŵr i'r Rheidol yn cael ei wyntyllu. Roedd wedi ymddeol o'i brifathrawiaeth yn 1935 ond daliodd i weithio'n ddygn dros werthoedd gwâr.

Byddai fy nghenhinen yn destun ymladd ar ddydd ein nawddsant, wrth i rai o'r bechgyn geisio'i dwyn. Ar ddiwedd pob tymor byddai'r disgyblion yn canu cân yr ysgol, ynghyd â 'Jerusalem'. Ar ôl cyrraedd fy mhedair ar ddeg oed fe fyddwn i'n canu'r geiriau 'In *Wales's* green and pleasant land'. Erbyn hynny doeddwn i ddim yn gwbl ddifater ynglŷn â gwleidyddiaeth. Mynychwn gyfarfodydd y Literary and Debating Society yn gyson yn ystod fy nwy flynedd olaf yn yr ysgol.

Bu agwedd hytrach yn ymosodol fy nhad tuag at ei genedligrwydd yn gryn ddylanwad ar Glyn a minnau. Ni chodai Tada ei het i'r un genedl o flaen ei genedl ei hun. Meithrinwyd ni'n dau yn y traddodiad hwnnw. Cam mawr â Mam fyddai lled awgrymu nad oedd hithau hefyd yn ymfalchïo yn ei Chymreictod. Hi a ofalai am genhinen Bedr i ni ei gwisgo ar y cyntaf o Fawrth, siaradai Gymraeg â ni bob amser waeth pwy oedd yn y cwmni, ond roedd ganddi natur addfwyn dros ben a boneddigeiddrwydd naturiol.

Fe gaeodd yr Institute yn 1985 pan oedd Cyngor Dinas Lerpwl yn cael ei reoli gan grŵp Llafur gyda Derek Hatton, o'r garfan Militant, yn ddirprwy arweinydd. Roedd Hatton wedi treulio cyfnod anhapus fel disgybl yn yr Institute ac wedi gadael heb unrhyw gymhwyster, ac mae rhai o'r farn bod a wnelo hynny rywfaint â'r penderfyniad i gau'r ysgol.

Ond fe arbedwyd yr adeilad rhag cael ei ddymchwel, diolch i ymgyrch a arweiniwyd gan gyn-ddisgybl arall, Paul McCartney. Cafodd George Harrison hefyd ei addysg yn yr Institute, a bu John Lennon yn fyfyriwr yn y Coleg Celf ar draws y ffordd. Gyda chysylltiadau felly, does fawr o syndod bod adeilad fy hen ysgol bellach wedi ei adnewyddu ac yn gartref i'r Liverpool Institute for Performing Arts.

GWREIDDIAU'R FELINHELI

Fel yn achos llawer o Gymry Lerpwl, y môr oedd wedi denu fy nhad i'r ddinas yn y lle cyntaf. Oherwydd ei iechyd yn bennaf y gadawodd ei gartref yn dair ar ddeg oed i ddechrau ar ei yrfa fel llongwr. Roedd yn dioddef o'r broncitis, a'r gobaith oedd y byddai bywyd y môr yn ei wella o'r aflwydd. Gan mai ef oedd yr hynaf o bump o blant, ac nad oedd ei dad, William Roberts, erioed wedi ennill cymaint â phunt yr wythnos fel llwythwr llechi ar y cei yn y Felinheli, mae'n siŵr fod ymadawiad John â'r nyth yn 1886 yn ysgafnhau rhywfaint ar y baich ariannol i'r teulu. Roedd fy nhaid, gyda llaw, yn Gymro uniaith, a phan ddeuai i aros gyda'n teulu ni yn Lerpwl ar ôl colli Nain, byddai'n gwrthod mynd i siopa ar Aigburth Road oherwydd ei ddiffyg Saesneg.

Ym mynwent y Felinheli mae yna gofgolofn hardd wedi ei gwneud o farmor o'r Eidal. Mae'n edrych fel petai'n coffáu un o uchelwyr y fro, ond yr enw arni yw Laura Jones, 'Nain Jones', a nodir i'r gofgolofn gael ei chodi 'gan ei charedigion, o barch diffuant tuag ati ar gyfrif ei gwasanaeth mawr am 40 mlynedd'. Y gwasanaeth hwnnw oedd dod â rhwng tair a phedair mil o fabanod i'r byd. Dyddiad ei marwolaeth oedd 19 Rhagfyr 1906. Nain Jones oedd fy hen-nain i.

Prifathro ysgol Trefriw yn Nyffryn Conwy oedd ei gŵr, Ioan ap Gwilym, mab Henblas, Aberdaron, a Laura'n ferch Caerffynnon, Llanfair ger Harlech. Ganwyd iddynt wyth o blant, a Winnie, fy nain, oedd yr hynaf o'r rheini. Gan i'm hen daid farw'n ifanc, gorfu i Laura Jones fagu'r wyth plentyn ar ei phen ei hun. Roedd brawd iddi'n weinidog yng Nghaernarfon a symudodd hithau i'r Felinheli i gael bod yn agos ato. Cymerodd arni ei hun y swydd o fydwraig answyddogol yr ardal. Daeth yn adnabyddus trwy'r fro fel Nain Jones, ac er iddi farw ychydig cyn fy ngeni fe barhaodd y cof amdani am ddegawdau wedyn.

Cefais dystiolaeth o hynny yn 1961 pan oeddem fel teulu yn aros yn Aberdaron. Clywais yn ystod y gwyliau fod y trên bach oedd yn cludo llechi o chwarel Dinorwig i'r incléin yn y Felinheli, yn gorffen rhedeg ar ddiwedd y mis. Yn hogyn ifanc roeddwn wedi bod ar y trên fwy nag unwaith efo Tada – nid ar yr injan, ond yn un o'r wagenni agored oedd yn cario'r llechi. Roeddwn yn awyddus i'm plant innau gael yr un profiad hyfryd. Felly dyma ni'n ei gwneud hi am y Felinheli ac i'r swyddfa ar y cei lle gobeithiwn gael caniatâd i fynd ar y trên bach.

Rhaid fy mod yn edrych fel estron i rai oedd yn gweithio yn y swyddfa, oherwydd mi glywais un yn gofyn 'Pwy ddiawl 'di hwn?' Erbyn imi orffen fy neges roedd pawb wedi lliniaru ond eglurwyd, gyda gofid, nad oedd yr un enaid byw wedi cael teithio ar y trên ers tro bellach. Roedd hyn yn siom, a dywedais fy mod wedi bod ar y trên sawl gwaith efo fy nhad a bod fy nhaid wedi gweithio gydol ei oes fel llwythwr llechi ar y cei. O ddeall mai John Roberts, Gwynfa oedd fy nhad, dyma drawsnewidiad llwyr. Galwodd Harri Williams, un o'r dynion hynaf, ar bedwar o'i gyfoedion. Gofynnodd yr un cwestiwn i bob un: 'Pwy ddaeth â ti i'r byd?' 'Nain Jones,' ddaeth yr ateb gan y pedwar. Nain Jones oedd yn bresennol pan anwyd Harri Williams ei hun hefyd. Felly, yn gwbl annisgwyl, mi gefais y pleser o gyfarfod â phump o ddynion a deimlai ddyled go sylweddol i Laura Jones, fy hen-nain.

Fe'm hanfonwyd wedyn i swyddfa arall lle'r oedd gan un o'r dynion gysylltiad teuluol â chwaer i fy nain. Roedd gan hwnnw'r awdurdod i roi caniatâd i bobl deithio ar y trên bach. O ganlyniad fe gawsom siwrnai hyfryd o Ddinorwig i'r incléin, a gweld y goets ysblennydd y byddai'r perchnogion, yr Assheton-Smiths, yn teithio ynddi wrth ymweld â'r chwarel. Prynhawn cofiadwy, ac un a drysoraf yn fawr.

Gan i Nain Felinheli, merch Nain Jones, farw cyn fy ngeni, a Taid cyn imi gyrraedd fy mhedair oed, prin fu fy ymweliadau â phentref genedigol fy nhad. Roedd Glyn, fy mrawd, yn cofio'r ddau. Daeth eu cartref, Gwynfa, yn eiddo i Nhad ar ôl marw'i rieni a chafodd f'ewythr Thomas, brawd fy nhad, a'i wraig Madge, fyw ynddo am swllt y flwyddyn o rent, ar yr amod eu bod yn cadw'r tŷ yn daclus. Doedd ganddyn nhw ddim plant, ac felly doedd dim llawer o dynfa yno i mi.

Os mai er lles ei iechyd y cychwynnodd fy nhad ar ei yrfa forwrol ar long hwyliau o'r Felinheli yn llencyn tair ar ddeg oed, roedd ei fordaith gyntaf ymhell o fod yn un gysurus. Criw o bump oedd ar y llong ac yntau, wrth reswm, oedd y mwyaf distadl yn eu plith. Ar ei Sul cyntaf oddi cartref, roedd tipyn o hiraeth arno wrth feddwl am ei deulu yn yr oedfa yng Nghapel Elim. Dyma'r Capten, wrth dorri cig ar gyfer y cinio dydd Sul, yn gofyn iddo, 'Wyt ti'n licio cig gwyn, Jac?', a rhoi cwlffyn o gig gwyn ar ei blât heb ddisgwyl am yr ateb. Fel y dywedai Nhad wrth adrodd y stori, pa blentyn o'r oed hwnnw fyddai'n hoffi cig gwyn?

Yr un capten a ofynnodd i Nhad ddringo'r mast ar ryw berwyl neu'i gilydd. Erbyn iddo gyrraedd y brig roedd arno ofn dod i lawr. 'Tyrd lawr y jac-do jiawl,' oedd unig anogaeth y Capten. Chwerthin y byddwn i pan adroddai fy nhad ei helyntion, er mai cydymdeimlad a ddisgwyliai.

Ar ôl bwrw'i brentisiaeth fel peiriannydd llongau yn De Winton, Caernarfon, ymunodd â'r Dominion Line a bu'n hwylio ar amryw o longau megis yr *Englishman* a'r *Canada* hyd nes i'r White Star brynu'r Dominion Line. Fel peiriannydd gyda'r White Star y gorffennodd ei yrfa forwrol.

Cafodd sawl dihangfa gyfyng yn ystod yr yrfa honno. Ar daith yn ôl o Dde Affrica adeg rhyfel y Boer, syrthiodd ddeugain troedfedd i lawr howld ei long. Glaniodd ar ei ben a bu'n anymwybodol am ddau ddiwrnod ar hugain. Pan ddaeth ato'i hun roedd yn Ysbyty St Luke's yn Llundain. O ganlyniad i lawdriniaeth a gyflawnwyd gan ddyn o'r enw Mr Cantley, roedd ganddo fwlch dwfn yn ei dalcen uwchben ei lygad chwith am weddill ei oes. Wnaeth y driniaeth ddim amharu ar ei olwg, a barn Mr Cantley oedd, 'You are a miracle, my boy!'

Dro arall cafodd llong Tada ei dryllio mewn storm oddi ar arfordir gorllewin yr Alban, a dechreuodd suddo'n gyflym. Rhuthrodd pawb am y cychod, ond cofiodd fy nhad am ei oriawr aur a adawsai yn ei ystafell; rhuthrodd yn ei ôl i gael gafael ar ei wats. Erbyn hyn roedd pawb arall yn y cychod a rhoddodd Tada naid am y cwch agosaf. Yn anffodus, nid yn y cwch y glaniodd ond yn y môr, ac yntau'n methu nofio. Ond llwyddodd trimiwr i gydio ynddo gerfydd ei wallt a'i dynnu i mewn i'r cwch. Bu Tada ar y môr am dri deg a dwy o flynyddoedd heb erioed ddysgu nofio.

Adeg yr ymladd yn y Dardanelles yn ystod y Rhyfel Mawr roedd ar long oedd yn cludo minteioedd i'w tranc yn y gyflafan yn Galipoli. Yn y bore, cyn i'r milwyr fynd i'r lan, fe alwyd enwau dros fil o ddynion. Erbyn gyda'r nos ar ddiwedd y diwrnod 'gwaith', dim ond cant wyth deg saith oedd yn bresennol i ateb eu henwau.

Cofiaf fy nhad yn mynd ar y trên o Lerpwl i Fanceinion ryw saith mlynedd ar ôl y Rhyfel Mawr. Dim ond un dyn arall oedd yn ei gompartment, a dyma nhw'n dechrau sgwrsio. Toc trodd y sgwrs at y Dardanelles, lle'r oedd y dyn wedi bod yn ymladd. Roedd y ddau yn eu dagrau, wedi eu llethu gan yr atgof am erchylltra dyn at ei gyd-ddyn, a'r ffieidd-dra a deimlent at y Cadfridogion oedd wedi difodi cenhedlaeth o wŷr ifanc yn anterth eu dyddiau.

Yn y cyfnod hwnnw hefyd bu ei long, y *Justicia*, yn Belffast yn cael ailwampiad ar ôl mordaith. Aeth Mam a Glyn draw yno i fod gyda Tada, a bu Glyn yn yr ysgol ym Melffast am rai misoedd. Pan oedd y *Justicia* ar fin hwylio dywedwyd wrth fy nhad nad oedd i hwylio arni wedi'r cwbl, ond ar long arall. Hwyliodd y *Justicia* hebddo ac ni welwyd mohoni byth wedyn. Cafodd ei suddo gan long danfor Almaenig a chollwyd pob copa gwalltog o'r criw.

Daeth dilyniant i'r stori drist honno yn ystod yr Ail Ryfel Byd. Roedd Glyn fy mrawd erbyn hynny'n Is-Gonswl Prydeinig yn Savannah, Georgia yn yr Unol Daleithiau pan alwodd llong o'r enw *Justicia* yn y porthladd – olynydd y *Justicia* wreiddiol a fu mor agos â diweddu bywyd ei dad. Pan ddaeth yn amser iddi hwylio, Glyn aeth â'r papurau priodol i lawr at y llong. Y capten oedd Laurie Davies o'r Cei Newydd, ac roedd saith neu wyth o Gymry yn y criw. Gan ei bod hi'n nos Sul, y peth naturiol i'w wneud oedd canu emynau Cymraeg. Hwyliodd y *Justicia* fore trannoeth. Glyn oedd yr un olaf i siarad â'r Capten Laurie Davies ar y lan, gan i long danfor Almaenig suddo'r *Justicia* honno hefyd, ychydig i'r gorllewin o Iwerddon. Achubwyd amryw o'r criw, ond aeth y capten i lawr gyda'i long.

Flynyddoedd yn ddiweddarach roeddwn yn digwydd bod yn y feddygfa yn y Cei Newydd ar yr un pryd â Miss Dora Evans. Roedd hi'n ferch i gapten llong, a digwyddais innau adrodd stori'r *Justicia*. Wedi imi orffen dywedodd Dora Evans bod Laurie Davies yn ewythr iddi a bod ei modryb, gweddw'r capten, yn byw gyda'i merch yn Derby. Cefais y cyfeiriad yn Derby, sgrifennais at fy mrawd, a sgrifennodd yntau at Mrs Davies i roi hanes noson olaf Capten Davies yn Savannah. Yr haf canlynol fe alwodd Mrs Davies i'n gweld i ddweud cymaint roedd hi wedi gwerthfawrogi llythyr Glyn.

Gyda'r blynyddoedd, roedd fy nhad yn cael ei ddyrchafu gyda chwmni'r White Star ac felly'n gallu helpu hogiau eraill o'r Felinheli i gael gwaith ar y môr. Cafodd le ar y llongau i ddegau o fechgyn y pentref. Cymaint oedd ei lwyddiant yn y cyfeiriad hwn fel y cythruddwyd Mari Lewis, mam Willie Lewis, i ddweud, 'Mae John Roberts Gwynfa'n medru cael gwaith i bawb ond Willie bach ni!' Unig blentyn Mari Lewis, cannwyll llygaid ei fam, oedd Willie, nad oedd yn nodedig am ei ddiwydrwydd. Yn wir, hoff ddifyrrwch Willie oedd mynd dros Bont y Borth i gael peint efo Sgow, morwr o un o wledydd Llychlyn oedd wedi priodi merch o'r pentref. Roedd Mari Lewis mor feirniadol o Nhad nes i Nain grefu arno i geisio trefnu bod Willie'n cael mordaith. Yn y diwedd trefnodd fy nhad i Willie gael hwylio ar yr un llong ag yntau.

Roedd wedi rhoi cyfarwyddiadau manwl i Willie sut i

gyrraedd y llong, a gofalodd fod yno'i hun i'w groesawu. Hwn oedd y tro cyntaf erioed i Willie gysgu oddi cartref. Pan gyrhaeddodd Willie ddec y llong, dyma fo'n lluchio'i fag môr i lawr ac yn dweud wrth fy nhad, 'Arhoswch i Tecwyn Evans [un o hoelion wyth y Wesleaid] ddod i ofyn i mi am gyfraniad i'r Genhadaeth Dramor – be mae hwnnw wedi'i weld erioed?' Gwaith fel stocer gafodd Willie, a phan ddaeth fy nhad ar ei draws y dydd canlynol roedd ar ddiffygio ac yn crefu am gael gwaith ysgafnach. Felly dyma roi Willie ar waith efo berfa a brws yn twtio, a dyna fu'n ei wneud am weddill y fordaith. Pan gyrhaeddodd y llong borthladd Montreal, aeth Willie i'r lan. Gwelodd fy nhad ef ar ôl iddo ddychwelyd i'r llong a gofynnodd 'Sut oedd y cwrw, Willie?' 'Oer ar y diawl,' oedd yr ateb.

Ar y daith yn ôl o Montreal fe welodd fy nhad Willie ar ddydd Sul ac fel hyn aeth yr ymgom: 'Wel, Willie, mae'n ddydd Sul a dyma ti â gwaith cyson, yn cael dy gadw ac yn ennill ceiniog fach reit ddel. Beth fyddai orau gen ti, bod fan hyn yn dda dy fyd, neu'n croesi i Foel-y-Don i gael peint efo Sgow?' 'Wel hefo Sgow siŵr Dduw,' meddai Willie fel mellten. Wrth i'r llong lanio yn Lerpwl siarsiodd fy nhad Willie i gofio prynu pâr o sgidiau melyn a het feddal – lifrai digamsyniol llongwr yn dychwelyd o'r môr. Ar ddiwedd y fordaith roedd pob morwr yn cael llyfr rhyddhau – *discharge book* – oedd yn rhoi asesiad o'i ymddygiad a'i waith. Os nad oedd y morwr wedi lladd rhywun neu suddo'r llong, roedd yn cael 'Da iawn' ar y ddau gyfrif. A dyna ddigwyddodd i Willie Lewis. Pan gafodd Mari Lewis afael ar lyfr rhyddhau ei mab, fe'i rhwymodd mewn cas melfed a'i ddangos i bawb o'i chydnabod gan ddweud bod 'Willie ni wedi cael *very good* ddwy waith'.

Na, doedd y Felinheli ddim yn brin o gymeriadau, ac mi fyddai Nhad wrth ei fodd yn adrodd eu hanesion. Ac yntau gartref am ysbaid ar ôl un fordaith, aeth am dro a dod ar draws John Owen yn casglu sbwriel yr ardal i'w ferfa. Cyfarchodd y naill y llall. 'Ydach chi'n brysur iawn?' gofynnodd Nhad.

‘Ydw,’ a chan blygu uwch ei ferfa, cydiodd John Owen mewn potel a gofynnodd i Nhad ei hogleuo. ‘Ogla be ’di hwn?’ gofynnodd. ‘Wel wisgi,’ meddai Tada. ‘Ydach chi’n iawn, John Roberts. Ond y cwestiwn ydi, o doman pwy? Wel mi ddeuda i wrthoch chi, toman y Main, Bryn Menai.’ Y Main, Bryn Menai oedd gweinidog parchus y Methodistiaid Calfinaidd ar ddechrau’r ganrif ddiwethaf pan oedd y Mudiad Dirwest yn ei anterth.

Un o’r athrawesau ar fy nhad yn ysgol y Felinheli oedd mam y bardd, y llenor a’r ysgolhaig W. J. Gruffydd. Pan gyhoeddodd ei mab y clasur *Hen Atgofion* cafodd fy nhad fodd i fyw wrth ei ddarllen, gan ei fod yn adnabod llawer o’r cymeriadau. Yn wir, roedd ganddo straeon am ambell un a ragorai ar y rhai a groniclwyd yn y gyfrol. Enw un o’r cymeriadau hynny oedd Cando, a’i bleser mawr mewn bywyd oedd ffeirio’i oriawr am un well byth a beunydd. Un noson olau leuad dyma griw yn cychwyn am ben yr Wyddfa i gael gweld yr haul yn codi. Erbyn hynny roedd gan Cando yn ei feddiant oriawr a ragorai ar bob oriawr a fu ganddo erioed. Erbyn iddynt gyrraedd pen yr Wyddfa ac aros ychydig, dyma un o’r fintai’n gofyn i Cando am faint o’r gloch y byddai’r haul yn codi. Yr ateb a gafodd, ar ôl astudio’r wats yn fanwl, oedd ‘Mae o dri munud yn hwyr yn barod, hogia!’ Danfonodd fy nhad bedair ar ddeg o dudalennau ffwlsgap o werthfawrogiad i Gruffydd ar ôl darllen *Hen Atgofion*, a’r unig gydnabyddiaeth a gafodd oedd: ‘Dymuna’r Athro W. J. Gruffydd gydnabod eich llythyr dyddiedig 3ydd Chwefror 1937’. Ni chlywyd fawr o sôn am W. J. Gruffydd yn ein tŷ ni byth wedyn!

GWREIDDIAU PWLLHELI

Yn ddeg oed, dechreuais ar yr antur fawr flynyddol o deithio ar y trên o Lerpwl i Bwllheli ar fy mhen fy hun. Ar ddiwrnod olaf tymor yr haf, yr eiliad y byddai'r ysgol yn cau, fe'i heglwn hi am orsaf Lime Street i ddal y trên cyntaf tua'r gorllewin. Gofalai Mam yn y blynyddoedd cynnar fod y gard yn cadw llygad arnaf, yn enwedig yn y gorsafoedd lle'r oedd angen newid trên, sef Caer, Cyffordd Llandudno ac Afon-wen. Yr LMS oedd y cwmni a'm cludai o Lerpwl i Afon-wen, ond cyfrifoldeb y GWR oeddwn i ar y siwrnai fer o Afon-wen i Bwllheli. Mae unrhyw berson a gafodd y profiad o ddisgwyl am drên ar orsaf Afon Wen ar ôl iddi dywyllu ym mherfeddion gaeaf yn gwybod beth yw ymdeimlad o wir unigedd. Llusernau olew yn unig a daflai ychydig oleuni ac o, roedd hi'n medru bod yn oer a drafftiog yno.

Bob tro y gadawn Gaer am Bwllheli roedd fy ysbryd yn codi o wybod fy mod yng Nghymru. Wrth inni adael Prestatyn a'r Rhyl, byddai fy nghalon yn llamu fwyfwy fel y clywn y Gymraeg o'm cwmpas yn y trên a'r gorsafoedd. Roedd yr arferion hefyd yn newid, a'r gyfundrefn yn mynd yn fwy anffurfiol a chyfeillgar. Fwy nag unwaith, wrth inni nesáu at orsaf wledig, fe welais ddyn neu ddynes yn chwifio braich i dynnu sylw'r gyrrwr eu bod am ddal y trên a hwythau hanner lled cae o'r orsaf. Does gen i ddim cof i neb gael ei adael ar ôl dan y fath amgylchiadau.

O Fangor ymlaen, gorfoledd pur oedd y daith. Gan fod fy nhad wedi rhybuddio f'ewythr Thomas y byddwn ar drên arbennig, roedd ef yng ngardd Gwynfa yn chwifio arnaf wrth i'r trên fynd drwy'r Felinheli. Wedyn, Caernarfon a'r holl orsafoedd bach rhwng yno ac Afon-wen – Dinas, Llanwnda,

Groeslon, Pant-glas, Bryncir, Chwilog . . . Ym Mhwllheli byddai Noel, fy nghefnder, yn cyfarfod y trên, a Taid hefyd ambell dro. Yna cerdded dros y Cob i South Beach – neu Marian y De erbyn heddiw – a chyrraedd Aberkin, fy nghartref am y deufis nesaf. Glyn, fy mrawd, oedd wedi sefydlu'r arfer o dreulio'r gwyliau ym Mhwllheli. Byddai yntau'n mynd at Nain mor gyson â finnau ar hyd ei flynyddoedd ysgol.

Roedd Aberkin yn dŷ pedwar llawr, ynghyd â seler eang ryfeddol. Y drws cefn oedd y fynedfa i'r gegin, a'r drws ffrynt yn arwain i'r promenâd. Twristiaeth oedd bywoliaeth Nain, a byddai'n gosod ystafelloedd i deuluoedd. Hi ei hun fyddai'n gwneud yr holl goginio i bedwar neu bum teulu, pob cinio'n wahanol, a byddai'r un teuluoedd yn dychwelyd flwyddyn ar ôl blwyddyn. Dynes hardd ei gwedd, yn dalsyth ei cherddediad a phendant ei barn, dyna fy nain. Mae'n anodd deall sut y gallai ymdopi â rhoi lloches i mi am ddau fis ar y tro a hithau mor brysur. Ac nid yn yr haf yn unig yr ymwelwn ag Aberkin. Roedd gennym dair wythnos o wyliau dros y Pasg, a'r unig le i dreulio hwnnw hefyd oedd Pwllheli. Byddai cyfarfod pregethu capel South Beach yn cael ei gynnal ar Wener y Groglith ac yno y clywais Tom Nefyn yn pregethu mor swynol a chofiadwy.

Unwaith yn unig y cofiaf imi fynd i Aberkin yn ystod gwyliau'r Nadolig. Y peth a'm synnodd fwyaf y tro hwnnw oedd gweld Nain yn mynd i'r pictiwrs efo gwraig a alwem yn Grandma Schlotter; doeddwn i ddim wedi arfer gweld Nain yn unman ym Mhwllheli heblaw wrth ei gwaith. Pan ymwelai â ni yn Lerpwl yn ystod y gaeaf, roedd hynny'n fater gwahanol.

Un profiad hyfryd a gawn yn nhŷ Nain a Taid oedd bod yn rhan o'r hen draddodiad Cymreig o gadw dyletswydd. Byddai'r ddefod yn dechrau gyda Taid yn rhoi darlleniad o'r Beibl, ac yna'n gweddïo o'r frest. Fe'm synnwyd wrth glywed ei huotledd ar ei liniau. Dyn tawel oedd Taid – y merched fyddai'n siarad mwyaf yn Aberkin – ond roedd yn flaenor ac yn un o ymddiriedolwyr cyntaf capel bach South Beach.

Teulu Nain Jones y Felinheli.
Heulyn, y bardd sydd ar y dde ac mae fy nain i, Winnie, yn eistedd rhyngddynt.

Teulu Aberkin House, Pwllheli.
O'r chwith, rhes gefn: Ewyrth John Ogwen, Modryb Lucy, Ewyrth Llywelyn, Mam (Lily), Modryb Violet.
O'r chwith, rhes ganol: Nain (Mary Jane Jones), Ewythr Albert, Ewythr William Owen, Taid (Owen Jones).
O'r chwth, rhes flaen: Modryb Edith, Buller y ci, Modryb Blodwen.
Tynnwyd y llun ar ddydd Sul tua 1901.

St. George's Hall, Lerpwl.

Tada, Glyn, Mam a fi.

Margaret Eluned gyda'i rhieni –
Mam a Dat.

Glyn Lloyd a Hywel Heulyn.

Mam, Meinir, Margaret a Rhian, ger pont Firth of Forth. Hydref 1954.

Ar lan y môr ym Marian y De (South Beach) Pwllheli.

Tîm criced yr Institute 1935.

Sudley Road, Aighburth, Lerpwl; ein tŷ ni yw'r ail o'r chwith.

Mam a Tada.

Ennill dros y clwydi 1936.

Pierce, Hywel, Owen 1938.

Gwasanaethu fel aelod o staff Banc Martins
yn Sioe Frenhinol Swydd Gaerhirfryn 1938.

Capel Brynrhiwgaled, Synod, 29 Gorffenaf 1944.

Y pâr ifanc.

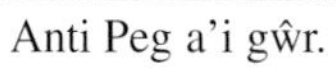
Anti Peg a'i gŵr.

Yn Synod Parc, 1956.

Y Parchedig Tegla Davies gyda Glyn a minnau, 1960.

Glyn, pan oedd yn llysgennad yn America, gyda Edward VIII – a Mrs Simpson!

Crud-yr-awel.

Etholiad cyntaf Dyfed.

Cyngor Urdd Gobaith Cymru ar ddiwedd y 1950au.

Ymweliad John Morris, Ysgrifennydd Gwladol Cynru â Dyfed.

Cyflwyno rhodd cynrychiolwyr Cymru a'r Gororau o gwmni R. Silcock a'i Feibion Cyf., i Mr. Cynfab Roberts ar ei ymddeoliad yn 1966, fel rheolwr gwerthiant y cwmni.

Cyflwyno'r awenau i Carey George.

Cael fy nerbyn fel Cadeirydd cyntaf Dyfed. Ebrill 1973.

Annerch cyfarfod cyntaf Dyfed, Ebrill 1973.

Cyngor Chwaraeon Cymru 1972.

Cinio Undeb Amaethwyr Cymru, Caerfyrddin, ynghanol y '70au,

Margaret a Hywel, Eirys a Berwyn, Maer a Maeres Aberteifi – a ffrindiau da.

Syr Frank Layfield a Lady Layfield, Arglwydd Ridley, Hywel Heulyn a Margaret Eluned. 1989

Ken Livingston yn annerch a minnau'n llywyddu, 1985.

'Ar ryw brynhawn teg o haf hirfelyn tesog . . .
Agor Falcondale, Llanbedr Pont Steffan,Gorffennaf 1955.

Mrs. Bebb, Gwynfor Evans, Hywel Heulyn, Gareth Evans, Mrs. Jarman. 1958.

Bu'n gweithio am flynyddoedd fel chwarelwr yng Ngharreg yr Imbill, gwaith ithfaen prysur iawn ar un adeg, o fewn rhyw dri chanllath i Aberkin. Pan oeddwn i'n gwrando ar yr hanesydd Dafydd Glyn Lloyd Hughes yn darlithio ar hanes tref Pwllheli yn 1986, fe soniodd fod darn o garreg ithfaen wedi hollti un o glustiau Taid yn ei hanner mewn damwain yn y chwarel. Roeddwn i wedi llwyr anghofio am hynny nes i Dafydd fy atgoffa.

Roedd Taid hefyd yn dipyn o *entrepreneur*, yn berchen cytiau ymdrochi a chychod rhwyfo i'w rhentu. Bu'n gweithio am ddau gyfnod byr yn America ar ddiwedd y 1870au a dechrau'r 1880au, unwaith yn Graniteville, Vermont a'r tro arall ar bwys Atlanta, Georgia. Bu fy ngwraig Margaret a finnau'n ymweld â Graniteville yn 1980, gan mlynedd ar ôl i Taid fod yno. Aethom hefyd i Atlanta, Georgia, lle bu Glyn fy mrawd am gyfnod yn is-gonswl Prydeinig. Wrth edrych allan o ffenest ei swyddfa yno gallai Glyn weld Stone Mountain lle'r oedd Taid wedi bod yn llafurio. Mae'n beth da cael eich tynnu'n ôl at eich gwreiddiau bob hyn a hyn.

Yn ddyn ifanc, chwaraeai Taid i dîm criced Pwllheli. Daeth yr un profiad i minnau ymhen blynyddoedd, a'm hatgof pennaf am y digwyddiad yw cael pigiad yn fy mrest gan wenynen wrth imi faesu yn ystod gêm yn erbyn Caernarfon.

Mawr – difesur, yn wir – oedd y mwyniant a gawn wrth ymweld â Phwllheli. Fe'm dysgwyd i nofio ar draeth South Beach, a hynny gan Mam. Byddai Noel a finnau'n rhwyfo yng nghychod Taid. Glan y môr oedd ein cartre ni'n dau am ddau fis i bob pwrpas. Mae'n duedd gan bawb ohonom wrth heneiddio i feddwl bod hafau'n hieuenctid gymaint yn well na hafau heddiw. Ond mae gen i gof hefyd am ambell ddiwrnod o haf ym Mhwllheli pan oedd hi'n tresio bwrw drwy'r dydd. Bryd hynny aem ar ein hunion i Caxton House i chwilio am ddeunydd darllen. Y *Modern Boy* a'r *Children's Newspaper* a dderbyniwn yn rheolaidd bob wythnos gartref. Ond pan oedd hi'n glawio ym Mhwllheli, y *Gem* a'r *Magnet* a'r *Boys' Own Paper* a gâi'r flaenoriaeth. Roedd 64 tudalen i'r *Boys' Own Paper* ac roedd yn llawn o ramant herfeiddiol a apeliai at fachgen bywiog.

Wyth o blant oedd gan Nain a Taid erbyn fy nghyfnod i. Roedd dau arall wedi marw cyn fy ngeni, gan adael Mam yn hynaf o bum chwaer a thri brawd. Dau yn unig oedd yn dal i fyw yn ardal Pwllheli erbyn i mi ddechrau mynd yno, sef Blodwen, neu Anti Blod, mam Noel, a fyddai'n helpu Nain i ofalu am yr ymwelwyr, ac Albert, y cyw melyn olaf, yr unig un o'r deg i gael ei eni yn yr ugeinfed ganrif.

Priododd Albert â Winnie Schottler, merch a fagwyd yn Blackpool ond a dreuliai ei gwyliau ym Mhwllheli. Roedd Winnie wedi cael ei magu gan ei nain, y Grandma Schottler a gadwai gwmni i'm nain innau yn y pictiwrs. Dynes beniog a hynod gefnog oedd hon. Ei hanrheg priodas i Winnie ac Albert oedd Trewarren, byngalo hyfryd mewn dwy erw o godiad tir ar gyrion Aber-soch, gyda golygfa wych o Ynysoedd Tudwal. Pan aem i draeth y Warren, o fewn hanner milltir i'r tŷ, caem y lle i ni'n hunain, a chofiaf Noel a finnau'n ymdrochi'n noethlymun pan fyddem wedi anghofio'n gwisgoedd nofio. Mor wahanol yw hi heddiw yn y Warren, gyda'i gannoedd os nad miloedd o garafanau a chabanau gwyliau.

Roedd Albert yn nofiwr cryf anghyffredin, ond nid wyf yn credu iddo ymdrochi unwaith ar ôl cyrraedd ei naw ar hugain oed. Disgleiriai fel chwaraewr tennis. Arferai Dorothy Round a'i theulu aros ym Mhwllheli ar eu gwyliau bob blwyddyn. Enillodd Dorothy senglau Wimbledon deirgwaith, a phan fyddai'n chwarae parau cymysg mewn twrnamaint yng ngogledd Cymru, f'ewythr Albert oedd ei phartner. Chwaraeai Albert fadminton dros ogledd Cymru hefyd.

Oblegid bod gan Winnie ddigon o arian, doedd dim rhaid i Albert weithio. Pan ofynnwn i Mam beth oedd gwaith fy ewythr, yr un ateb a gawn bob amser: 'Mae Albert yn gweithio'n galed iawn yn yr ardd.' A gallaf dystio i hynny, oherwydd roedd gardd Trewarren yn batrwm i unrhyw arddwr, yn enwedig y greigardd bob ochr i'r dreif a gynhwysai bob math o flodau a phlanhigion, ynghyd ag ambell goeden wedi'i phlannu'n gelfydd.

Yng nghanol *jet set* Aber-soch yr oedd Albert a Winnie'n fwyaf cartrefol. Wrth gwrs fe chwaraeai Albert golff hefyd, ond ni chlywais iddo lwyddo'n arbennig yn y gêm honno.

Bu farw Winnie yn 1950. Ychydig flynyddoedd yn ddiweddarach symudodd Albert i Lundain, lle bu yntau farw yn 1978.

Y fodryb y cefais fwyaf o'i chwmni oedd Anti Blod, mam Noel. Hi oedd wedi aros ym Mhwllheli, a hi a helpai Nain i redeg busnes Aberkin yn ystod yr haf. Priododd â William Maurice Williams, oriadurwr o Flaenau Ffestiniog. Roeddwn yn hoff iawn o fy ewythr Billy gan ei fod mor glên a pharod ei gymwynas. Bu Billy yn Ffrainc drwy'r Rhyfel Mawr a chafodd ei gladdu'n fyw unwaith, wrth wynebu magnelau mawr yr Almaenwyr. Cael a chael fu hi arno y tro hwnnw. Ar wahân i helpu Nain wrth weithio oriau meithion, Anti Blod fyddai'n golchi fy nillad i yn ôl y gofyn.

Yn Ardraeth, Lôn Berch, yr oedd cartref Anti Blod, ond symudai i Aberkin at ei mam dros yr haf. Yn ystod gwyliau'r Pasg, byddwn yn treulio peth amser yn Ardraeth efo hi a Billy a Noel, eu hunig blentyn. Roedd Noel a fi yn anwahanadwy. Bu Anti Blod yn athrawes ysgol Sul am flynyddoedd ar ddosbarth o fechgyn eithaf anystywallt, gan gynnwys un o'r enw Gwynfor, y mwyaf parod â'i ddyrnau. Un prynhawn fe drosglwyddodd neges ddigon anghristnogol i mi drwy ei athrawes ysgol Sul: 'Dwedwch wrth yr hogyn mawr 'na y rho i'r farwol iddo fo pan wela i o!' Ar ôl ymchwilio i ystyr y gair 'marwol', mi gedwais o ffordd Gwynfor am fisoedd os nad am flynyddoedd!

Wedi'r cyfeiriad at yr 'hogyn mawr', hwyrach mai dyma'r lle i ddweud gair am fy nhaldra. Yn un ar bymtheg oed doeddwn i'n ddim talach nag amryw o fy ffrindiau – rhyw bum troedfedd naw modfedd. Ond wedyn mi dyfais bum modfedd a hanner mewn blwyddyn, nes bod Mam yn gorfod prynu ddillad newydd imi bob mis. Ar ôl cyrraedd chwe troedfedd dwy fodfedd a hanner mi roddais y gorau i dyfu, a synnwn i ddim nag ydw i'n byrhau rhywfaint erbyn heddiw!

Er mor ddifyr oedd y Pasg yn Ardraeth, tŷ Nain oedd y pencadlys. Dim ond croesi'r prom, neidio dros y clawdd cerrig ithfaen hardd a chroesi rhimyn o dwyni tywod a dyna ni ar y traeth. Er bod Noel yn nofiwr brwd, mae'n deg dweud nad oedd mor awyddus â fi i fynd i'r môr cyn brecwast.

Trwy drugaredd, doedd fy nghyfoedion ym Mhwllheli ddim i gyd mor ymosodol â Gwynfor, ac mi wnes nifer o ffrindiau yn y dref. Un a ddeuai i nofio efo fi'n aml oedd John Henry, a arhosai efo'i fodryb a'i ewythr yng Ngorffwysfa, y tŷ agosaf ond un i Aberkin. Roedd John Henry yn y coleg pan oeddwn i yn yr ysgol. Fel pregethwr cynorthwyol fe lanwodd y pulpud sawl gwaith yng nghapel South Beach. Dyfynnai ambell linell o Ladin ar ei bregeth, ac ar ddiwedd yr oedfa dywedai wrthyf mai er fy mwyn i y gwnâi hynny. Druan ag ef, *pass* yn unig a gefais yn Lladin, tra oedd yntau i ddisgleirio fel ysgolhaig yn y Clasuron. Cofiaf iddo ddweud wrthyf un bore, 'Cefais noson ardderchog neithiwr, es i fy ngwely'n gynnar i ddarllen Homer yn y gwreiddiol.' Pwy ond John Henry!

Mae oedfa arall ym Mhwllheli yn aros yn y cof – ond nid am resymau diwinyddol. Roedd Edie, chwaer ieuengaf Mam, wedi priodi gweinidog, y Parchedig John Parry, Maentwrog a Gellilydan. Mae'n debyg i mi fod yn eu priodas pan oeddwn yn wyth oed. Anti Edie, o blith y chwiorydd, oedd y debycaf i Mam o ran pryd a gwedd, a hi hefyd oedd yr unig un o'u plith a fyddai'n mynychu'r capel mor aml â Mam. Pan bregethai John Parry ym Mhwllheli byddai Nain yn disgwyl i Noel a minnau fynd i wrando arno. Yng nghapel Tarsis, ar y Maes, y cyflawnodd y pregethwr ei gamp ryfeddol. Wrth iddo fynd i dipyn o hwyl yn ystod ei bregeth, dyma res uchaf ei ddannedd gosod yn syrthio o'i geg. Fel fflach dyma law dde John Parry yn cipio'r dannedd afreolus o'r awyr a'u gosod yn ôl yn eu lle priodol. Cystal *slip fielding* ag a welais erioed yn yr holl flynyddoedd y bûm yn chwarae criced. Gwnaeth argraff ddofn ar Noel a minnau!

Un o'r profiadau mawr a ddaeth imi ym Mhwllheli oedd tynnu fy mygyn cyntaf, yn ddeg oed. Buddsoddi dwy hen geiniog ar y cyd mewn paced o bump Woodbine wnaeth Noel a minnau – dwy sigarét a hanner bob un. Ar Forfa'r Garreg y bu'n hymgais gyntaf i danio. Ysmygwyd y pump, ond symol oedd ein stumogau ar ôl cyflawni'r fath wrhydri. Roedd hi'n ddeng mlynedd cyn imi fentro ar fy mygyn nesaf.

Cawn ddigon o gyfle ym Mhwllheli i wneud ffrindiau drwy chwarae criced. Byddem yn chwarae ymysg ein gilydd ar y prom o flaen tŷ Nain, ac yn cynnal gornestau mwy difrifol ar Forfa'r Garreg, lle byddai hogiau South Beach yn herio hogiau'r West End. Bowliwr cyflym oeddwn i yma, fel yn Lerpwl, a Tommy Moss – mab tafarn y Victoria, South Beach – yn cadw wiced i'n tîm ni. Doedd dim y fath beth â phadiau i'w cael, a doedd Tommy ddim yn ddigon chwim i rwystro'r bêl rhag taro'i goesau'n ddigon poenus. Digwyddodd hynny unwaith yn ormod. Ar ôl bowlio roeddwn wedi troi fy nghefn ar Tommy ac yn cerdded yn ôl pan waeddodd rhywun, 'Gwatsia!' Troais fy mhen mewn pryd i dderbyn y bêl griced, wedi ei thaflu â holl nerth bôn braich Tommy Moss, ar ganol fy nhrwyn. Torrwyd fy nhrwyn yn yfflon, ac ni allwn weld rhyw lawer am ddiwrnod neu ddau gan ei fod wedi chwyddo gymaint. Lledwyd y septwm i'r fath raddau fel na allwn anadlu drwy fy nhrwyn am y deng mlynedd nesaf. Pymtheg oed oeddwn i adeg yr ergyd a dywedodd yr arbenigwr John Roberts, Woodlands Road, na fyddai'n ddoeth i geisio ymdrin â'r difrod nes y byddwn i – a'r trwyn – wedi gorffen tyfu. Bob haf o hynny hyd heddiw rwy'n cael pyliau o glefyd y gwair i'm hatgoffa am Tommy Moss.

Ymwelai ffair Studt â Phwllheli bob haf. Credaf yn gydwybodol fy mod wedi rhoi mwy o arian ym mhoced Mr Studt nag ym mhoced unrhyw berson arall yn ystod fy mhlentyndod. Doedden ni ddim wedi'n llwytho ag arian parod, ond yn ogystal â'r archebion post a dderbyniwn o Lerpwl at fy nghadw, roedd yna ffynhonnell arall i chwyddo'r boced. Byddai Noel a minnau'n casglu poteli cwrw gwag, ac yn enwedig siffonau dŵr soda, a mynd â nhw i'r Victoria lle caem ddwy geiniog am bob potel a swllt am bob siffon. Gan fod yna gymaint o ymwelwyr yn aros yn nhai South Beach yr adeg honno, roedden ni ar ben ein digon. Wn i ddim beth a ddywedai Mam, y ddirwestwraig selog, pe gwyddai sut y llwyddodd ei mab ieuengaf i ychwanegu at ei gyfalaf! Erbyn inni gyrraedd rhyw bymtheg oed roedd y galwadau ariannol yn trymhau, gan fod angen talu mwy o sylw i'n gwisg wrth baratoi i ymweld â ffair Studt bron bob nos. Trywsus arianlwyd, crys gwyn a chrafát – dyna hoff wisg y ddau Don Juan.

Cychwyn gyrfa, wrth gwrs, ddaeth â'r hafau hirfelyn hynny ym Mhwllheli i ben yn fy achos i, a hynny yn 1936 pan welsom y tân ym Mhenyberth tua diwedd fy ngwyliau. Os cafodd y profiad hwnnw effaith barhaol ar fywyd y Cymro alltud o Lerpwl, go brin y gellir dweud hynny am ei gefnder o Bwllheli. Yn ystod hydref 2006 gofynnwyd imi ddweud gair yn angladd Noel mewn capel gorffwys gyferbyn â swyddfa'r heddlu lle'r ymddangosodd y Tri yn y llys ynadon. Roedd cerddoriaeth Glenn Miller yn chwarae yn y cefndir, a'r gweithgareddau bron i gyd yn Saesneg.

GWEINIDOGION MYNYDD SEION

Trwy gydol fy magwraeth a'm hieuenctid yn Lerpwl roedd gweinidogion yn drwm eu dylanwad arnaf. Ac fe ddaeth amryw byd ohonyn nhw i ofalu am Fynydd Seion mewn cyfnod byr, diolch i arfer y Wesleaid o symud gweinidog i borfeydd newydd ar ôl iddo wasanaethu am dair blynedd mewn un lle.

Fe'm bedyddiwyd gan y Parchedig Edward Davies. Fi, mae'n debyg, oedd y babi cyntaf i gael ei fedyddio yn y ffont newydd a gyflwynwyd i'r capel gan John Jones, Devonshire Road, er cof am ei wraig a fu farw flwyddyn cyn fy ngeni. Pan ddaeth hi'n amser i mi gael fy nerbyn yn gyflawn aelod yn dair ar ddeg oed, Edward Davies gafodd y cyfrifoldeb hwnnw hefyd, gan fod y cylch Wesleaidd wedi ei arwain yn ôl am yr ail waith i Fynydd Seion. Erbyn fy nyddiau i, ar drai yr oedd y cynulleidfaoedd o'u cymharu â rhai cyn y Rhyfel Mawr. Serch hynny cofiaf gant a deg yn mynychu oedfa'r bore, a dau gant tri deg yn yr hwyr ar noson gymundeb erbyn i mi ddod yn llanc ifanc. Gallaf fod mor fanwl â hynny, oherwydd imi etifeddu arferiad fy nhad o gyfri'r gynulleidfa bob tro. Roedd cynulleidfaoedd Mynydd Seion yn dal i wneud y gylchdaith yn un ddeniadol, a bûm yn hynod ffodus yn fy ngweinidogion.

Bu'r Parchedig John Roger Jones yn weinidog arnaf deirgwaith. Y tro cyntaf roeddwn yn rhy ifanc i werthfawrogi ei fawredd. Yn y cyfnod hwnnw y penodwyd fy nhad yn flaenor, ar 2il Ionawr 1927. Felly, yn ôl trefn y Wesleaid, daeth Tada'n gyfrifol am ddosbarth neu 'clas', i ddefnyddio'n gair ni. Roedd gan y clas ryw bump ar hugain o aelodau a'r arferiad oedd cyfarfod ar noson waith, unwaith yr wythnos, i feithrin eu profiad ysbrydol. Yr ail waith i'r Parchedig John Roger Jones ddod i'n gwasanaethu roeddwn i'n ddwy ar bymtheg oed. Fe wnaeth fwy nag unrhyw berson arall i'm deffro'n feddyliol. Y fath gyfoeth o bregethau a gawsom ganddo! Yn berson trawiadol ei osgo, roedd ganddo goethder iaith a meddwl miniog, dadansoddol yr athro. Byddai wedi cyfoethogi dysg unrhyw goleg diwinyddol. Yn fachgen ifanc mi gefais gymaint o ffrwyth ei feddwl nes y byddwn yn myfyrio am osodiad neu eglurdeb o'i eiddo, a wnaed ym mhum munud cyntaf ei bregeth, a hynny hyd ddiwedd yr oedfa. Yn aml byddwn wedi colli trywydd y bregeth, ond wedi cael proc i'r ymennydd. Dechreuais ddarllen o ddifri am y tro cyntaf. Bu dylanwadau eraill yn cyfrannu at hyn, ond yn bendifaddau i John Roger Jones y mae fy niolch, yn bennaf, am gael clywed traethiad y Gair yn ei anterth. Pan symudai braich dde John Roger Jones, wrth iddo ddwyn ei bregeth i ben, caem ein hysgwyd i ddyfnderoedd ein heneidiau.

Hen lanc oedd John Roger Jones, a dim ond un bai a berthynai iddo. Oherwydd ei fawredd fel pregethwr byddai galw di-ben-draw arno i bregethu drwy'r holl wlad. O ganlyniad, yn aml pan aem i'r Mynydd yn eiddgar i'w glywed, rhywun arall fyddai yn y pulpud. John Roger wedi torri ei gyhoeddiad unwaith eto!

Dywedais mai torri cyhoeddiad oedd ei unig fai. Cyfeiliornaf. Roedd ganddo un gwendid anesboniadwy arall – o'm safbwynt unllygeidiog i! Yn frwd ei ddiddordeb mewn pêl-droed, roedd yn cefnogi Everton. Cwymp y cedyrn! Safai ar y teras swllt ynghanol y dorf, yn hytrach na mynd i'r eisteddle. Dyna ran helaeth o'r mwyniant a gâi yn y gêm. Un Sadwrn, bu raid iddo weinyddu mewn cynhebrwng yn y bore. Doedd ganddo ddim amser i fynd adre i newid cyn y gêm yn Goodison Park. Roedd hi'n arferiad gan lawer dyn yn y dauddegau i wisgo het uchel, neu het sidan, ar achlysuron fel angladdau. Gan fod John Roger yn gwisgo het sidan ar ei ffordd i Goodison Park, tybiodd, yn gwbl gywir, na châi'r het lawer o groeso gan bwy bynnag a safai y tu ôl iddo ar y banc swllt. Felly dyma fo'n curo ar ddrws un o'r myrdd o dai a amgylchynai Barc Goodison, a gofyn i wraig y tŷ a gâi adael ei het yno yn ei gofal. Cytunodd y wraig ar unwaith, ond pan ddaeth y gêm i ben doedd gan y dysgedig Barchedig ddim syniad ym mha stryd, heb sôn am ba dŷ, yr oedd wedi gadael ei het. Mae'r ysbryd yn drech na'r meddwl!

Gallaf dystio i ragoriaeth ei gwmnïaeth, fel y gallai fy nhad o'm blaen. Doedd ei wybodaeth eang ddim yn gyfyngedig i faterion diwinyddol. Gallai, er enghraifft, enwi timau pêl-droed dirifedi, ynghyd â safleoedd pob chwaraewr. Ar ôl i mi fynd i fyw yng Ngheredigion flynyddoedd yn ddiweddarach, bu'r Parchedig John Roger Jones yn pregethu ddwywaith yn ein cyrddau mawr ym Mrynrhiwgaled. Y tro olaf iddo wneud hynny roedd yn ei nawdegau, ac yn pregethu gyda'r un grym â phan oedd yn ŵr ifanc. Wrth gael y fraint o'i groesawu i'n cartref, mi gefais lawer o hanes Mynydd Seion a'i braidd. Ysmygu cetyn a wnâi, a hynny'n aml. Yr unig gŵyn a glywais yn ei erbyn, a hynny gan fy nhad, oedd ei fod yn sgwrsio ar yr aelwyd hyd ddau o'r gloch y bore, a Tada'n gorfod codi'n gynnar i fynd i'w waith!

Yr enwocaf o weinidogion Mynydd Seion oedd y Parchedig E. Tegla Davies, a fu yno rhwng 1928 a 1931. Mae'n ofid i mi nad oeddwn yn ddigon hen ar y pryd i allu gwerthfawrogi ei bregethau. Dau beth a gofiaf am Tegla yn ystod ei arhosiad efo ni yn Lerpwl. Yn 1929 bûm yn orweddiog gyda chrydcymalau am wythnosau. Gallaf ei weld o rŵan, y bocs o siocledi Terry's a ddaeth Mr a Mrs Davies i godi calon y claf ifanc.

Sefydlodd Mr Davies y Band of Hope yn y capel, er mwyn ein hyfforddi ni blant mewn gwerthoedd cymdeithasol. Llwyddodd i godi arswyd arnom trwy osod dwy siart enfawr ar y wal, yn dangos y gwahaniaeth rhwng ymysgaroedd dyn a yfai'r ddiod gadarn a dyn a ymataliai. Traethai Tegla yn wahanol i bawb arall: pob cytsain a llafariad yn cael y pwyslais dyladwy ac felly'n cryfhau'r neges. Ymhen blynyddoedd, a minnau bellach yn byw yng Ngheredigion, mi gefais y fraint o'i glywed yn traddodi un o'i bregethau mawr yn y Gymanfa Gymreig, 'Fel y brefa'r hydd am yr afonydd dyfroedd', a hynny ym mlwyddyn ei ben blwydd yn bedwar ugain.

Yn 1934 fe ddaeth y Parchedig Rhys Jones yn weinidog arnom ym Mynydd Seion. Yn hardd ei olwg a charedig ei ysbryd, ni allaf gofio ond un frawddeg a ddaeth o'i enau: 'O love that wilt not let me go'. O'i hailadrodd lawer gwaith gyda'i ynganiad clir, fe lwyddai i'm swyno gyda sŵn y geiriau.

Fe anwyd un mab a phedair merch i Rhys Jones a'i briod. Pan ddychwelais o'm gwyliau yn nhŷ Nain ym Mhwllheli yn 1934 mi sylwais ar ferch ifanc drawiadol yng nghôr Mynydd Seion. Iona Hughes Jones oedd y ferch, yr ifanca o ferched y gweinidog. Roedd yn amlwg o'r lliw haul ar ei hwyneb ei bod hithau wedi treulio gwyliau hir yn y wlad.

Cynhelid gwasanaeth gwylnos ym Mynydd Seion bob nos Galan. Yn 1934 bûm yn yr wylnos efo fy ffrind, Owen Roberts. Pwy oedd yno'n eistedd yn sedd teulu'r gweinidog ond Iona a merch arall. Bu tipyn o lygadu rhyngom yn ystod y gwasanaeth, ac ar ddiwedd yr oedfa dyma hebrwng y merched i'w cartrefi – Owen yn hebrwng Nannon Thomas i Ducie Street a minnau'n hebrwng Iona i dŷ'r gweinidog yn Kingsley Road gerllaw. Chwaer-ysgol yr Institute oedd Blackburn House, ac yno, gyferbyn â'r Institute, yr addysgwyd Iona. Belvidere oedd ysgol Nannon a mynychu'r Oulton a wnâi Owen. Erbyn hyn fe fyddwn i'n seiclo i'r ysgol yn aml, a daeth Iona, Nannon, Owen a minnau i drefniant. Cyfarfyddem ein gilydd wrth ymyl y Rialto ar ôl ysgol, a cherddem ar hyd Princes Avenue nes cyrraedd cartrefi'r merched.

Fu dim ffyniant i'r carwriaethau diniwed. Priododd Iona'n ifanc â Hugh Williams o gapel Heathfield Road. Tua'r un adeg fe briododd Nannon ŵr ifanc oedd yn dechrau dangos addewid fel gwleidydd. Ei henw llawn hi oedd Rhiannon, ac enw'i gŵr oedd . . . Gwynfor Evans.

Cefais wahoddiad i de yn Kingsley Road gan Mrs Rhys Jones unwaith, pan oedd Tecwyn Evans yn ŵr gwadd ym Mynydd Seion. Cyfrifid Tecwyn yn un o sêr y pulpud Cymraeg. Syndod felly, i lanc deunaw oed, oedd clywed ambell stori amheus yn dod o enau'r hen lanc wrth y bwrdd bwyd. Ar y llaw arall, pan glywais ef yn pregethu yn Salem, Pwllheli adeg yr Ysgol Fomio, fe'm siglwyd i'm seiliau.

Roedd capeli'r Eglwys Fethodistaidd wedi eu rhannu'n gylchdeithiau. Dwy gylchdaith a wasanaethai'r Glannau, ond fe fyddem ni ym Mynydd Seion yn aml yn cael gwasanaeth pregethwyr o'r gylchdaith arall. Un o'r rhain oedd y Parchedig J. Wesley Felix, gŵr a edmygwn yn fawr – un braidd yn hirwyntog yn pregethu, ond yn Gristion diamheuol. Meddai ar gryfder cymeriad y tu hwnt i'r cyffredin ac roedd yn barod iawn ei gymwynas. Bu farw'n ddyn cymharol ifanc ac rwyf y tu hwnt o ddyledus iddo yntau am helpu i lunio fy nghymeriad.

Capel a ddaeth o dan adain Mynydd Seion oedd Heald Street, Garston. Un o ymddiriedolwyr y capel hwnnw oedd fy nhad, ond ni allaf honni i Tada fod yn bwyllgorddyn wrth natur. Yn amlach na pheidio – pan gyrhaeddai gartref o gyfarfod ymddiriedolwyr Garston, ac yn arbennig o Gyfarfodydd Chwarter Capeli Methodistaidd y Glannau – fe ddywedai wrth Mam, 'Lily, roedden nhw'n malu awyr, ac mi ddudais i wrthyn nhw . . .'

DECHRAU GWEITHIO

Daeth yn amser i mi ymadael â'r Institute a dechrau meddwl am fy nyfodol. Roeddwn wedi cyflawni fy ngwaith yn anrhydeddus o ran y chwaraeon, ond ddim mor llwyddiannus yn academaidd. Mi lwyddais yn y diwedd i gael yr hyn a elwid yn Matríc, gan gael clod mewn Saesneg, Ffrangeg, Sbaeneg, Hanes a Mathemateg, pàs yn unig mewn Lladin a Daearyddiaeth – a methu'r Ffiseg wrth gwrs.

Ddwy flynedd ynghynt, bu digwyddiad a gâi effaith ysgytwol yn y pen draw ar ein teulu ni, ac ar filoedd o deuluoedd eraill. Unwyd cwmni'r White Star, cyflogwyr fy nhad, â Cunard. Tri o bob deg o staff y White Star a saith o bob deg o weithwyr Cunard a gadwodd eu swyddi o dan y drefn newydd. Roedd fy nhad ymhlith y rhai lwcus, a hynny yng nghanol y dirwasgiad economaidd mwyaf a welodd y ganrif honno. Cadarnhawyd penodiad fy nhad i'r cwmni newydd ym mis Awst 1934.

Roedd Glyn hefyd erbyn hyn yn gweithio i'r White Star, yn eu swyddfa yn Llundain. Pan glywodd am yr uno oedd i ddod, penderfynodd adael y cwmni ac ymuno â'r United States Line yn Llundain. Ymhen dwy flynedd, a Tada o fewn blwyddyn i ymddeol, fe gollodd yntau ei waith. Clywodd ei dynged mewn llythyr a dderbyniodd gan un o'r penaethiaid, Capten Horsburgh, yn gofyn iddo ymddeol o'i wirfodd! Ni chafodd ddimai o'r pensiwn oedd yn ddyledus iddo, gan fod sefyllfa'r cwmni mor wael yn ariannol. Yn waeth na hyn, roedd wedi colli £950 yr oedd wedi'i fuddsoddi yn y White Star Line, a ddaeth yn ddiweddarach yn Royal Mail Steam Packet Company.

O ganlyniad i dwyll y collodd fy nhad, a miloedd o fuddsoddwyr eraill, eu harian. Cadeirydd y cwmni oedd yr

Arglwydd Kilsant, ac fe'i carcharwyd am ei ran yn y twyll ym Mehefin 1931. Rhaid cofio bod £950 yn 1931 yn cyfateb i filoedd lawer yn arian heddiw.

Pan gollodd fy nhad ei waith, nid oedd yr un ddimai goch yn dod i mewn i goffrau fy rhieni. Os oeddech yn digwydd bod yn ennill mwy na rhyw swm arbennig ni chaech unrhyw fath o dâl diweithdra. Yn fwy na hynny, pan gyrhaeddai fy nhad ei bump a thrigain oed, ni fyddai'n derbyn pensiwn y wladwriaeth, am yr un rheswm. Felly, pan ofynnwyd i mi a oeddwn am barhau yn yr ysgol, roedd mwy nag un rheswm dros wrthod y cynnig. Chwarae teg i fy rhieni, roedden nhw y tu hwnt o hael hyd yn oed yn ystyried y fath bosibilrwydd. Yn y cyfamser, roedd fy nhad wedi bod yn gwneud ymholiadau ynglŷn â chael swydd i mi ym manc Martins. Ar 4 Mehefin 1936 ymwelodd fy nhad â Mr Willett Bruce i'r un perwyl. Roedd Mr Bruce yn gyfaill i gadeirydd y banc ac yn bennaeth yr adran o'r cwmni llongau lle bu fy nhad yn ddirprwy iddo. O ganlyniad, gofynnwyd i mi sefyll arholiad Martins Bank ar 27 Gorffennaf. Tri ar ddeg ohonom oedd wrthi'n ymgeisio. Drannoeth yr arholiad mi es ar fy mhererindod flynyddol i Bwllheli. Ar 13 Awst gadewais Bwllheli i gael cyfweliad ym mhrif swyddfa Martins yn Lerpwl ar y dydd canlynol. Cofnoda dyddiadur fy nhad imi gael hwyl arni yn y cyfweliad a'm bod i gael fy mhenodi.

Dechreuais fy ngyrfa yn y banc ar 21 Medi 1936 – gwta bythefnos ar ôl tân yr Ysgol Fomio – yng nghangen Heywoods, Brunswick Street, Lerpwl. Martins oedd y banc cyntaf i agor ei ddrysau i'r cyhoedd yn Lerpwl, a hynny ar y safle yma yn 1712. Hwn bellach oedd y banc mwyaf yn Lerpwl a'r cyffiniau, ond ychydig o bobl ifanc oedd yn cael gwaith yno o'r newydd, oherwydd y dirwasgiad. Dim ond pump o rai newydd a gyflogwyd ar gyfer holl ganghennau mawr Martins yng nghanol y ddinas yn 1936. Roedd y pedwar arall wedi bod mewn ysgolion cyhoeddus.

Un o amodau gweithio yn y banc oedd bod yn rhaid i chi sefyll arholiadau os oeddech am ddringo'r ysgol. Rhennid arholiadau'r banc yn ddwy ran, pum pwnc yn y rhan gyntaf a phump yn yr ail. Pe llwyddech i basio'r rhan gyntaf fe gaech wobr o bymtheg punt, a phum punt ar hugain arall am lwyddo yn yr ail ran. Hanner canpunt y flwyddyn oedd fy nghyflog am y pymtheg mis cyntaf, wedyn fe godai i £70. O fewn tair blynedd a hanner roeddwn yn ennill canpunt y flwyddyn.

Fel 'junior', y swydd fwyaf distadl yn y banc, y dechreuais fy ngyrfa. Rhwng deg o'r gloch y bore a thri y prynhawn yr agorid drysau'r banc i gwsmeriaid. Pan ofynnodd fy nhad imi gyntaf a hoffwn weithio mewn banc, meddyliais mai rhagorol o beth oedd gweithio dim ond o ddeg tan dri. Ond yn y llythyr a dderbyniais yn fy mhenodi i Heywoods gofynnwyd imi fod yno erbyn naw o'r gloch. Erbyn imi orffen fy niwrnod cyntaf o waith roedd hi'n chwarter i chwech y nos. Gofynnwyd imi fod yn y banc erbyn hanner awr wedi wyth fore trannoeth er mwyn cyfarfod un o'r porthorion a mynd i'r prif lythyrdy i gasglu post y banc. Yn y prif lythyrdy hwnnw yr oeddwn wedi gorffen fy ngwaith y noson cynt! Dyna oedd fy hanes am y chwe mis nesaf. Yn ystod y dydd, byddwn yn mynd â llythyrau i wahanol swyddfeydd megis cyfreithwyr, banciau ac yn y blaen. Mewn geiriau eraill, negesydd oeddwn i am chwe mis, ond negesydd wedi ei wisgo'n drwsiadus iawn mewn het trilby, ac yn cario menig ac ambarél!

Ymhen chwe mis mi gefais fynd yn 'out-teller'. Ystyr hynny oedd mai fi oedd yn gyfrifol am gasglu arian i Heywoods y tu allan i furiau'r gangen. Golygai hyn fy mod yn cerdded, gyda phorthor yn gwmni, i Fanc Lloegr yn Castle Street i ymofyn arian Banc Lloegr, yn bapurau £5, £10, £20 £50, £100 a hyd yn oed rhai £500. Dychmygwch faint oedd gwerth arian felly cyn y rhyfel. Byddwn yn cludo'r arian mewn bag lledr, a hwnnw'n sownd wrth gadwyn oedd wedi ei chlymu ddwywaith o amgylch fy nghanol. Petai dihirod yn ymosod arnom, byddai'n rhaid iddyn nhw ddwyn yr 'out-teller' yn ogystal â'r arian!

Casglwn rhwng £10,000 ac £20,000 o Fanc Lloegr bob diwrnod ac eithrio'r Sadwrn. Perthynai canghennau'r prif fanciau yng nghanol y ddinas i 'Clearing House' a gynhelid ym

Manc Lloegr. Y banciau hynny oedd y Midland, National Provincial, Lloyds, Westminster, Barclays, Martins a District. Yn ogystal â'r rhain, byddai raid i'r 'out-teller' gasglu arian oddi wrth fanciau nad oeddynt yn aelodau o'r 'Clearing House', megis Lewis's, Chase National Bank of New York, Banc D'Ecompte de Paris ac yn y blaen. Cyfnewid sieciau'r banciau hyn am arian a wnâi'r 'out-teller'. Neilltuwyd pedair awr y dydd ar gyfer y gwaith hwn, gan gynnwys yr awr ginio. Dechreuwn y gwaith am ddeg, a gorffen am ddau o'r gloch. Yn aml byddwn wedi gorffen toc ar ôl un ar ddeg o'r gloch y bore.

Yn ffodus iawn roedd Gwilym Simon, un o'm ffrindiau o Gymru, yn 'out-teller' ar yr un adeg, yn y Midland, 62 Castle Street. Pan fydden ni'n dau wedi gorffen ein gwaith yn gynnar, yn aml iawn byddem yn cerdded yn ôl a blaen ar hyd y *landing stage* yn y Pier Head yn sgwrsio. Roedd Gwilym wedi ei fagu efo'i daid yn Llanbedr, Sir Feirionnydd, ac wedi ei drwytho mewn barddoniaeth Gymraeg. Pleser digymysg oedd gwrando arno'n llefaru yn ei ffordd hamddenol, ddigyffro. Cawn yr argraff y byddai'n cyfieithu unrhyw gwestiwn a ofynnid iddo yn Saesneg i'r Gymraeg, wedyn yn meddwl am yr ateb yn Gymraeg a'i gyfieithu i'r Saesneg. Ambell waith wrth inni gerdded ar hyd y *landing stage* yn trafod 'y pethe', byddai gennym rai miloedd o bunnoedd mewn arian sychion rhwng y ddau ohonom.

Roedd y dyddiau cynnar yn y banc yn gyfnod o ddeffroad gwleidyddol yn fy hanes. Doeddwn i ddim yn gwybod rhyw lawer am y Blaid Genedlaethol, a phenderfynais wneud iawn am hyn. Es i Commerce Court, heb fod ymhell o Heywoods, ac i siop Hugh Evans i brynu fy nghopi cyntaf o'r *Welsh Nationalist,* papur Saesneg y Blaid Genedlaethol, ynghyd â'r llyfryn bach amhrisiadwy *Welsh Made Easy* am swllt a thair. Fentrwn i ddim ar y *Ddraig Goch* gan ei bod y tu hwnt i'm gallu ieithyddol ar y pryd. Wrth chwilota trwy lyfrau'r teulu deuthum o hyd i gopi o *Enoc Huws*, un o lyfrau fy ewythr Griffith, brawd fy nhad. Dyma ddechrau darllen Cymraeg o ddifrif. Yn ddiweddar mi ddois o hyd i ddau lythyr a sgrifennodd Nain ataf, un ohonynt yn Saesneg, dyddiedig 22 Medi 1936, sef y diwrnod ar ôl imi ddechrau gweithio, a'r llall wedi ei sgrifennu yn Gymraeg, dyddiedig 3 Ionawr 1937. Mae'n debyg mai ateb llythyr a sgrifennais at Nain yn Saesneg yr oedd ei llythyr cyntaf, a'r ail lythyr yn atebiad i lythyr a sgrifennais ati yn Gymraeg. Dengys hyn fy mod wedi gwneud camau breision gyda'm Cymraeg o fewn y tri mis hwnnw.

Yn ogystal â darllen mwy o Gymraeg, roeddwn yn pori'n gyson yn y *Welsh Made Easy* – yn pori i'r fath raddau nes ei fod yn effeithio ar y ffordd y llefarwn. Cofiaf imi fynd allan efo merch o Sir Fôn rywbryd, a barn Enid Boote oedd fy mod yn siarad fel llyfr!

Oni bai am y deffroad gwladgarol hwnnw, gallai fy mywyd fod wedi bod yn wahanol iawn. Yn 1937 anfonwyd fy mrawd ar drip busnes i America gan yr United States Line. Daeth yn ei ôl yn llawn brwdfrydedd ynglŷn â'r Unol Daleithiau. Y Pasg canlynol aeth y ddau ohonom am dro i Oglet Beach ar lan afon Mersi. Wrth i ni gerdded yn ôl i gyfeiriad Hale fe geisiodd Glyn fy mherswadio innau i ymfudo dros Fôr Iwerydd. Soniodd am y cyfleoedd oedd i'w cael mewn gwlad fawr, a'i fod yn argyhoeddedig mai America a gynigiai'r siawns orau am lwyddiant materol. Erbyn hyn, roeddwn yn tueddu tuag at y Blaid Genedlaethol ac wedi dechrau cael blas anghyffredin ar lenyddiaeth Gymraeg. Y cwbl a ddywedais wrth Glyn oedd: 'Os byddaf i'n symud i rywle, i Gymru y bydd hynny.'

Darllenwn gymaint ag y medrwn am y Blaid, a mynychais ddau o'i chyfarfodydd cyhoeddus. Teithiais i'r cyfarfod cyntaf, yn Wrecsam, ar y trên yn syth ar ôl fy ngwaith, i wrando ar Saunders Lewis a J. E. Daniel. Roedd y cyfarfod arall ym Manceinion, lle cefais aros yn nhŷ Anti Vi, chwaer Mam, a ddaeth efo fi i'r cyfarfod. Does gen i ddim cof pwy heblaw Saunders a siaradodd yn y cyfarfod hwnnw, ond cofiaf imi ofyn cwestiwn yn y ddau gyfarfod. Ar ôl pwyso a mesur yn hir, mi ymunais â'r Blaid ar ddydd Calan 1938.

Erbyn imi gyrraedd fy 19 oed, fe ddaeth mawredd i'm rhan yn y banc: cefais ddyrchafiad i'r *pass-book counter.* Pan ymunais gyntaf â'r staff o ddeugain yng nghangen Heywoods, aed â fi i lawr grisiau er mwyn i mi naddu fy enw ar ddarn o bren. Dyna'r arferiad gyda phob 'junior' ar ddechrau ei yrfa. I ddathlu'r ffaith fy mod bellach ar y *pass-book counter* fe brynodd fy nhad wats aur i mi – 'Russells' Time of Day'. Roeddwn wedi derbyn fy anrheg 21 oed ddwy flynedd cyn pryd.

Ar ôl imi dreulio rhai misoedd yn gofalu am y *pass-book counter* fe'm symudwyd i gangen Lark Lane o fewn milltir a hanner i'm cartref. Enw swyddogol y gangen oedd Toxteth, er mai yn Lark Lane yr oedd wedi'i lleoli. Naw o staff oedd yn Lark Lane, a fi oedd yr ieuengaf. Felly dyma fi'n ôl yn 'junior' unwaith eto. Un o'm swyddi yn y gaeaf oedd gofalu am y tân yn y seler, tân golosg a gynhesai'r swyddfa i gyd. Gofalwr y gangen fyddai'n cynnau'r tân yn y bore, ond fi oedd yn gyfrifol am gysur y staff weddill y dydd. Gwyddwn bellach sut yr oedd Willie Lewis, y taniwr anfoddog ar long fy nhad, yn teimlo! Nid tân golosg yw'r un rhwyddaf i'w gadw ynghynn, ac ar ben hynny gwyddwn y byddai'r llwch yn sicr o effeithio arnaf. Roedd y profion a gefais ar ôl torri fy nhrwyn yn dangos nad oedd dim byd mwy niweidiol i'm hanadlu na llwch.

Felly mi gefais fwy na'm siâr o *urticaria* wrth weithio yng nghangen Toxteth. Nid yr *urticaria*, serch hynny, oedd yn fwyaf o dân ar fy nghroen – ond y staff. Yn Heywoods, gyda staff o ddeugain, bûm yn gwbl hapus. Yn Toxteth, gyda staff o naw, cefais brofiad hollol i'r gwrthwyneb. Doedd gan yr un o'r wyth arall feddwl mawr o'r Cymry, er mai Jones oedd cyfenw'r bachgen nesaf ataf o ran oedran. Sais rhonc oedd ef, a thros ei ben a'i glustiau mewn cariad â'i gyfnither oedd yn byw yn Surrey. Roedd rheolwr y banc wedi ei glwyfo yn y Rhyfel Mawr, ac o ganlyniad fe ddioddefai gryn dipyn o boen. Braidd yn fyr ei dymer oedd yntau, hyd yn oed yn ei hwyliau gorau.

Arferwn gerdded y filltir a hanner rhwng fy nghartref a'r

gwaith. Awn adref i ginio ganol dydd hefyd. Gymaint oedd fy edmygedd o'r staff fel y byddwn yn canu ar hyd y ffordd:

> Rhwym wrth dy wregys gleddyf gwyn dy dad,
> Atynt fy machgen dros dy wlad;
> Mwg y pentrefydd gyfyd gyda'r gwynt,
> Draw dy gymrodyr ânt yn gynt;
> Sych dy saethau, i dy gyfrwy naid,
> Gwranda'r saethau'n suo fel seirff di-baid;
> Wrth dy fwa, hyn wna'th fraich yn gref,
> Cofia am dy dad, fel bu farw ef.

Hynny wrth gerdded o'm cartref i'r banc ar draws Sefton Park, Lerpwl!

Bu farw Nain ym Mhwllheli ar 3 Ionawr 1939 ar ôl cystudd o rai misoedd. Roedd wedi cadw ymwelwyr drwy'r haf blaenorol er ein bod yn ymwybodol ei bod hi mewn poen corfforol. Trefnwyd y cynhebrwng ar gyfer dydd Sadwrn, 7 Ionawr. Yn ystod y blynyddoedd y bûm yn gweithio yn y banc roeddwn yn gweithio bob bore Sadwrn. Dyna oedd y drefn. Bu Nain mor ffeind wrthyf dros y blynyddoedd, yn fy nioddef am ddau fis bob haf tra oeddwn yn yr Institute, heb sôn am wyliau'r Pasg ac ambell i ymweliad ar ôl y Nadolig. Yn wir, bu fel ail fam i mi. Yn naturiol ddigon roeddwn yn awyddus i dalu fy nheyrnged olaf i Nain ar ddydd ei chynhebrwng. Pan ofynnais i Mr Fielding, y rheolwr, a gawn i ei ganiatâd i fynd i'r angladd, yr ateb a gefais oedd, 'She's only your grandmother'. Ffrwydrais. 'That's the trouble with you English. When your own mother dies all you say is "She had a good innings". Thank God we Welsh are not like that.'

Aeth Fielding i'w ystafell heb ddweud gair. Cyn bo hir dyma'i ysgrifenyddes, Mabel Cureton, yn dod allan a dweud, 'Mr Fielding says you can go to the funeral'. Erbyn hyn roeddwn yn ddig ac yn wyllt. 'Miss Cureton, please tell Mr Fielding that I am *taking* the Saturday off. He is not *giving* it to me. If he wishes to report me to the Staff Manager I will answer to the Staff Manager.' Dyna ateb bachgen pedair ar bymtheg oed i'w reolwr dideimlad. Ni chlywyd rhagor am y digwyddiad. Gŵr gweddw oedd Fielding ac, ymhen amser, fe briododd â Mabel Cureton.

Yn fuan ar ôl dechrau gweithio fe ymunais â'r BOG, y Bank Officers' Guild. Hwn oedd undeb y gweithwyr banc, ond roedd y disgrifiad hwnnw braidd yn gamarweiniol yn y tridegau gan fod y banciau'n gwrthod ei gydnabod. Fe'i cyfrifid yn farc du yn eich erbyn, pan ddeuai'n fater o ystyried eich dyrchafu, os oeddech yn aelod o'r undeb. Yn ifanc deuthum yn aelod o bwyllgor Glannau Mersi y BOG.

Roedd fy mlynyddoedd cynnar yn y banc yn gyfnod o ehangu gorwelion yn gymdeithasol. Dyma pryd yr ymunais â chlwb tennis y Cymric, gan wneud defnydd helaeth o'r cyrtiau. Un rheswm dros wneud hynny yn hytrach na datblygu fy ngyrfa fel cricedwr oedd bod fy Nghymreictod bellach mor bwysig yn fy mywyd. Doedd dim clwb criced Cymraeg i'w gael yn Lerpwl. Rheswm arall oedd bod merched yn aelodau'r clwb tennis! Ymunais hefyd â Young Wales, clwb cymdeithasol i Gymry yn Upper Parliament Street. Bu'n gyrchfan hwylus i gannoedd o Gymry a ddaeth i Lerpwl i weithio, a chwaraeodd ei ran yn anrhydeddus fel asiantaeth briodas i laweroedd. Gallaf innau dystio i hynny yn y modd mwyaf pendant!

Fe gynigiai'r Clwb amryw byd o weithgareddau. Ar y llawr cyntaf roedd dau fwrdd maint llawn ar gyfer snwcer a biliards. Rhois gynnig ar y ddwy gêm heb lawer o lwyddiant. Ar y llawr is fe gynhelid dadleuon ambell i noson, dawnsfeydd ar nos Sadwrn a chanu emynau bob nos Sul. Hughie John a Huw Lyn fyddai'n arwain y canu, bob yn ail, yr adeg honno. Seiri coed oedd y ddau. Roedd gan Huw Lyn lais tenor swynol anghyffredin ac fe siaradai iaith goeth dros ben. Tua diwedd y rhyfel fe benderfynodd Huw Lyn ei fod am fynd yn feddyg. Doedd fawr neb yn ei goelio, hyd yn oed pan welwyd ef yn cerdded ar hyd y stryd a stethosgop yn hongian allan o'i boced.

Ond fe gyflawnodd Huw Lyn ei nod a bu'n feddyg ym Mangor a Chaernarfon. Ychydig o bobl sy'n penderfynu newid eu galwedigaeth o fod yn saer coed i fod yn feddyg, a llwyddo. Pob clod iddo. Roedd yn ddeg ar hugain oed yn dechrau ar ei gwrs meddygol.

Roedd Clwb Cymru Fydd, a rhoi iddo'i enw priodol, yn agored bob noson o'r wythnos ac yn atyniad mawr i Gymry ifanc, rhai ohonynt yn ddigon prin eu Saesneg. Cwmni difyr y Clwb a helpodd lawer i orchfygu eu hiraeth ar ôl cyrraedd Lerpwl. Un o'n cymeriadau diddorol oedd Emrys NFS, aelod o'r Gwasanaeth Tân Cenedlaethol. Hanai Emrys o Nant Gwynant a doedd ganddo fawr o afael ar yr iaith fain. Un tro, pan aeth am bryd o fwyd i'r Rialto efo dau o'i ffrindiau, braidd yn araf oedd y gwasanaeth. Dyma Dafydd Glyn, myfyriwr yn yr Ysgol Fferyllol, yn dechrau dweud y drefn wrth y weinyddes. 'Don't iw tec eni notis of him mis, it's slo iw cats e hen,' meddai Emrys, a wyddai erioed mai'n ara deg mae dal iâr. Priododd Emrys ferch ddi-Gymraeg. Un amser cinio dydd Sul clywyd Emrys yn gofyn i'w wraig, 'Wil iw brêc ddy mît, diar?'

Os mai ymlafnio i feistroli'r Saesneg oedd problem Emrys, dal i ymgyfarwyddo mwy â'm hetifeddiaeth Gymraeg oedd fy hanes innau. Dechreuais fynychu dosbarth Idris Foster yn y Brifysgol. Llenyddiaeth Cymru oedd y pwnc, un a gefais yn hynod ddiddorol ac yn addysgiadol i rywun cwbl anwybodus yn y maes.

A minnau bellach yn aelod o'r Blaid Genedlaethol, byddwn yn mynychu ei chyfarfodydd yn gyson. Un y cefais dipyn o'i gwmni yn y cyfarfodydd hynny oedd John Roberts, a fu'n ddiweddarach yn drefnydd i'r Eisteddfod Genedlaethol yn y Gogledd am rai blynyddoedd. Un o Gesarea ger Caernarfon oedd John, ond yn gweithio yn Lerpwl yr adeg honno. Arferem fynd am fasned o gawl i'r Primrose Café cyn y cyfarfodydd. Yn rhyfedd iawn, pan gwrddais ef ymhen rhyw ddeuddeng mlynedd yng Nghastell-newydd Emlyn, nid oedd John yn fy nghofio!

DYDDDIAU RHYFEL

Ymfudodd fy mrawd Glyn i America ar 30 Medi 1938 ar yr *American Shipper*. Dyna'r diwrnod tyngedfennol pan ddaeth Neville Chamberlain yn ôl o Munich wedi'r cyfarfod â Hitler, gan addo heddwch yn ein dydd. Roedden ni fel teulu ar fwrdd y llong yn disgwyl am ddatganiad y Prif Weinidog. Os oedd rhyfel i ddod, fyddai Glyn ddim wedi hwylio, wrth reswm. Ciliodd cymylau rhyfel – am y tro – yn sgil datganiad Chamberlain. A ffarweliwyd â Glyn.

Pasiwyd y Mesur Gorfodaeth Filwrol yn gynnar yn 1939, ac o ganlyniad disgwylid i fechgyn ugain oed gofrestru ar gyfer gwasanaeth milwrol ar 3 Mehefin. Roeddwn innau yn eu plith. Yn y Ddeddf Gwasanaeth Milwrol rhoddwyd cyfle i berson gofrestru fel gwrthwynebydd cydwybodol os oedd yn amharod, ar dir cydwybod, i ddwyn arfau. Cofiaf y diwrnod yn dda. Tywynnai'r haul yn ddisglair y prynhawn Sadwrn hwnnw a bûm yn chwarae tennis am ddwy neu dair awr cyn mynd i lawr i'r dre i gofrestru. Ewythr i'm ffrind Geoff Smerdon gymerodd fy manylion i. Roedd wedi bod yn filwr proffesiynol rhwng y ddau ryfel, yn y Grenadiers. Pan ddywedais fy mod am gofrestru fel gwrthwynebydd fe gododd ei aeliau a'm trosglwyddo i rywun arall yn y Swyddfa Lafur. Ar ôl cofrestru, es yn ôl i'r clwb tennis i gael gêm neu ddwy arall.

Ni chroesodd fy meddwl i wneud unrhyw beth ond cofrestru fel gwrthwynebydd. Ymffrostiai'r Institute yn ei OTC, ond ychydig iawn o'r bechgyn a ddisgleiriai mewn chwaraeon oedd yn perthyn iddo. Roedd dylanwad fy mam yn fawr arnaf. Ar hyd y blynyddoedd pregethai yn erbyn militariaeth gan fy atgoffa bod dau o'i chefndryd, William Gruffydd a Henry Richard, Nefyn, wedi colli eu bywydau o fewn mis i'r Cadoediad a ddaeth â therfyn ar y Rhyfel Mawr. Os oeddwn am dystiolaethu o blaid yr hyn a glywais o bulpud Mynydd Seion dros y blynyddoedd, rheidrwydd oedd gwrthwynebu. Onid oeddwn yn aelod o'r LNU, Cynghrair y Cenhedloedd, yn yr Institute? Ar ben hyn oll, fel cenedlaetholwr o Gymro roeddwn yn milwrio, os maddeuwch y gair, yn erbyn y syniad o wasanaethu ym myddin Lloegr.

Cynhaliwyd y tribiwnlys a wrandawodd fy achos ar 12 Rhagfyr 1939, dri mis ar ôl i'r rhyfel gael ei gyhoeddi. Yn St George's Hall yr oedd disgwyl imi dystiolaethu. Rhwng Mehefin a Rhagfyr mi gefais ddigon o gyfle i ystyried beth oedd fy nghymhelliad pennaf dros ymwrthod â'r hyn a dderbyniodd y mwyafrif llethol o'm cyfoedion. Yn y diwedd, penderfynu gwrthwynebu fel un o ddilynwyr Iesu Grist wnes i. Gwnes ddatganiad ysgrifenedig i'r Tribiwnlys, ac fe'i dyfynnaf yn yr iaith wreiddiol:

> I base my objection to Military Service on the Christian religion which I profess and in whose teaching I have been brought up from my earliest days. The Methodist Church, to which I belong, has declared in its annual conference, in common with many other churches in recent years, that 'All war is contrary to the spirit, teaching and purpose of Jesus Christ'. With this statement I heartily agree, and to me at any rate, the necessary consequence is that I must refuse to participate in War or in preparations for War. I do not base my objection merely on certain texts, but on the whole tenor of the New Testament, and I cannot believe that to kill a fellow-man is consistent with the revelation given in Him of the sacredness of human personality and of the unity of mankind.
>
> I may state that I held these views during my school-days, and in spite of pressure from various quarters to join my school OTC I consistently refused, for the simple reason that I object to militarism in every form.

I am prepared to render any service I can to the state provided I am not thereby helping the military machine.

Fe'm holwyd yn drwyadl ynglŷn â'm daliadau, gan ofyn llawer o gwestiynau damcaniaethol. Tystiolaethodd y Parchedig J. Wesley Felix ar fy rhan. Dyfarniad y tribiwnlys oedd fy mod i gael fy rhestru fel gwrthwynebydd cydwybodol yn ddiamodol. Y pennawd mewn llythrennau bras yn y *Liverpool Echo* y noson honno oedd FATHER WOULD FIGHT AGAIN BUT SON IS AN OBJECTOR. Roeddwn wedi sôn, yn ystod y croesholi, am wasanaeth fy nhad yn rhyfel y Boer a'r rhyfel byd cyntaf, gan ddweud y byddai, mwy na thebyg, yn ymrestru eto petai yr un oed â fi.

Yn ystod yr wythnosau nesaf derbyniais chwe llythyr dienw yn dilorni fy safiad, y rhan fwyaf os nad y cyfan oddi wrth un person. Ar y llaw arall fe dderbyniais sawl llythyr yn canmol fy safbwynt gan bobl nad oedd ofn arnynt arddel enw a chyfeiriad. Y sylw yn nyddiadur fy nhad ar gyfer 12 Ionawr: 'Hywel before Tribunal at St George's Hall 9.30 a.m. Rang me up at Birkenhead to say that he had Unconditional Exemption 10.30 a.m. Good result.' Arwydd o'r oes oedd bod Cymro mor frwd â fy nhad yn cadw'i ddyddiadur yn Saesneg.

Drannoeth y tribiwnlys ni chredaf i'r un aelod o staff Toxteth gyfeirio at yr hyn a ddigwyddodd i mi y diwrnod cynt. Ar 15 Ionawr 1940 cefais fy nhrosglwyddo i gangen Custom House ar bwys y dociau. Ar ôl profiad mor anhapus yng nghangen Toxteth, roeddwn wrth fy modd yn Custom House. Gwelais newid mawr hefyd yn natur y cwsmeriaid. Yn Toxteth, oedd yn ardal llawer mwy breintiedig na'r hyn a welir yno heddiw, fe'n breintiwyd â llawer o gwsmeriaid cefnog a pharchus dros ben. Yn Custom House roeddem yn delio â phobl o bob cenedl dan haul, gan gynnwys dros gant o gyfrifon Tsieineaidd. Nid peth hawdd, yn y pythefnos cyntaf, oedd rhoi enw i bob wyneb.

Yn Custom House cefais fy nyrchafu am y tro cyntaf i drin arian ar y cownter. Yn ffodus i mi, roedd gennym un cwsmer oedd yn hanu'n wreiddiol o Wlad y Basg. Masnachwr gwin oedd hwn wrth ei waith. Cofiais i Lloyd George ddweud rywbryd fod y Basgiaid a'r Cymry'n perthyn o ran gwaed. Gan fod y cwsmer wedi clywed yr un honiad, mynnai mai fi oedd i gael y fraint o ofalu am ei ofynion wrth y cownter. Cefais fy nhrosglwyddo o Custom House i'r Liverpool City Office ar 15 Ebrill 1940, ond nid cyn i'm cyfaill o Wlad y Basg ddod â dwy botelaid o win yn anrheg i'r dirwestwr o Gymro! Chwarae teg iddo, mae gwaed yn dewach na dŵr.

Ym mis Mai 1940 gofynnais i Mr Herbert, y rheolwr staff, a gawn i adael y banc er mwyn gwasanaethu efo Uned Ambiwlans y Cyfeillion. Dywedodd yntau bod fy angen ar y banc, a gwrthododd fy nghais. Erbyn hyn fe gyflymai tempo'r rhyfel: yr Almaenwyr yn ymosod trwy'r Iseldiroedd, Gwlad Belg a Ffrainc, a'u suddlongau'n gyrru llongau masnach i waelodion y môr. Anodd iawn oedd bod yn ddigyffro a pharhau i weithio mewn banc o dan y fath amgylchiadau. Onid oedd y morwyr yn mentro'u bywydau i'n bwydo ni? Felly mi ofynnais i Mr Herbert a gawn i fy rhyddhau o'r banc er mwyn ymuno â'r Llynges Fasnach. Unwaith eto, gwrthodwyd fy nghais.

Doedd dim un cylch o fywyd yn rhydd o effeithiau'r brwydro. Ar ddechrau'r rhyfel roedd cryn bryder ynglŷn â dyfodol mudiad yr Urdd. Penderfynwyd sefydlu pedair Aelwyd ar gyfer pobl ifanc ar y Glannau, er mwyn eu gwreiddio yn niwylliant eu gwlad. Byddai Aelwyd y De, yr oeddwn i'n perthyn iddi, yn cyfarfod yn y Clwb Cymraeg. O fewn blwyddyn fe ddaeth y cyrchoedd awyr cyntaf ar Lerpwl. Yn fuan wedyn bu ymgais gan yr aelodau hŷn i gau'r Clwb dros gyfnod y rhyfel. Gwrthwynebwyd hyn yn ffyrnig gan y to ifanc. Cafodd y gwrthwynebwyr bob cymorth gan Idris Foster, a ddarlithiai mewn Astudiaethau Celtaidd yn y Brifysgol. Fy ffrind Pierce Roberts a fi oedd i arwain y gad ar ran y gwrthdystwyr. Gofynnodd Idris Foster i ni fynd i Derby Hall, llety newydd myfyrwyr y Brifysgol, lle'r oedd yn warden, i drafod tacteg ar gyfer y cyfarfod cyffredinol arbennig a alwyd i drafod dyfodol y Clwb. Dywedodd Idris ei fod wedi cael addewid o gefnogaeth gan amryw o feddygon o Rodney Street i gadw drysau'r Clwb ar agor. Pan ddaeth y noson dyngedfennol, cynigiais welliant, gyda Pierce yn eilio, 'y dylasid cadw drysau'r Clwb ar agor ar waetha'r bomio, er mwyn i Gymry ifanc gael y sicrwydd o fan cyfarfod a fyddai at eu gwasanaeth bob amser'. Bu dadlau brwd y noswaith honno ond mae'n dda gennyf ddweud i'r Clwb fod ar agor drwy'r rhyfel. Parhaodd yn ganolfan i'r Urdd ac fe gafodd cannoedd o aelodau'r lluoedd a morwyr groeso twymgalon wrth ymweld â Chymru Fydd i gael cwmpeini a lluniaeth ysgafn. Byddai Mam yn arfer mynd yno i helpu.

Erbyn mis Awst 1940 fe ddwysaodd y cyrchoedd awyr ar Lerpwl. Ar 12 Awst cyflwynais lythyr i Mr Herbert yn y banc yn ei hysbysu fy mod yn bwriadu gwneud cais i ymuno â'r RAMC, neu'r Royal Army Medical Corps. Golygai hynny y byddwn yn gwisgo lifrai ac yn ufuddhau i ddisgyblaeth y Fyddin, heb godi arfau na bradychu fy egwyddorion. Yn y cyfamser, roedd y bomiau'n disgyn bron bob dydd. Yn ogystal â gweithio yn y banc yn ystod y dydd roeddwn bellach yn wyliwr rhag tanau i'm cyflogwyr ddwy noson yr wythnos, un noson yng nghangen Mossley Hill yn agos at fy nghartref, a'r noson arall yn y Brif Swyddfa yn Water Street. Gan fod y rheolwr yn byw uwchben y banc yn Mossley Hill, a bod ganddo ddwy ferch ifanc, nid profiad amhleserus oedd gwylio rhag tanau yn y gangen honno! Tarwyd eglwys Mossley Hill gan fom ar 28 Awst.

Flwyddyn i'r diwrnod wedi dechrau'r rhyfel fe gawsom ninnau ein bomiau cyntaf yn Sudley Road. Bomiau tân oedd y rhain, gyda thri ar hugain ohonyn nhw ynghynn yn y cae gyferbyn â'n tŷ ni. Bûm allan yn helpu i'w diffodd cyn gynted ag y medrwn, gan eu bod yn goleuo'r holl ardal ac yn rhoi targed i awyrennau eraill anelu ato. Chwe awr a deng munud a barodd y cyrch hwnnw.

Ymwelodd yr awyrennau â North Sudley Road drachefn ar 18 Medi. Unwaith eto fe ddisgynnodd llawer o fomiau tân yn y cae gyferbyn, ond fe laniodd rhai eraill ar bennau tai y tro hwnnw. Yn y bore fe ddois o hyd i fom oedd heb ffrwydro ac es ag ef i'r tŷ i'w ddangos i Mam oedd yn dal yn ei gwely. Gallwch ddychmygu ei hymateb! Yn nes ymlaen fe ddyfeisiwyd bom oedd yn ffrwydro dim ond i chi ei gyffwrdd. Aeth y stori ar led mai yn Barnsley yr oedd y bomiau a ddisgynnodd ar Sudley Road wedi eu cynhyrchu, a bod yr Almaenwyr wedi cael gafael arnyn nhw i'w hailddefnyddio wedi'r brwydro yn Dunkirk. Yn ôl dyddiadur fy nhad, fe barodd cyrch 12 Medi ar Lerpwl am naw awr ac ugain munud. Bedwar diwrnod cyn hynny cafodd Capel Annibynwyr Great Mersey Street ei ddymchwel gan fom.

Anfonais lythyr i'r Weinyddiaeth Lafur yn dweud fy mod yn barod i wasanaethu yn un o'r Lluoedd ar yr amod fy mod yn gwneud gwaith meddygol yn unig. Ymhen amser fe'm hysbyswyd nad oedd lle gwag yn yr un o'r Lluoedd ar gyfer gwaith meddygol. Gwnes fy nghais ar 17 Hydref. Disgynnodd bom gyferbyn â'n swyddfa bost yn Aigburth Road ar 21 Hydref. Ar 18 Tachwedd roeddwn wedi galw i weld fy ffrind Owen yn ei gartref yn Wingate Road gan ei fod adref ar *leave*. Cyn hir fe glywyd y seiren cyrch awyr a dyma fam Owen yn gofyn i ni fynd i warchod dwy hen wraig, Miss Evans a Mrs Davies, yn Woodlands Road. Doedden ni ddim wedi bod yn nhŷ'r ddwy chwaer am fwy na chwarter awr pan glywsom saith o fomiau'n disgyn, pob un yn swnio'n nes atom na'r un o'i flaen. Roedd gan y seithfed bom sŵn gwahanol i'r lleill. Gwyddem ei fod yn agos iawn, a gallem deimlo'r ffrwydrad. Aethom allan yn syth ac i gartref Owen hanner canllath i ffwrdd. Chafodd cartref Owen ddim niwed, ond lladdwyd tri bachgen bach oedd yn byw drws nesaf, am y pared â chartref Owen.

Bomiwyd Lerpwl gan rhwng tri chant a phedwar cant o awyrennau ar 28 Tachwedd. Dyma'r cyrch trymaf hyd at hynny. Chwalwyd pob ffenest yn Sudley Road ond ychydig o niwed, ar wahân i'r ffenestri, a wnaed i'n tŷ ni a thŷ'r Rowleys drws nesaf. Ar 20 Rhagfyr daeth cyrch mawr arall, gyda rhwng pum cant a chwe chant o awyrennau, ac ymosodiad arall eto drannoeth. Yn ogystal â gwylio rhag tanau, arferwn wneud gwaith cymdeithasol bob nos Fercher yng nghrypt Eglwys St Anne yn Islington, lle'r oedd rhwng dau gant a thri chant o drigolion yn cael lloches.

Drwy gydol y bomio roedd fy nhad yn codi am ugain munud i chwech bob bore ac yn gadael y tŷ am ddeng munud i saith er mwyn cyrraedd ei waith newydd ym Mhenbedw erbyn wyth o'r gloch. Yn wir, bu'n dilyn yr un patrwm byw o 1939 hyd 1949, ac roedd wrth ei fodd ei fod wedi cael y cyfle i weithio gyda'r llongau masnach a fu'n anadl einioes iddo. Fel peiriannydd, bu'n gyfrifol am fwncro llongau ym Mhenbedw i Rea Brothers am ddeng mlynedd, nes ei fod yn 76 oed.

Bomiwyd Lerpwl yn rheolaidd yn ystod misoedd cyntaf 1941, dwysaodd ymosodiadau suddlongau'r Almaenwyr ar y llongau masnach, a bu colledion mawr. Roedd un capten llong ifanc, a fyddai'n mynychu Young Wales pan oedd yn y porthladd, yn dweud wrthym ei fod yn gobeithio ymddeol o'r môr yn 45 oed. Bachgen o Ben Llŷn oedd o, o Nefyn os cofiaf yn iawn. Hwyliodd yn fuan wedyn, a dyna'r tro olaf i ni weld Owen Williams druan. Tancer olew oedd ei long.

Ar 1 Mai 1941 fe ddechreuodd yr wythnos fwyaf dinistriol o fomio yn hanes Lerpwl. Nos Iau oedd y noson gyntaf, a pharhaodd y dinistr bob nos hyd y nos Iau a'r bore Gwener canlynol. I ni yn Sudley Road, ac i Lerpwl yn gyffredinol, cyrch nos Sadwrn a bore Sul a adawodd y cof mwyaf parhaol. Canodd y seiren rybudd am ddeg o'r gloch. Ymhen deng munud fe gawsom ein hunain heb ffenestri yn y tŷ a heb ddau o'n drysau. Welwyd mo'r drysau byth wedyn. Yn fwy na hynny, chwythwyd y tân glo i ganol llawr y gegin. Bom a ffrwydrodd yng nghae'r ysgol, o fewn hanner canllath i'r tŷ, oedd achos y difrod.

Cafodd nos Sadwrn, 3 Mai, ei chofnodi gan yr Almaenwyr fel un o'r cyrchoedd trymaf yn erbyn Prydain trwy gydol y rhyfel. Cymerodd cannoedd lawer o awyrennau ran yn y cyrch ar Lerpwl. Roeddwn i'n gwbl argyhoeddedig na fuaswn yn fyw i weld y bore. Dioddefodd canol y dref yn ddifrifol iawn. Llosgwyd Lewis's a Blackler's, dwy o'r siopau adrannol mwyaf. Taniwyd yr Amgueddfa, y Coleg Technegol a Theatr y Rotunda. Dinistriwyd rhannau helaeth o'r Llyfrgell Gyhoeddus a llosgwyd y Bluecoat Chambers. Dyna hefyd fu hanes Church House, South John Street ac adeiladau Cymdeithas y Gyfraith yn Cook Street, Castle Street a Harrington Street, a olygodd golli 350,000 o gyfrolau cyfreithiol. Maluriwyd rhan o'r Eglwys Gadeiriol Brotestannaidd, a gollodd amryw o'i ffenestri gwydr lliw gwerthfawr. Ond ar y cyfan fe arbedwyd yr Eglwys yn rhyfeddol y noson honno. Yn anterth y *blitz*, wrth edrych i lawr North Sudley Road, gallem weld yr adeilad yn sefyll yn herfeiddiol ar ei ben ei hun a holl danau enfawr y dre fel chwiloleuadau yn canolbwyntio ar linellau mawreddog ein Heglwys Gadeiriol.

Llosgwyd Eglwys Sant Luc yn ulw, a deil ei sgerbwd ar ei draed hyd y dydd heddiw i'n hatgoffa o oferedd rhyfel. Yn nes adref fe fomiwyd ysbyty Mossley Hill. Roedd un o'r llawfeddygon wrthi'n trin morwr Groegaidd pan ddisgynnodd y bom. Lladdwyd y llawfeddyg ac amryw o staff y theatr, ond achubwyd y claf a'i drosglwyddo i ysbyty arall lle cafodd ei driniaeth a gwella ohoni. Lladdwyd 17 aelod o staff yr ysbyty, 15 gyrrwr ambiwlans a 30 o gleifion gan y bom yn Ysbyty Mossley Hill, ynghyd â channoedd eraill o drueiniaid yr un noson.

Drannoeth, ar y Sul, fe gynhaliwyd ein cyfarfod pregethu blynyddol. Rhwng dwy oedfa aeth Pyrs a finnau i lawr i'r dre i gael gweld drosom ein hunain pa mor erchyll oedd effaith y bomio ychydig oriau ynghynt. Gan fod rhai bomiau heb ffrwydro, ni chaem fynediad i bob stryd. Gwelsom Lewis's a Blackler's a nifer fawr o siopau eraill wedi eu llosgi neu wedi eu dymchwel. Dyna un o'r peryglon: mentro heibio adeiladau simsan. Roedd yna olwg ofnadwy ar Lord Street, Paradise Street, South John Street a South Castle Street yn arbennig. Cawsom ar ddeall fod ffrwydron parasiwt wedi cael eu gollwng ar yr ardal honno ar y nos Wener; ffrwydron oedd yn cael eu gollwng o awyrennau gan ddisgyn yn araf dawel ac yna'n ffrwydro wrth gyffwrdd y ddaear.

Ar y nos Fercher bûm yn y crypt yn Eglwys St Anne yn Islington. Gogledd y ddinas, gan gynnwys Islington, oedd wedi teimlo pwysau trymaf y bomio ar y nos Fercher. Tra oedden ni'n sgwrsio efo bachgen o'r Awyrlu yn nrws y lloches, dyma ni'n clywed tri bom yn disgyn, y naill ar ôl y llall. Gwyddem eu bod nhw'n agos, a dyma ni'n ceisio mynd i lawr y grisiau oedd yn arwain i'r crypt. Fe'n hyrddiwyd ni'n dau i waelod y grisiau gan rym y bom, ond chawson ni ddim niwed. Pan aethom yn ôl i fyny'r grisiau gwelsom fod tri thŷ gyferbyn a'r eglwys wedi cael eu chwalu, yr agosaf o fewn rhyw ddeuddeg llath i'r fan lle'r oedden ninnau'n sefyll cyn cael ein bwrw i lawr y grisiau. Llwyddodd y ddau ohonom i achub tri pherson o'r mynydd rwbel oedd wedi cymryd lle'r tai. Dyna'r agosaf i mi fod at fom yn ffrwydro.

Ychydig iawn o gyrchoedd awyr a gawsom yn Lerpwl ar ôl mis Mai. Erbyn diwedd y mis hwnnw roedd 3,904 wedi eu lladd gan fomiau ar Lannau Mersi, 2,716 o'r rheini yn Lerpwl. Roedd 3,488 wedi eu hanafu'n ddifrifol, 2,393 o'r rheini o fewn ffiniau'r ddinas.

Yn ystod y cyrchoedd byddai fy nhad yn bodloni ar eistedd o dan y grisiau yn y tŷ a het fowler am ei ben. Seicoleg oedd gwisgo'r het, fel math o amddiffyniad i'r graith ddofn uwch ei lygad chwith. Yn ystod y llu o gyrchoedd a ddaeth i ran Mam, bodlonai hi ar orwedd ar y *settee* gyda chefn y dodrefnyn at y ffenest. Os digwyddai unrhyw beth anghyffredin fe gaem sylwebaeth gan Mam. Doedd dim ofn marw ar fy mam. Roedd hi'n barod i gyfarfod â'i Hiachawdwr.

Ar 14 Mai cafodd mil o bobl oedd wedi eu lladd gan y cyrchoedd bomio ar Lerpwl eu claddu mewn un bedd cyffredin.

Hwyaf yn y byd y parhâi'r gyflafan, mwyaf y gofynnwn innau i mi fy hun a oedd yn iawn i mi ddal at y safbwynt a gymerais at wasanaeth milwrol cyn i'r rhyfel ddechrau. Onid oeddwn yn adnabod bechgyn rhagorol, yn gyfeillion a chydnabod, oedd wedi ymuno â'r Lluoedd heb fawr o betruster? Ni allaf ddweud sawl gwaith y bûm yn effro yn fy ngwely yn ceisio ymgodymu â'r broblem, ond eu bod yn lleng. Ar y llaw arall, onid oedd gennyf yr edmygedd mwyaf at y rhai a wrthwynebodd y Rhyfel Mawr? Ni allwn yn fy myw droi fy nghefn ar ddysgeidiaeth y Testament Newydd. Ni allwn chwaith barhau i weithio mewn banc tra oedd hanner y byd yn ceisio dinistrio'r hanner arall.

Cyflwynais gais arall, y tro hwn i gael gwneud gwaith meddygol yn y Llynges. Fe'm hysbyswyd nad oedd lle yn y Llynges ar y pryd. Ar ddechrau 1942, sgrifennais at swyddfa'r Tribiwnlys i ddweud fy mod yn barod i wneud gwaith anymladdol. Cefais fy archwiliad meddygol ar 23 Ebrill, a gofynnais a gawn ymuno â'r RAMC. Y tro yma fe gytunwyd â'm cais. Pan gefais fy mhapurau fe'm gorchmynnwyd i fynd i wersyll milwrol yng Nghymru, sef y No 6 Training Centre Pioneer Corps, Dinbych, ond fy mod i fod yn y Non-Combatant Corps, neu'r NCC. Pan es i'r swyddfa recriwtio yn Renshaw Street i ddweud wrthyn nhw fy mod wedi cael addewid y cawn fy ngalw i'r RAMC, yr ateb a gefais oedd fy mod i fynd i Ddinbych ac egluro wrthyn *nhw* beth a ddigwyddodd. Dyna'r wers gyntaf a gefais yn y Fyddin, sef mai'n anfynych iawn y cewch yr hyn a geisiwch.

Ar 6 Awst mi gefais fy hun yn Ninbych, yn 3 Section, B Company. Dan ganfas yr oeddem yn byw, deg i bob pabell os cofiaf yn iawn. Rhaid cydnabod ein bod yn griw brith dros ben. Dywedwyd bod pedwar o aelodau'r B Company wedi bod yng ngharchar Dartmoor a hawdd y gallaf gredu hynny. Bechgyn dymunol iawn, at ei gilydd, oedd i'w cael yn yr NCC.

Prin fy mod wedi cyrraedd y gwersyll pan ofynnwyd i mi a allwn siarad Cymraeg. Pan atebais yn gadarnhaol dyma fynd â mi i'r Company Office, sef pabell arall, lle gwelais fachgen swil yr olwg yn sefyll ar ei ben ei hun. Robin Jones o Dinas yn Llŷn oedd y llanc a drosglwyddwyd i'm gofal, saer troliau wrth ei alwedigaeth. Bu Robin a minnau'n rhannu pabell gydag wyth arall am wythnosau.

Y bore Sul cyntaf dyma ni'n cael ein galw i Church Parade. Tri 'enwad' oedd yn bodoli ar y Sul, sef Eglwyswyr, Anghydffurfwyr a Phabyddion. Aeth Robin a minnau i blith yr Anghydffurfwyr. A minnau wedi bod yn y fyddin am dridiau, mi wnes yr hyn oedd wedi ei ddysgu imi ei wneud os oeddwn am dynnu sylw at rywbeth ar y parêd: cymerais ddau gam ymlaen a sefyll yn syth. Gofynnwyd imi beth oedd yn bod a gofynnais a oedd hi'n bosibl i Robin a minnau fynd i wasanaeth Cymraeg, gan nad oedd Robin yn deall Saesneg. Wrth gwrs fe wrthodwyd ein cais a gorfodwyd ni i fynd i wasanaeth Saesneg. Yr oedd hi'n fore braf, a chan fod y capel yn llawn roedd y gwres yn llethol. Cyn hir mi glywais chwyrnad o gyfeiriad Robin, a chwyrnu'n braf a wnaeth trwy'r bregeth.

Ar ôl yr oedfa aethom am dro trwy'r dre a digwydd taro ar Morris Williams, argraffydd a gŵr Kate Roberts, ynghyd â'r newyddiadurwr a'r bardd Gwilym R. Jones. Adroddais wrthyn nhw sut y gwrthodwyd i ni'r hawl i fynd i addoli yn ein hiaith ein hunain yn ein gwlad ein hunain. Ymhen rhyw dair wythnos dyma fi'n cael gorchymyn i fynd i weld y Cyrnol a oruchwyliai'r Ganolfan Ymarfer. Bu hwn yn hynod gwrtais wrthyf, gan fy hysbysu fod cwestiynau wedi cael eu holi yn Nhŷ'r Cyffredin ynglŷn â'n Church Parade a'r ffaith na chaniatawyd i ni addoli yn ein hiaith eu hunain yng Nghymru. Dywedwyd wrthyf na ddylai'r fath beth fod wedi digwydd ac na ddisgwylid i ni fynd ar Church Parade mwyach. Diolch i Morris Williams, Gwilym R a Syr J.H. Morris Jones, yr Aelod Seneddol dros Ddinbych, am ymyrryd ar ein rhan. Cefais ymweliad hefyd gan y Caplan o Gymro, Stephen O. Tudor. Pwy ddywedodd na allech chi guro'r system!

Yn fuan wedi'r helynt hwnnw mi gefais fy hun yn y Company Office. Soniais eisoes ein bod yn gwmni cymysg iawn yn y B Company ac roedd y Company Office yn enghraifft dda o hynny. Roedd y swyddfa'n cael ei staffio gan amryw o

Iddewon Almaenig. O'u hadnabod gallaf dystio i'r dylanwad da a gafodd y rhain ar laweroedd yn B Company. Yn osgeiddig o gorff, yn fedrus eu doniau ac yn gryf eu personoliaeth, hawdd deall sut y daethant i lenwi swyddi cyfrifol yn y Company Office. Oni bai am y ffaith mai dim ond yn ddiweddar yr oedden nhw wedi dianc o'r Almaen, buasai llawer o'r rhain yn swyddogion. Frank oedd enw'r rhingyll staff, ond ni allaf ddwyn i gof enw un ferch gwbl eithriadol a weithiai yn y swyddfa. Yn amlwg ddigon roedden nhw'n hanu o deulu da eu byd a'u moes.

Bûm yng nghartref Kate Roberts sawl gwaith am bryd o fwyd a sgwrs yn ystod y tri mis a dreuliais yn Ninbych. Bu Kate yn garedig iawn wrthyf. Aeth Margaret a minnau i edrych amdani ychydig cyn ei marw yn 1985.

Un a ddaeth yn ffrind mynwesol i mi oedd Luigi Antonio Giusepi Possilippi, Eidalwr a anwyd yn Llundain ac a fagwyd yno nes ei fod yn ddeg oed. Felly Prydeiniwr ydoedd ond un a dreuliodd flynyddoedd yn yr Eidal, o ddeg oed nes ei fod yn tynnu at ei ugain. Eidaleg oedd ei iaith gyntaf. Yn berchen café yn Llundain, fe'i cafodd hi'n anodd meddwl am ymladd yn erbyn ei gyd-Eidalwyr. Dyna pam mai'r NCC a hawliodd ei wasanaeth. Bu Luigi gyda fi gydol y tri mis y bûm yn Ninbych, ac wedi hynny yn Bicester.

Er i mi gael fy siarsio i ofalu am Robin, fe anfonwyd y llanc ifanc o Lŷn i ogledd-ddwyrain Lloegr cyn i mi adael Dinbych. Galwais i weld Robin pan oeddem fel teulu ar ein gwyliau yn Aberdaron flynyddoedd yn ddiweddarach. Wnes i ddim gofyn iddo a oedd wedi dysgu siarad Saesneg!

Cefais un profiad annisgwyl yn Ninbych. Fe'm hyfforddwyd yn y grefft o baffio. Yn un o'r sesiynau ymarfer, gofynnwyd am wirfoddolwyr. Chafwyd dim digon o enwau, felly dyma'r hyfforddwr yn dewis rhai ychwanegol, a minnau yn eu plith. Oddi ar i mi dorri fy nhrwyn yn llanc ym Mhwllheli, bûm yn ei warchod yn ofalus rhag iddo gael mwy o niwed, a doedd paffio ddim yn lles mewn sefyllfa felly. Ein prif hyfforddwr oedd

Larry Gains, bocsiwr o fri. Yn ei gynorthwyo roedd milwr di-gomisiwn arall o'r enw Richardson. Ymhen blynyddoedd mi gefais ar ddeall gan Jack Peterson, y pencampwr pwysau trwm o Gaerdydd, fod Richardson wedi bod yn sbario efo fo ar gyfer un o'i sgarmesoedd pwysig. Un o Gasnewydd oedd Richardson. Digon digyffro fu fy mhaffio nes i Richardson fy nharo yn fy nhrwyn. Dyma fi'n gwylltio ac yn ymosod arno'n ffyrnig. Y peth nesaf a wyddwn oedd fy mod wedi cael fy newis i baffio mewn twrnamaint yn Neuadd y Dref. Disgwylid cannoedd o bobl, yn filwyr a phobl leol, i'r ornest. Yn ystod fy nyddiau ysgol yn yr Institute roedd cyfle i'r rhai a ddymunai hynny gael ein hyfforddi fel paffwyr, a hynny gan aelodau o staff y Stadium, sef yr arena bocsio fawr yn Lerpwl. Fanteisiais i erioed ar y cyfle, gan fy mod yn canolbwyntio ar chwaraeon eraill. Felly ymladdwr cwbl ddibrofiad, ar wahân i'r ychydig wersi yn Ninbych, oedd yr un y disgwylid iddo berfformio yn y ring ar y noson fawr. Gwyddwn fod amryw yn y ganolfan ymarfer yn baffwyr profiadol. Gallwn ddychmygu fy hun yn gelain ar y llawr i fanllefau byddarol y dorf. Ac yn sicr fyddai'r antur yn gwneud dim lles i 'nhrwyn.

Os oeddech am dynnu sylw at unrhyw salwch oedd arnoch yn y fyddin, roedd rhaid gwneud hynny cyn hanner awr wedi chwech y bore. Pan wawriodd dydd fy ngornest, mawr fu'r demtasiwn i ddweud fy mod yn sâl. Aeth yr awr dyngedfennol heibio heb imi ddangos fy llwfrdra. Ond gyda phob awr a âi heibio fe deimlwn yn fwyfwy anesmwyth. Am 11 y bore fe ddaeth y gorchymyn, 'Fall in!' Dywedwyd wrthym ein bod i gael ein hail frechiad y bore hwnnw, ac na chaniateid i ni fynd y tu allan i ffiniau'r gwersyll am y 24 awr nesaf. Dyma fi'n cymryd dau gam ymlaen a dweud na allwn fynd am fy ail frechiad gan fy mod yn paffio'r noson honno. Yr ateb a gefais oedd 'You'll go for your second inoculation and like it!' Dyna'r union ateb y gobeithiwn ei gael, ac o ganlyniad fe'm hachubwyd o rialtwch Neuadd y Dref.

Daeth yn amser i mi ymadael â Dinbych ym mis Tachwedd.

Erbyn hyn roedd hi braidd yn oer i gysgu dan ganfas ac nid y dŵr mwyaf delfrydol ar gyfer eillio yw hwnnw y mae'n rhaid i chi dorri'r rhew ar ei wyneb cyn dechrau. Mi gefais fy hun yn Bicester, neu i fod yn fanwl gywir, yn Arncott. Yn Nhrydydd Cwmni'r NCC yr oeddwn, a hynny mewn garsiwn o rai miloedd o eneidiau. Garsiwn Ordnans oedd hon a llawer o gatrodau o'i mewn; garsiwn oedd yn cael ei datblygu. Ein gwaith ni yn yr NCC oedd gosod rheilffordd ar gyfer y garsiwn fawr newydd. Golygai hyn osod milltiroedd o drac. Gweithio o dan gyfarwyddyd y peirianwyr oedd ein hanes ni, a golygai hyn ein bod nid yn unig yn gosod y trac ond hefyd yn ei gynnal gyda'r dechneg a elwid yn *'lifting and picking'* o dan y sliperi. Labrwyr oedden ni, mewn dillad milwrol.

Chwarae teg i fechgyn yr NCC, fe drefnwyd pob math o adloniant i ddifyrru'r cwmni o ryw dri chant. Côr, clwb gwyddbwyll, cyngherddau, cwmni drama, tîm pêl-droed a thîm criced – dyna rai o'n gweithgareddau. Mae'n deg dweud ein bod yn griw eithaf gwâr a bod ein rhesymau dros ymuno â'r NCC yn amrywio o'r dyngarol i'r politicaidd, o'r cenedlaethol i'r Cristnogol. Bûm yn chwarae llawer o griced i'r Cwmni yn 1943, gan gystadlu yn erbyn gwersylloedd cyfagos o'r Fyddin a'r Llu Awyr. Yr her fwyaf oedd chwarae am darian y Garsiwn, gyda phob catrawd yn cystadlu. Ein catrawd ni oedd yr un leiaf o ran niferoedd, a'r RAOC oedd â mwyaf o ddynion. Yn y rownd derfynol fe gawsom ein hunain yn chwarae yn erbyn yr RAOC. Gymaint oedd cynddaredd y Brigadydd yng ngofal yr RAOC fod ei gatrawd wedi colli i fechgyn heddychlon yr NCC, fe wrthododd gyflwyno'r darian i ni. Swyddog is ei safle a gafodd y fraint!

Tynnais fy ffêr yn ystod y gêm honno – tâl bowliwr cyflym. Buom yn ffodus dros ben i gael chwarae ar feysydd criced amryw o golegau Rhydychen yn ystod y tymor. Nid wyf yn cofio ar gae pa goleg y cawsom ein buddugoliaeth yn erbyn yr RAOC, ond cofiaf ei fod yn agos at afon Isis.

O bryd i'w gilydd fe geisid ein diwyllio fel garsiwn trwy

gael darlithwyr o fri i'n hannerch. Byddai disgwyl, ar nosweithiau felly, i bob catrawd anfon cynrychiolaeth deilwng i'r ddarlith. Yr unig ffordd i sicrhau cynulliad oedd trwy ei gwneud hi'n orfodol ar adrannau o bob catrawd i fod yn bresennol. Cofiaf i ddwy adran o'r NCC fod yn bresennol pan fu A. J. P. Taylor yn darlithio ar Malta. Y ddwy adran anffodus oedd adran 5, sef fy adran i, ac adran 2, lle ceid y gwrthwynebwyr gwleidyddol, y rhai mwyaf anystywallt ohonom i gyd. Tiny Stone oedd un o rai mwyaf gwrthryfelgar yr adran – un bach o gorff, yn gerddor gwych ond yn hynod ddadleugar. Llanwyd Theatr y Garsiwn gyda rhai cannoedd o eneidiau anfoddog pan ddaeth noson A. J. P. Taylor. Ar ôl y ddarlith gwahoddwyd cwestiynau. Dyma Tiny Stone ar ei draed yn syth: 'Is the lecturer aware that every person here has been detailed to be present?' holodd. Neidiodd neb llai na'r GSM ar ei draed a rhuthro ar Tiny Stone. Y canlyniad fu i Tiny Stone gael ei gyfyngu i'r barics am wyth niwrnod ar hugain am ddweud y gwir.

Yn ystod fy arhosiad yn Arncott roeddwn i'n anniddig iawn ynglŷn â'r gwaith a wnawn, ac yn teimlo y dylwn fod yn cyflawni rhywbeth amgenach. O ganlyniad mi gynigiais fy hun ar gyfer gwaith gydag Uned Ddifa Bomiau. O leiaf mi fyddwn wedyn yn ceisio achub bywydau. Gweithredu drwy Swyddfa'r Cwmni oedd y drefn pan fyddem eisiau trosglwyddo i orchwyl arall. Daeth ateb i'r perwyl mai dim ond yn y Dwyrain Canol yr oedd angen am wirfoddolwyr ar gyfer difa bomiau. Cynigiais fy hun ar gyfer y Dwyrain Canol, ond fe'm hysbyswyd nad oedd angen rhagor o ddynion yno chwaith.

Fel y gallech feddwl, byddai llawer o ddadlau yn digwydd ymysg ein gilydd. Roedd rhai ohonom yn gynddeiriog ein bod yn cyflawni gwaith mewn Garsiwn Ordnans, tra bod eraill, a'r Brodyr Plymouth Caeëdig yn eu plith, yn gweld dim o'i le yn hyn. Cofiaf un prynhawn Sadwrn, a minnau'n sefyll ar fy ngwely yn taranu yn erbyn Arncott. George Fisher, nai i Archesgob Caergaint, a gysgai nesaf ataf a chymerai George yr un safbwynt â mi. Yn y diwedd fe drosglwyddwyd George i adran feddygol y Gatrawd Barasiwt. Doedd gen i mo'r gwroldeb i neidio o awyren, felly mi drosglwyddais i wersyll carcharorion rhyfel.

Yn ystod fy arhosiad yn Arncott roeddwn i'n sâl efo dolur rhydd un bore a bu raid imi fynd at y meddyg. Er imi ddweud wrtho beth oedd yn fy mlino, roedd ganddo fwy o ddiddordeb yng nghyflwr fy nhrwyn. Roedd clefyd y gwair yn fy mhoeni'n arw yr adeg honno, a byddwn yn tisian yn aml. Ar ôl i'r meddyg archwilio fy nhrwyn fe aeth yn syth at y swyddog meddygol drws nesaf a gofyn iddo ddod i edrych ar fy nhrwyn. Dywedodd y ddau mai fy septwm i oedd yr un mwyaf a welsant erioed. Anwybyddwyd y dolur rhydd a rhoi'r sylw i gyd i'r difrod a achoswyd gan y ceidwad wiced ym Mhwllheli.

O ganlyniad mi gefais fy hun ymhen fawr o dro yn y Radcliffe Infirmary, Rhydychen, yn cael triniaeth ar fy nhrwyn. Yr Uwch Gapten Williams a weithredodd fel llawfeddyg, a chredaf mai fi oedd y claf cyntaf iddo ei drin! Anaesthetig lleol yn unig a gefais a pharhaodd y driniaeth am awr. Cŷn a morthwyl a ddefnyddiwyd i gael gwared â pheth o asgwrn y septwm. Ar ôl rhyw ddeugain munud dywedodd y llawfeddyg ei fod o'r farn fy mod yn dioddef tipyn o uffern, a chytunais yn llwyr â'i ddyfarniad. Chwarae teg i'r Uwchgapten, fe roddodd fis o seibiant i mi, i'w dreulio mewn canolfan ymadfer ar Goring Heath, ger Reading. Disgynnydd i Dick Whittington oedd yn berchen Flint House ac roedd yno berllan gydag afalau ardderchog. Roedd pawb o'r trigolion yn cael gwisg arbennig, sef siwt las golau, crys gwyn a thei goch. Mentrais cyn belled â Llundain yn y lifrai hwnnw unwaith, er nad oedd y ffitiad yn berffaith o bell ffordd. Fe'm rhyddhawyd o'r cartref ymadfer ar 9 Hydref i fynd yn ôl at fy uned.

Soniais eisoes fod Mam, oddi ar adeg fy ngeni, yn dioddef â'i chalon. Cefais wybod ar 14 Hydref ei bod yn wael iawn a bu'r Uwch Gapten Clarke mor garedig â'm rhyddhau am ddeng niwrnod i ofalu amdani. Cyrhaeddais y tŷ yn Lerpwl fore trannoeth, a phan ddaeth fy nhad adref o'i waith toc wedi hanner dydd dywedodd wrthyf am fynd i fwynhau fy hun am dipyn tra gofalai yntau am Mam. Felly es i'r dref am bryd o fwyd yn y Temple, tŷ bwyta yn un o'r strydoedd bach oddi ar Dale Street, ac yna i wylio gêm bêl-droed rhwng Lerpwl ac Everton.

Bûm wrthi'n edrych ar ôl Mam am yr wythnos ganlynol ac mi dybiwn ei bod yn gwella ychydig. Y Sadwrn canlynol dychwelodd fy nhad gartref gan ddweud wrthyf unwaith eto am fynd allan i fwynhau fy hun. I ffwrdd â fi unwaith eto i'r dre am bryd o fwyd yn yr un lle a'r wythnos cynt. Yn ystod y rhyfel doedd fawr o drefn ar y gynghrair bêl-droed – roedd popeth yn dibynnu ar bwy allai gael dau dîm at ei gilydd ar yr un cae – a gwyddwn fod Everton yn chwarae yn erbyn Lerpwl eto'r Sadwrn hwnnw. Ond wrth fwyta mi gofiais hefyd imi ddarllen yn *Y Faner* fod Ambrose Bebb yn darlithio yng nghapel Chatham Street yr un prynhawn, ar hanes yr ysgol Sul. Penderfynais fynd i wrando ar Ambrose Bebb, gan resymu y cawn ddigon o bêl-droed pryd bynnag y mynnwn. Doeddwn i fawr o feddwl beth fyddai arwyddocâd y penderfyniad hwnnw.

Yng nghapel Chatham Street eisteddais efo ffrind i mi, Glyn Penrhyn Jones, ac roedd Pyrs yn eistedd yn y sedd y tu ôl i ni. Ond nid Glyn na Pyrs a dynnodd fy sylw ond tair merch a eisteddai ar y chwith, hanner ffordd i lawr y capel, yn fy hanner wynebu. Un yn arbennig a dynnai fy sylw, sef y ferch yn y canol. Rargian roedd hi'n edrych yn ifanc ac yn ddel i ryfeddu, gyda'i gwallt yn ddu fel y frân a'i llygaid yn dawnsio yn ei phen. Allwn i ddim tynnu fy llygaid oddi arni. Mi geisiais ddal ei llygad, ond heb lwyddo. Yna fe ddaeth ymwared mewn ffordd gwbl annisgwyl. Daeth dynes feddw i mewn i'r capel cyn i'r darlithydd ddechrau ar ei anerchiad. Eisteddodd y ddynes ddwy res o flaen Glyn a fi, ac roedd hi braidd yn swnllyd. Cododd Mr Ellis, un o flaenoriaid y capel, gan fynd ati i geisio'i pherswadio i fynd allan yn dawel. Cydiodd ym mraich y ddynes i geisio'i harwain allan. Y cwbl a gafodd am ei drafferth oedd

‘You take your hands off me you dirty old man!’. Gwenodd llawer o’r gynulleidfa, a llwyddais innau i gael hanner gwên gan y ferch a’m cyfareddodd. Fe draethodd Mr Bebb yn huawdl yn ddiau, ond yn fy myw rhywun arall a fynnodd fy sylw i y prynhawn hwnnw. Ar ddiwedd y ddarlith arhosais wrth y drws yn y gobaith o gael gair efo fy eilun. Wrth iddi ddod allan gofynnais a oedd hi wedi mwynhau’r ddarlith. ‘Yn dda iawn, diolch,’ meddai, ac i ffwrdd â hi. Wrth i Pierce a finnau gerdded i lawr i’r dre y cwbl a wnawn oedd trafod y ferch hudolus yma. Dywedodd Pyrs ei fod yn adnabod un o’r tair merch ac mai Jane Williams oedd enw honno. Ni wyddai pwy oedd y ferch a eisteddai yn y canol. Wrth inni gyrraedd Lime Street, a minnau’n dal i barablu, fe welsom y tair ohonynt ar draws y stryd. Dyma groesi’n syth, a Pierce yn fy nghyflwyno i Jane, a Jane yn ein cyflwyno ni i Glenys a Margaret. Ni thynnais fy llygaid oddi ar Margaret am eiliad. Gofynnais iddi a fyddai yn y Clwb y noson ganlynol. Dywedodd efallai y byddai hi. Dywedais y byddwn innau yno’n bendant, a’m bod yn gorfod dychwelyd at fy uned y peth cyntaf fore dydd Llun.

Yn unol â’m bwriad, roeddwn yn Young Wales ar y nos Sul, noson y canu emynau, a mawr oedd fy llawenydd o weld Margaret Davies yno hefyd. Ar ôl i ni orffen canu dyma fi’n mynd yn syth ati, a’m calon yn curo fel gordd, ac yn dweud, ‘Rwy’n gobeithio na fyddwch chi ddim yn meddwl fy mod i’n hy, ond gaf i eich hebrwng gartref?’ Mae’n dda gennyf ddweud iddi gytuno. Wrth inni fynd drwy’r drws ffrynt dyma Wally, un o’r myfyrwyr meddygol, yn gweiddi, ‘Gwatsiwch yr hogyn mawr ’na, Margaret, un garw ’di hwnna!’ Es â Margaret gartre i’w llety ar y tram a chefais fy nghusan gyntaf ganddi ar gornel Clovelly Road, Anfield.

A dyma ddechrau ar ohebiaeth na fu ei thebyg yn fy hanes i erioed. Nid wyf yn un o’r llythyrwyr mwyaf brwd, ond fe’m sbardunwyd gan brofiad na chefais mohono erioed o’r blaen. Ei chyfeiriad swyddogol yng Nghymru oedd Crud-yr-awel, Synod Cross Roads. Bellach mae llawer yn cyfeirio at y pentref fel

Synod Inn, gan mai dyna'r enw ar y rhan fwyaf o'r arwyddion, er bod ambell fap yn dangos yr hen enw Post Mawr. Ond Synod, yn syml, fu'r enw i ni erioed, ac i lawer o'n cymdogion.

Roedd Margaret ar y pryd newydd gael ei phenodi'n athrawes yn ysgol gynradd Anfield Road, ar ôl treulio dwy flynedd yn y Coleg Normal ym Mangor. Roedd wedi ei geni a'i magu yn Llanarth yng Ngheredigion ond yn anffodus wedi colli ei mam pan oedd yn ddeg oed a'i thad pan oedd hi'n ddwy ar bymtheg. Felly roedd yn cartrefu yng Nghrud-yr-Awel yn Synod, i'r gogledd o Aberteifi, gyda'i Anti Peg ac Wncwl Dafi.

Dychwelais i Arncott ar 25 Hydref, ond cefais ganiatâd i fynd adref am 36 awr ar 6 Tachwedd. Es adref drachefn yn fuan wedyn heb ganiatâd, am 36 awr, gan lwyddo i osgoi'r Capiau Cochion, yr heddlu milwrol a fyddai'n hynod ddiwyd wrth chwilio am ddrwgweithredwyr.

Yn fuan yn y flwyddyn newydd mi gefais ddeng niwrnod o seibiant, cyn cael fy nanfon i Lundain ar gwrs i'm paratoi ar gyfer y gwaith newydd mewn gwersyll i garcharorion rhyfel. Yn ystod y seibiant hwnnw deuthum i adnabod Margaret yn wirioneddol dda; i'r fath raddau ag i ddweud wrthi, wrth inni lygadu dodrefn mewn siop yn Whitechapel, y byddai'r dodrefnyn hwn a'r dodrefnyn acw yn gweddu i'n cartref.

Yn fuan ar ôl fy *leave* mi gefais fy hun yng nghanol Llundain eto, mewn lle digon moethus. Pabell oedd wedi bod yn gartref imi yn Ninbych, a chwt yn Arncott, ond bellach roedden ni'n aros mewn gwesty yn Bedford Place oedd wedi ei feddiannu gan y Fyddin dros gyfnod y rhyfel. Ar ôl cyrraedd Bedford Place beth oedd yn fy nisgwyl ond y swydd o 'right marker', yn arwain mintai o ddeg ar hugain i lawr Bedford Place, ar draws Southampton Row a Theobolds Road i Red Lion Square lle'r oedden ni'n cael ein hyfforddi.

Yn ôl yn y biled, gwragedd sifil fyddai'n paratoi'n bwyd blasus, a'r cinio dydd Sul yn ogoneddus o hael gan fod llawer o'r bechgyn ar *leave* 36 awr neu'n ymweld â ffrindiau yn Llundain. Arferwn fynd i'r Albert Hall bob prynhawn Sul i gyngerdd symffoni, a chael mwynhad mawr wrth wrando ar gerddorfa dda yn chwarae gweithiau'r meistri. Cofiaf i Tchaikovsky fod yn ffefryn mawr ar y pryd. Anaml iawn yr awn i'r Clwb Cymraeg yn Gray's Inn Road, ond mi es yno i'r cyngerdd Gŵyl Ddewi. Ar y diwedd fe ganwyd yr Anthem Genedlaethol, ac wedyn 'God Save the King'. Sylwais fod un swyddog ar y llwyfan yn sefyll yn syth i'n hanthem ni, ond yn plygu ei ben i'r Brenin. Carwn fod wedi gwybod pwy ydoedd.

Mae hyn yn fy atgoffa o ambell ddarlith a glywsom yn ein lifrai glas. Y darlithydd un tro oedd Cymro a siaradai'r sothach mwyaf am wleidyddiaeth Prydain. Fel rhingyll yng Nghorfflu Addysg y Fyddin fe ddylai wybod yn well. Gofynnais un neu ddau o gwestiynau beirniadol iddo, ond cedwais fy ymosodiad ffyrnicaf tan ar ôl y cyfarfod, pryd y deallais ei fod yn Gymro Cymraeg. Efallai nad oedd wedi disgwyl gweld cenedlaetholwr o Gymro ar Goring Heath. Ymddiheurodd am ei gamwedd.

Fy nghyfeillion pennaf yn Bedford Place oedd Fred Watson Whealan, Don Allen a Tom Jones Hughes – Sgotyn, Sais a Chymro. Cafodd Fred, a hanai o Glasgow, ei alw i'r Fyddin pan oedd ar hanner cwblhau ei draethawd am ddoethuriaeth mewn athroniaeth. Un o Langybi yn Eifionydd oedd Tom, a daeth yn Athro Daearyddiaeth yng Ngholeg Prifysgol Dulyn. Gelwais i'w weld ef a'i deulu unwaith a dywedodd ei fod yn magu ei blant fel Gwyddelod, er bod ei wraig yn dod o Dyddewi. Rhyfedd o fyd. Ni wn beth a ddaeth o Don Allen, bachgen cyfeillgar o Gaerloyw. Un arall a letyai gyda ni oedd Gwyn Erfyl. Tueddai Gwyn i gadw ar ei ben ei hun. Cawsom yr argraff fod ganddo gyfeillion o Gymru y gallai ymweld â nhw yn ôl ei fympwy.

Un noson, wrth ddychwelyd i Bedford Place, roeddem newydd droi i mewn i Southampton Row pan redodd merch ataf gan weiddi 'Save me, save me!' a chydio yn llabedau fy nghot fawr. Yn ei dilyn roedd milwr Americanaidd. Gofynnais beth oedd yn bod a dywedodd yr Americanwr, 'I gave this goddam bitch three pounds and now she wants to go home!' Dywedais wrtho am gymedroli ei iaith, tra oedd y ferch yn dal i brotestio ei diniweidrwydd. Erbyn hyn roeddwn wedi sylweddoli mai Cymraes oedd hi. Gofynnais o ble'r oedd hi'n dod. 'Sir Gâr,' oedd yr ateb. 'Faint o arian sydd gennych chi yn eich pwrs?' gofynnais. 'Tair punt,' meddai. 'Rwyf wedi cael fy nhalu heddi ac fe gefais dair punt gan Mam bore 'ma a llythyr i brofi hynny.' 'Gawsoch chi arian gan y dyn yma?' 'Naddo,' atebodd. 'Yr unig arian a basiodd rhyngddon ni oedd deg swllt a roddais iddo fe i brynu diodydd.'

Erbyn hyn fe syllai'r Americanwr arnom yn syn gan ofyn, 'Say, what is this goddam foreign tongue?' Pan redodd y ferch ataf gofynnais i Fred a Don aros gyda fi. Efallai y byddai angen tystion – neu gymorth! Dal i wadu cyhuddiad y milwr a wnâi'r ferch. Er mwyn cael diwedd ar y mater awgrymais ein bod yn mynd at yr heddlu milwrol. Dechreuodd y criw ohonom gerdded i fyny Southampton Row i gyfeiriad Euston, gan y gwyddwn y byddai'r Capiau Cochion i'w gweld ym mhob gorsaf fawr. Cyn ein bod wedi cerdded deugain llath dywedodd y ferch, 'Beth ddywedai fy ngŵr?' a dywedodd yr Americanwr, 'I can't go to the Military Police because I'm on furlough in Edinburgh.' Pan ddywedais wrtho mai yn Llundain yr oedden ni, nid Caeredin, atebodd, 'I know, but my pass is for Edinburgh. I'll tell you what, if she's prepared to say "You're a sucker" she can keep the three pounds.' Dal i brotestio a wnâi'r ferch o Sir Gaerfyrddin. 'Er mwyn popeth, dwedwch "You're a sucker" wrtho neu mi fyddwn yma drwy'r nos,' meddwn i. Yn y diwedd mi gefais berswâd arni i lefaru'r geiriau a fyddai'n bodloni'r Americanwr. Gofynnais iddi aros ar gornel y stryd nesaf nes fy mod wedi cael gwared â'r milwr. Erbyn hyn roedd y niwl yn eithaf trwchus ond llwyddwyd i gael tacsi i'r gwalch, a'r gair olaf a glywais o'i enau oedd 'Piccadilly'. Pan euthum yn ôl i gornel y stryd nesaf doedd dim sôn am y ferch o Sir Gâr. Hyd y dydd heddiw nid wyf yn siŵr pa un o'r ddau i'w gredu.

Roedd hunllef y bomio ar Lannau Mersi wedi dod i ben ar ddiwedd 1941. Felly, pan ganodd y seiren yn Llundain ar ddechrau 1944, hwnnw oedd y tro cyntaf i mi glywed ei sŵn ers dros ddwy flynedd. Dechreuais grynu'n ddilywodraeth. Dim ond pan waeddodd rhywun i ddweud fod bomiau tân yn y gwesty drws nesaf y gwnes i feddiannu fy hun ddigon i godi a gwisgo a mynd allan i weld beth ellid ei wneud. Nid y gwesty drws nesaf yn unig a daniwyd, ond dau westy arall gyferbyn â 28 Bedford Place. Gan fod pympiau troed ar gael ym mhob gwesty, dyma ni'n bwrw ati i ddiffodd y tanau a llwyddo i wneud hynny o fewn awr. Drannoeth fe gawsom ddwy fil o sigarennau gan y gwestai mewn gwerthfawrogiad o'n hymdrechion.

Ym mis Mawrth mi lwyddais i berswadio Margaret i ddod i fwrw'r Sul yn Llundain. Trefnodd hi fod ei ffrind Olive Thomas yn ei chyfarfod, gan i'r ddwy fod yn ffrindiau yn y Coleg Normal. O Abercych yr hanai Olive. Rhaid cydnabod fy mod innau wedi trefnu i Fred Watson Whelan gadw cwmpeini i Olive. Dyna i chi benwythnos oer! Roedd yn llawer rhy oer i garu. Am wn i nad oedd hi'n oerach ar yr Underground nag oedd hi ar y strydoedd. Yn y YWCA yn Gower Street, heb fod ymhell iawn o Bedford Place, yr arhosai Margaret ac Olive. Cofiaf i ni geisio gwneud argraff ar y merched drwy fynd â nhw am bryd o fwyd i'r Strand Palace ar y nos Sadwrn. Nos Sul fe ddaeth cyrch awyr arall, y tro cyntaf i Margaret gael y profiad hwnnw. Cawsom loches ar stepiau gwesty'r Imperial yn Southampton Row, ond bu'n rhaid i ni adael yr Imperial gan fod trên Margaret i fod i adael Euston am un ar ddeg y nos. Gan fod y cyrch yn parhau, roedd hi'n ddau o'r gloch y bore ar y trên yn gadael. Cael a chael oedd hi iddi gyrraedd ysgol Anfield Road mewn pryd. Yn anffodus, roedd yn rhaid i mi fod y ôl yn y biled erbyn hanner nos, felly gorfu i Margaret wynebu'r ddrycin am dros ddwyawr ar ei phen ei hun. Doedd sifalri ddim yn beth hawdd yn ystod rhyfel!

Ymhen llai na phedwar mis ar ôl i mi orffen fy nghwrs ar gyfer gwersyll carcharorion, roeddwn yn ôl ar gwrs arall yn Llundain. Roedd hyn ryw fis wedi i'r ail ffrynt gael ei agor yn Normandi. Roeddem i fod i aros yn yr Assembly Rooms yn

Baker Street. Erbyn hyn roedd yr Almaenwyr wedi perffeithio'r V1, neu'r *flying bomb.* Ar bedwerydd llawr adeilad ger Baker Street y caem ein hyfforddi. Dim ond i'r hyfforddwr bwyso'n ôl yn ei gadair fe allai weld i ba gyfeiriad y byddai'r V1 yn hedfan ar ôl i ni glywed ei sŵn unigryw. Fe gaem aros yn ein hunfan os byddai'r V1 yn hedfan i'r chwith neu i'r dde o'r adeilad, ond pan ddeuai'r waedd 'This is it!' âi pawb ohonom i'r coridor ar unwaith a disgwyl nes byddai sŵn yr awyren ddibeilot yn distewi. Byddem yn cyfrif hyd at ddeg yn araf ac yn dawel, ac yna fe ddeuai'r ffrwydrad. Y bomiau V1, ac yn ddiweddarach y V2, oedd yn achosi'r braw mwyaf i bobl. Pan glywem y floedd 'This is it!' byddai un hen gapten bach yn siŵr o gyrraedd y coridor o'n blaenau bob tro.

Am un noson yn unig yr arhosais yn yr Assembly Rooms, a honno'n noson ddi-gwsg. Toc ar ôl i mi fynd i'r gwely, dim ond sŵn bechgyn yn siarad ac yn cerdded y coridorau a glywn. Am weddill yr wythnos es i aros yng Nghlwb Cymry Llundain yn Gray's Inn Road. Yr un a gysgai yn y gwely agosaf ataf oedd y Rhingyll John Ellis Williams, yr awdur a'r dramodydd, a fu'n gyfeillgar iawn â'm hewythr Bertie pan oeddent ill dau yn weithgar ym myd y ddrama ym Mlaenau Ffestiniog. Cafodd John Ellis Williams a minnau sawl sgwrs ddiddorol yn ystod yr wythnos.

Yna, pan ddychwelais i Hampton Lovett, mi gefais ar ddeall y byddwn yn cael fy anfon i Ffrainc ar fyrder. Y diwrnod y cyrhaeddais yn ôl i'r gwersyll roedd Margaret yn cyrraedd Droitwich i dreulio wythnos o wyliau. Yn naturiol, mi ddywedais wrthi fy mod ar fin cael fy anfon i Ffrainc, a'm bod yn awyddus iawn i'w phriodi cyn mynd dros y môr. Felly mi ofynnais iddi fy mhriodi pan oeddem yn mynd am dro yn Doverdale Park. Druan â hi, mi gytunodd. Yn union ar ôl y glanio yn Normandi fe waharddwyd i unrhyw un fynd ar *leave*, oni bai ei fod am briodi cyn mynd dros y môr. Dyma fi'n gofyn am seibiant i briodi cyn imi groesi'r dŵr. Cytunwyd â'm cais. Union wythnos gawsom ni i wneud yr holl baratoadau. Bu'n rhaid i Margaret fynd adref, ar y Sadwrn cyn i ni briodi, i dorri'r newydd i Anti Peg ac Wncwl Dafi – oedd wedi gofalu amdani ar ôl iddi golli ei rhieni – y byddem yn priodi o fewn yr wythnos. Y gair olaf a lefarais wrthi cyn i'r trên ymadael oedd, 'Ymwrolwch!' Iach yw croen pob cachgi!

Fel y mae'n digwydd, fe ddechreuodd fy rhieni ar eu gwyliau yr un diwrnod ag y dychwelodd Margaret i Synod. Gan eu bod yn aros yn Sir Fôn efo fy Modryb Edie a'm Ewythr John, mi sgrifennais atynt i Lanfechell ar unwaith i ymddiheuro am y rhybudd byr, ond gan ddweud fy mod yn mawr obeithio y gallent ddod i'r briodas. Druan o Mam a Tada, ond wrth lwc roedden nhw wedi cael cyfle i ddod i adnabod Margaret yn bur dda gan ei bod hi'n galw'n rheolaidd i'w gweld ers pedwar neu bum mis. Dechreuodd fy rhieni ar eu taith o Lanfechell i Synod ar y dydd Mercher, gan aros noson efo fy Modryb Slin a'm Ewythr Harri ym Mhorthmadog. O gyrraedd y Synod brynhawn Iau, fe welodd fy rhieni nad oedd Anti Peg ac Wncwl Dafi ddim tamaid mwy awyddus i weld Margaret yn priodi mor sydyn a dirybudd nag oedden nhw o'm gweld innau'n gwneud hynny. Unwaith yn unig yr oeddwn wedi ymweld â Chrud-yr-Awel, a hynny am wythnos ar ddechrau mis Ebrill. Ond dyna ni, roedd pawb ohonom yn byw bywydau annaturiol mewn cyfnod cythryblus dros ben.

Fe'n priodwyd ar 29 Gorffennaf 1944. Mae'r clod uchaf yn ddyledus i Margaret am drefnu'r cyfan, a hynny mewn ychydig ddyddiau, gyda'i chwaer Llywela a'i ffrind o Lanarth, Beryl, yn forynion, Miss Lizzie Morgan yn organyddes a'r Parchedig J.C. Lloyd yn gwasanaethu. Fy nghyfraniad i i'r achlysur oedd mynd adref i chwilio am siwt. Yn naturiol, Pierce oedd y gwas priodas, a chysgodd o a finnau yng Nghoed-y-bryn y noson cyn y briodas.

Roeddwn wedi cael rhybudd ymlaen llaw i gael digon o arian mân yn fy mhoced wrth deithio o Goed-y-bryn i Frynrhiwgaled. Yr arferiad yn yr ardaloedd hyn oedd cael deuoedd o blant yn dal rhaff – neu gwinten – ar draws yr hewl i rwystro'r priodfab, ac wedyn y briodferch, rhag cyrraedd y capel. Ond fe weithiai hanner coron wyrthiau! Roedd Sianco Isfryn wedi gofalu bod gafr Brynsynod ar ganol yr hewl yn sownd wrth raffau, un am bob corn.

Rhyw ddeugain o wahoddedigion a gafwyd i'r wledd yng ngwesty Llanina, Llanarth. Erbyn yr areithiau roedd fy nhad yn ei hwyliau gorau, yn cydnabod bod 'Margaret wedi ei phwyso yn y glorian ac ni chafwyd hi'n brin'. Harddwyd capel Brynrhiwgaled â blodau, a Mr Brooks o Gei Newydd a dynnodd y ddau lun: un o'r pâr ifanc a'r llall o'r grŵp. Yn anffodus, dim ond hanner llun o'r Parchedig J. C. Lloyd a gawsom gan i Wncwl Dafydd fynnu gwthio un person arall i mewn i'r llun ar ôl i Brooks drefnu'r grŵp. Ni allaf ymfalchïo yn y lluniau a dynnwyd ohonof i, ond mae Margaret yn brydferth dros ben a'i dillad yn wyrthiol o ddeniadol, o ystyried mai prin wythnos a gafodd i drefnu popeth.

Gan fod petrol wedi ei ddogni gorfu i ni gael dau dacsi i fynd â ni i Gaerfyrddin, y cyntaf o Lanarth i Bencader a'r llall weddill y siwrnai. Oddi yno cawsom drên i Gaerdydd, y tro cyntaf imi daro llygad ar y ddinas nad oedd eto wedi cael statws prifddinas Cymru.

Daethom yn ôl i Synod o'n mis mêl pedwar diwrnod ar y dydd Mercher. Bu raid i fy nhad fynd yn ôl i Lerpwl drannoeth y briodas, gan ei fod yn gweithio ar y dydd Llun. Arhosodd Mam yng Nghrud-yr-Awel i'n disgwyl yn ôl, gan y byddai'n rhaid i Margaret, hithau, ddychwelyd i'r ysgol erbyn y Llun canlynol. Felly fe ddaeth Mam yn ôl gyda ni ar y trên, a bu'n siwrnai fwy helbulus na'r disgwyl. Yng Nghaer fe gafodd Mam drawiad ysgafn ar ei chalon. Gadawsom y trên ym Mhenbedw, yna cael tacsi trwy'r twnnel gartref. Yn y twnnel roedd Mam yn wael iawn ac ofnem y gwaethaf. Wrth inni gyrraedd 86 North Sudley Road, y cyfan ddywedodd fy nhad oedd, 'Gadewch iddi orwedd ar y *settee* ac mi fydd yn iawn.' A gwir y gair – y munud y cafodd hi gysur y *settee* yn ei chynefin fe ddaeth ati ei hun ar unwaith.

Ar ôl dychwelyd i Lerpwl, yn wraig briod, cartrefodd Margaret gyda'm rhieni a bu'n gefn aruthrol i Mam. Roedd fy nhad wrth ei fodd efo hi a daethant yn ffrindiau gwirioneddol. Dwi ddim yn siŵr na ddaethant yn ormod o ffrindiau i blesio Mam! Gallaf ddychmygu fod Tada wrth ei fodd yn mynd i gapel Mynydd Seion efo'i ferch-yng-nghyfraith ar fore Sul.

Cyrhaeddais innau'n ôl yn Hampton Lovett gan ddisgwyl clywed am y *posting* i Ffrainc. Er mawr syndod i mi, yr hyn a glywais gan y Cyrnol oedd fy mod i aros yno i gymryd at ddyletswyddau un o'r swyddogion, gyda swyddfa i mi fy hun a staff o bedwar carcharor. Doeddwn i ddim ar fy ffordd i Ffrainc wedi'r cyfan. Prin fod angen dweud fy mod wrth fy modd gyda'r trefniant hwnnw, a minnau bellach yn ŵr priod.

Gwersyll i ryw ddwy fil o garcharorion oedd Hampton Lovett, y mwyafrif yn y prif wersyll a'r gweddill wedi eu rhannu rhwng hostelau ar gyfer gwaith fferm. Âi'r carcharorion allan i weithio bob dydd, ac roedd y gwaith a wnaent yn dibynnu ar anghenion y gwahanol Weinyddiaethau yn Birmingham. Y prif rai oedd yn dibynnu ar y gwersyll am eu llafur oedd Amaethyddiaeth, Trafnidiaeth a Chyflenwad. Capten Waterfield a drefnai'r cyfan ar y dechrau, hyd nes i Cyrnol Foreman alw cyfarfod o holl benaethiaid y Gweinyddiaethau yn Birmingham i drafod eu hangen am weithwyr i'r dyfodol. Dibynnai'r Cyrnol ar wybodaeth y Capten am niferoedd y gweithwyr oedd ar gael, a sut yr oedden nhw'n cael eu rhannu rhwng y gwahanol Weinyddiaethau. Gallaf ddweud yn onest fy mod wedi treulio oriau'n egluro i Capten Waterfield, dyn dymunol iawn, sut y trefnid y cyfan. Cynhaliwyd y cyfarfod gyda'r Gweinyddiaethau yn ystafell y Cyrnol. O fewn deng munud i ddechreuad y cyfarfod dyma ddrws swyddfa'r Cyrnol yn agor a'r Cyrnol ei hun yn bloeddio 'Roberts!' Gorchmynnwyd i mi fynd i mewn i'r ystafell ac eistedd yng nghadair y Cyrnol. Teimlwn yn arw dros Waterfield druan, a hwnnw'n goch ei ruddiau. Ymddengys nad oedd wedi gallu rhoi'r wybodaeth angenrheidiol i'r Gweinyddiaethau. Felly gorfu i'r preifat lywyddu'r cyfarfod, o sedd y Cyrnol, a Foreman yn sefyll ar ei draed ychydig i'r dde i mi.

Ar yr amod fy mod yn rhedeg y swyddfa, ac yn gyfrifol am gysylltu â'r Gweinyddiaethau yn Birmingham i ddiwallu eu hangen am weithwyr, mi gawn bàs 36 awr bob wythnos i fynd adref neu i gyfarfod Margaret yn Droitwich. Trefniant boddhaol iawn.

Roedd y carcharorion yn cael tâl am eu llafur yn ôl yr oriau a weithient mewn wythnos, a hynny mewn tocyn, neu arian ffug. Fi oedd yn eu talu, a gwnawn hynny gyda'r Eidalwyr yn eu hiaith eu hunain, er mawr foddhad iddyn nhw. Ni chofiaf i'r un ohonyn nhw ennill mwy na rhyw saith swllt. Roedd ganddynt eu *spaccio*, neu gantîn, o fewn y carchar a fi oedd yn gyfrifol am redeg hwnnw a'i stocio ag anghenion fel papur sgrifennu, past dannedd, sebon, olew gwallt, pensiliau ac ugeiniau o anghenion personol eraill. Ar adegau mi deimlwn fy mod yn treulio mwy o amser o fewn y weiren bigog nag ar y tu allan. Mi ddois i adnabod y carcharorion yn bur dda nes dysgu geirfa o rai cannoedd o eiriau Eidaleg.

Pan droseddai carcharor yn bur ddifrifol, byddai'n cael ei drosglwyddo o'r compownd i'r calabwsh, neu garchar, yn y llinellau Prydeinig. Anaml y digwyddai hynny, ond pan wnâi, druan o'r carcharor hwnnw. Cyfyngid ar ei ryddid yn gyfan gwbl. Y bwli mwyaf yn y gwersyll oedd rhingyll cryf o gorff, Gwyddel o'r enw Williams. Nid ei fod yn fileinig pan yn sobr, ond pan gâi ormod o gwrw fe âi'n lloerig. Ar y Sadyrnau oedd ei nosweithiau mawr. Ar ôl dychwelyd i'r gwersyll fe ymosodai'n ddidrugaredd ar unrhyw garcharor a ddigwyddai fod yn y calabwsh. Cedwid y carcharorion mewn celloedd unigol, felly hawdd oedd pigo arnyn nhw, y naill ar ôl y llall. Yn hwyr iawn y nos y digwyddai hyn, ac allan o'n clyw ni, gan fod annedd y rhingylliaid sbel oddi wrthym. Ond fe wyddai'r carcharorion beth oedd yn digwydd, a threfnodd y rheini i Mario, pencampwr paffio'r Eidal yn un o'r pwysau, fynd i'r calabwsh. Pan ddychwelodd Williams i'r gwersyll ar y nos

Sadwrn ganlynol fe aeth yn syth i'r calabwsh ac i gell Mario, lle cafodd gweir orau ei fywyd, er mawr lawenydd i'r carcharorion a'r llinellau Prydeinig. Ni welwyd y rhingyll wedyn am dri diwrnod, a dyna ddiwedd ar ei ymweliadau â'r calabwsh ar nos Sadwrn.

Er gwaethaf ei ymddygiad fe ddyrchafwyd Williams yn Uwch-ringyll, ac ar ôl ei ddyrchafiad fe ddigwyddodd un o'r pethau mwyaf ffiaidd yn ei hanes broc. Bûm yn gwasanaethu mewn gwersyll i garcharorion o'r Eidal, Awstria a'r Almaen am ddwy flynedd a hanner, ond unwaith yn unig y bu i garcharorion geisio dianc. Un diwrnod fe ddiflannodd tri Eidalwr. Ni ddaethpwyd o hyd iddynt am dros 24 awr, a hynny ar bwys Redditch, lai nag ugain milltir o'r gwersyll. Danfonwyd *pick-up* i'w hebrwng yn ôl, a'u dwylo mewn cyffion y tu ôl i'w cefnau. Cydiodd Williams ynddynt bob yn un a'u bwrw i'r llawr ar eu hwynebau – gweithred gachgïaidd a welwyd gan John Gill, preifat arall yn yr NCC. Sgrifennodd hwnnw adroddiad o'r hyn a welodd a'i anfon yn syth i'r Swyddfa Ryfel, gyda chopi i'r Commandant. Gweithred ddewr iawn o ystyried y ffyrdd y gellid eu defnyddio, yn y Fyddin, i ddial. Bu ymchwiliad gan y Swyddfa Ryfel, ac o ganlyniad fe wellodd y Sergeant Major gryn dipyn yn ei ymddygiad tuag at bawb. Roedd y commandant dros dro, yr Uwch Gapten Letch, yntau'n dyst i'r hyn a ddigwyddodd, ond y cwbl a wnaeth hwnnw oedd anwybyddu'r digwyddiad a dychwelyd i'w ystafell. Cofnodwyd y ffaith honno hefyd yn adroddiad John Gill. Ar ôl y rhyfel fe raddiodd John fel peiriannydd, treuliodd rai blynyddoedd yn y Gwasanaeth Sifil Tramor yn Nigeria a gorffen ei yrfa fel Peiriannydd y Sir yn Tyne Weare. Weslead oedd John; chwaraeodd ran anrhydeddus yn rhai o brif bwyllgorau ei enwad, ac fel pregethwr cynorthwyol.

O'r carcharorion Eidalaidd a fu'n gweithio i mi, Manini a Rippamonte a gofiaf orau. Os na chafodd rhai o'r bechgyn hi'n rhwydd i wneud bywoliaeth ar ôl dychwelyd i'r Eidal, ni lesteiriwyd Manini mewn unrhyw ffordd. Bachgen gweithgar, dyfeisgar, yn meddu ar gryn dipyn o Saesneg ac yn barod iawn ei gymwynas oedd hwn. Un annwyl a bonheddig oedd Rippamonte, ac yn arlunydd medrus. Gwnaeth lun pensil o gi i mi, ac mae hwnnw yn fy meddiant o hyd. Roedd yn dyheu am gael dychwelyd at ei annwyl Maria yn Fiorenze. Mi geisiais ddod o hyd iddo pan oeddem ninnau yn Fiorenze ymhen blynyddoedd, heb unrhyw lwyddiant.

Ar ôl i'r Eidalwyr ein gadael fe ddaeth yr Awstriaid atom. Erbyn hyn roedd Waterfield wedi cael ei drosglwyddo i uned arall a daeth y Capten David de Coucy Howard MC i gymryd ei le. Dyma ddyn rhagorol a gafodd ei glwyfo'n arw yng Ngogledd Affrica; roedd yn ddisgynnydd i deulu Catherine Howard, un o wragedd Harri'r Wythfed. Brocer yn y Ddinas oedd ei dad, ac ef oedd Arglwydd Faer Llundain pan ymwelodd Kruschev â'r ddinas yn 1955. O'r dechrau fe gymerodd David a fi at ein gilydd a daethom yn gyfeillion pennaf. Un bore fe ddaeth i mewn a'm hannog i brynu cyfranddaliadau Yukon Consolidated Gold, gan ddweud bod eu gwerth yn siŵr o gynyddu mewn byr amser. Pwy oeddwn i i ddadlau gyda mab i frocer? Er nad oeddwn erioed wedi ymhél â siariau o'r blaen, penderfynodd Margaret a finnau fuddsoddi'r swm anferth bryd hynny o hanner canpunt yn y fenter. Cododd gwerth y siariau fel y proffwydwyd, yna plymio, a dringo'n ôl drachefn. Dyma'u gwerthu nhw ar unwaith er mwyn cael ein harian yn ôl.

Ym Moelfryn – enw Cymraeg gwreiddiol Malvern – yr oedd cartref David, ei wraig Jean a'i fam-yng-nghyfraith gefnog, Mrs Hayward. Roedd eu tŷ o fewn deunaw milltir i Hampton Lovett, a gwahoddwyd Margaret a finnau i dreulio Nadolig 1944 yno gyda'r teulu. Siarsiwyd ni i beidio codi am frecwast, a chawsom gwpanaid yn y gwely. Ganol dydd, lluniaeth ysgafn iawn a gafwyd. Am saith o'r gloch y nos, dyma eistedd i lawr ar gyfer pryd o fwyd godidog. Ond credaf fod ein dull ni Gymry o loddesta'n gynharach ar Ddydd y Geni yn rhagori o bell ffordd.

Tra bu'r Awstriaid gyda ni yn y gwersyll mi lwyddais i brynu digon o ddefnydd i wneud dwy siwt, un allan o frethyn Dre-fach

Felindre a'r llall o frethyn Tal-y-bont. Ymysg y carcharorion roedd crefftwyr o bob math, gan gynnwys teilwriaid. Ymfalchïai un o'r rhain, dyn o Fienna, ei fod yn gwneud dillad i'r Brenin Edward VIII. Felly, pwy'n well na'r teiliwr o Fienna i wneud dwy siwt i mi? Yn naturiol ni chaniateid pethau fel hyn yn swyddogol, ond roedd gan y carcharorion eu ffyrdd o guddio rhai pethau rhag y swyddog a'i osgordd wrth i'r rheini wneud eu harchwiliad dyddiol o'r compownd. Y tâl am wneud dwy siwt oedd cyflenwad o sigarennau. Mi gefais ddwy siwt o wneuthuriad gwych, gyda'r ddwy boced frest yn uchel yn null y Cyfandir. Yn anffodus, doedd safon y defnyddiau ddim yn cymharu â safon y crefftwr. Byr fu oes siwt Dre-fach, ond nid bai'r teiliwr oedd hynny. Bûm yn fwy ffodus ym mrethyn Tal-y-bont. Gwisgais y siwt honno pan ail-ddechreuais yn y banc ar ôl y rhyfel.

Y carcharor y deuthum i'w adnabod orau o blith yr Awstriaid oedd Hans Bailer, peiriannydd a weithiai i mi. Daethom yn gyfeillion mawr er gwaetha'r ffaith ei fod yn gorfod dychwelyd y tu ôl i'r weiren bigog bob nos. Ambell noson byddem yn gweithio'n hwyr, a'r pryd hynny cawn gyfle i roi ychydig o ddanteithion iddo nad oedd modd eu cael yn y compownd. Roedd yn arlunydd medrus, a phan ddangosais lun du a gwyn o Margaret iddo dywedodd ei fod yn awyddus i beintio llun ohoni mewn lliw, gan ofyn i mi am y lliwiau priodol. Dim ond ar ôl iddo orffen y llun y cefais ei weld ac mae'n wych o ddarlun mewn olew, o ystyried nad oedd erioed wedi gweld Margaret cyn ei pheintio. Sut y daeth o hyd i'r lliwiau olew, wn i ddim. Mae'r llun, yn fawr ei barch, yn hongian yn ein cartref dros drigain mlynedd yn ddiweddarach.

Cyn i'r Awstriaid a'r Almaenwyr gael eu rhyddhau bu raid i bob unigolyn gael ei asesu i weld pa mor gefnogol a fu i'r Natsïaid. Hynny fyddai'r maen prawf i weld pwy gâi fynd adref gyntaf. Roedd pawb i'w osod mewn dosbarth rhwng A a D, sef A i'r rhai mwyaf derbyniol a D i rai a fu'n gysylltiedig â'r SS. Am ryw reswm fe osodwyd Hans yn nosbarth C, a olygai y byddai ymhlith y rhai olaf i gael eu rhyddhau.

Wrth ddadlau achos Hans gyda swyddog o'r PID (*Political Investigation Department*) oedd yn ei asesu, mi lwyddais i gael gradd newydd iddo, sef B+. Golygai hyn y byddai'n cyrraedd adref fisoedd yn gynt. Cedwais gysylltiad â Hans drwy'r blynyddoedd; rydym wedi aros yng nghartrefi'n gilydd sawl gwaith, ac mae'r gwyliau a dreuliasom gyda'i deulu yn Awstria gyda'r rhai gorau a gawsom erioed. Ni soniais erioed wrth Hans am y rhan a chwaraeais yn ei ryddhad.

Daeth yn amser i'r Awstriaid ymadael, ac yna cyrhaeddodd yr Almaenwyr. Tua'r amser hwnnw hefyd y diflannodd Cyrnol Foreman – i ble, wn i ddim. Cymerwyd ei le fel Commandant dros Hampton Lovett gan hen ben gwirioneddol. Fe bentyrrodd ragor o waith ar f'ysgwyddau, ond bu'n hynod garedig hefyd. Erbyn hyn fe ddisgwylid i mi gymryd at y rhan fwyaf o gyfrifoldebau swyddog arall, yntau hefyd wedi bod yn glerc banc. Oherwydd fy statws anymladdol ni chawn ddyrchafiad o fath yn y byd, ond fe ofalodd y Cyrnol fy mod yn cael pàs bob wythnos un ai i fynd adref neu i fwrw'r Sul efo Margaret yn Droitwich. Dywedodd hefyd y cawn ddefnyddio'i gerbyd *pick-up* unrhyw bryd y mynnwn, os nad oedd ei angen arno ef. Golygai hyn fy mod yn cael fy ngyrru o gwmpas y wlad gan yrrwr y Cyrnol ei hun. Unwaith yn unig y manteisiais ar ei gynnig hael. Chwarae teg i'r Cyrnol, mi gefais nodyn o gymeradwyaeth hael ganddo yn fy *discharge book*. Ymfalchïai fy nhad yn y geiriau, 'He is a man of the world', ond doedd y frawddeg ddim yn bodloni fy mam i'r un graddau!

Dau o'r Almaenwyr a weithiai i mi oedd Max Baer a Franz Freier, Max yn forwr o Hamburg a Franz o'r Rhineland. Willie oedd enw bedydd Max, ond gan fod yna baffiwr enwog o'r Almaen o'r enw Max Baer fe gafodd Willie ei lysenwi ar ôl hwnnw.

Byrlymai Max o hiwmor, ond un prin ei wên oedd Franz. Un o'm dyletswyddau oedd gofalu am y llyfrgell, y drws nesaf i'r NAAFI. Byddwn yn danfon Max a Franz draw yno bob bore gan drefnu gyda merched y NAAFI i'r ddau gael cwpanaid o goffi ar y slei. Bob bore fe âi'r Orderly Officer i archwilio'r compownd yn gyntaf i wneud yn siŵr bod y cyfan fel y dylai fod. Yna deuai i chwilio am feiau yn y llinellau Prydeinig. Fe wyddai Max a Franz beth oedd y drefn arferol, ac o ganlyniad ni welwyd y cwpaneidiau gwaharddedig gan yr un Orderly Officer.

Ond un bore, a Letch yn Orderly Officer, fe benderfynodd hwnnw ddechrau gyda'r llinellau Prydeinig, gan alw'n gyntaf yn y llyfrgell. Un o ogoneddau'r llyfrgell oedd gramoffôn a stoc o recordiau. O glywed sŵn y tu allan i'r drws, fe gafodd y bechgyn ddigon o amser i guddio'u cwpanau coffi a diffodd y gramoffôn. Dyma Letch i mewn gan bwyntio at y gramoffôn a chyfarth, 'What have you got there?' 'Gramophone, sir' atebodd y ddau a safai'n stond o flaen Letch. 'Play me a record,' meddai Letch. Yn eu hugeiniau cynnar yr oedd Max a Franz, tra oedd Letch yn ei ddeugeiniau. 'Play me a record,' meddai wedyn. Dyma Max yn chwilio am record bwrpasol, a'r hyn a ddaeth allan yn orfoleddus o grombil y gramoffon oedd 'The young man's heart is full of love, get away old man, get away'. Daeth y ddau ohonynt yn ôl i'r swyddfa yn eu dyblau. Ar y llawr, a macyn yn ei ben yn lladd ei hun yn chwerthin, yr oedd Franz. Gallaf dystio mai dyna pryd y magodd Franz Freier synnwyr digrifwch.

Gweithred y bûm yn dyst iddi, mewn hostel i aelodau'r SS yn Longbridge, oedd un o'r pethau dewraf a welais erioed. Fel pob carcharor arall, câi'r rhai oedd yn Longbridge eu holi, a hynny'n chwyrn, gan swyddog o Iddew o'r PID. Daeth un bachgen ifanc i mewn i gael ei holi, llanc gwallt golau nad oedd yn fwy nag ugain oed. 'Oeddech chi'n aelod o Ieuenctid Hitler?' cyfarthodd yr holwr. 'Nac oeddwn,' daeth yr ateb mewn llais uchel. 'Pam nad oeddech chi?' gofynnwyd. 'Am fod fy rhieni'n credu ei fod yn gwbl groes i ddysgeidiaeth Iesu Grist i ymuno yn y fath fudiad,' oedd yr ateb, unwaith eto mewn llais clir a phendant. Gwyddem fod yr SS yn gwrando ar bopeth a ddywedid yn yr ystafell, ac ofnem y byddai'r bachgen pryd golau yn gelain erbyn bore drannoeth petai'n cael ei adael yn Longbridge. Felly aethom ag ef yn ôl gyda ni i'r prif wersyll yn Hampton Lovett. Roeddem wedi profi gwir ddewrder y bore hwnnw.

Rhag i chi feddwl mai'r carcharorion yn unig a ddioddefai dan lach yr Uwch Gapten Letch, mae'n well imi adrodd yr hyn a ddigwyddodd i'r Sgotyn o negesydd, neu Orderly Room Runner. Un bach iawn o gorff oedd Jock. Pan gyfarthodd Letch arno i drefnu bod car ar gael iddo ar unwaith, dyma Jock yn rhedeg nerth ei draed i gyflawni'r gorchymyn. Galwodd yn y swyddfa drafnidiaeth i ofyn am y *pick-up*, yna fe redodd at y gyrrwr i ddweud bod ei angen ar unwaith, ac yna'n syth, ar garlam, i'r Orderly Room. Pwy oedd ar stepen y drws pan gyrhaeddodd ond Letch yn bytheirio, 'Where's my car?' 'I've run all the way to the Transport Office,' meddai Jock. 'Then I've run to tell the driver; what do you expect me to do, carry the bloody car down on my back?' A dyna ddiwedd ar y mater.

Yn ystod ei phererindodau i Hampton Lovett a Droitwich bu Margaret yn aros mewn amryw byd o lefydd, gan gynnwys gwesty'r Sun Rays yn Droitwich pan fyddai'r boced yn caniatáu. Ar brynhawniau Sadwrn, yn y gaeaf yn arbennig, aem i'r White Tea Rooms yng Nghaerwrangon am de prynhawn o flaen tanllwyth o dân. Y dynfa yn yr haf oedd Moelfryn. Rydym yn dal i ddweud mai ym Moelfryn y gwnaethom y rhan fwya o'n caru. Wedi'r cyfan, ni chawsom lawer o gyfle i garu cyn inni briodi. O fewn naw mis i ni gyfarfod roeddem yn bâr priod.

Rhyw flwyddyn cyn diwedd y rhyfel yn Ewrop, pan oedd gobaith am heddwch ar gynnydd, daeth yn amser i mi fel sawl un arall ddechrau meddwl am sut i ennill bywoliaeth ar derfyn y drin. Gyda hynny mewn golwg, dechreuwyd cynnal cyrsiau i hyfforddi dynion a merched y Lluoedd ar gyfer gwaith sifil. Penderfynais y byddai o fantais i minnau fynd ar un o'r cyrsiau sylfaen, petai ond er mwyn ystwytho ychydig ar fy meddwl. Cefais fy nerbyn ar gwrs yn Donnington, Swydd Amwythig. Ni chofiaf ai am fis ynteu deufis y parodd y cwrs, ond gwn iddo fod yn llesol i gorff ac enaid. Braf oedd cael bod yng nghwmni rhai oedd yn edrych ymlaen at ddyfodol gwell, a rhai oedd yn traethu eu barn yn gadarn. Deuthum yn gyfeillgar iawn gyda Gwilym Jones o Groesoswallt, a threuliwn y rhan fwyaf o'm horiau hamdden yn ei gwmni. Roedd ei dad yn fferyllydd ac yn aelod o'r Hen Gorff, ond roedd Gwilym newydd droi'n Babydd. Roedd yn un o'r dynion mwyaf llengar a galluog a gwrddais erioed, a'i fryd ar fynd yn offeiriad. Ar y cwrs hefyd roedd nith i'r cyn-Brif Weinidog Stanley Baldwin, hithau hefyd wedi troi'n Babyddes, a chawsom dipyn o'i chwmni. Erbyn diwedd y cwrs doeddwn i ddim yn siŵr oedden nhw'n disgwyl i minnau hefyd gael tröedigaeth!

Collais gysylltiad â Gwilym Jones, ond cefais wybod yn ddiweddarach ei fod yn offeiriad ym Mhorthmadog. Galwais i'w weld, a chawsom orig fach ddymunol yn sgwrsio. Galwodd Gwilym i'm gweld innau yn y Synod pan oedd ar ei ffordd i Ynys Bŷr i dalu ymweliad â'r mynachod. Yn anffodus welais i mohono gan fy mod oddi cartref, ond fe gwrddodd Margaret ag ef a'i hoffi. Ar ôl ei gyfnod ym Mhorthmadog bu'n offeiriad yn Llangollen. Bûm mewn cinio ym Maenordy Caerdydd yn 1969 a digwyddwn fod yn eistedd nesaf at Archesgob Pabyddol Caerdydd. Gofynnais iddo beth oedd hanes Gwilym Jones, oedd erbyn hynny'n cael ei adnabod fel Dafydd, a dywedodd yr Archesgob wrthyf mai rhwng Dafydd a Daniel Joseph Mullins yr oedd hi pan benodwyd Mullins yn Esgob Menefia.

Yn dilyn y cwrs yn Donnington, bûm yn ystyried unwaith eto beth ddylwn i ei wneud ar ôl y rhyfel. Gallwn ddychwelyd i'r banc a dilyn cwrs bywyd a fyddai'n bell o fod yn amhleserus, ond prin y gellid dweud y byddai'n rhoi her imi mewn bywyd. Roedd Penyberth yn fy mola o hyd, ac yswn am gael cyfle i chwarae fy rhan yn y byd gwleidyddol. Deuthum i'r casgliad y byddai dilyn galwedigaeth fel athro ysgol yn rhoi mwy o gyfle na'r banc i mi wneud yr hyn a fynnwn. O ganlyniad, mi wnes gais i fynd am hyfforddiant fel athro ar un o'r cyrsiau blwyddyn oedd i'w cynnal mewn colegau a sefydlwyd i'r pwrpas hwnnw ar ddiwedd y rhyfel. Gofynnwyd i mi fynd am gyfweliad i Gaerfyrddin er mwyn iddyn nhw gael gweld a oedd deunydd athro ynof. Fe'm holwyd yn drwyadl am yr hyn a'm symbylodd i fynd i fyd addysg, ynghyd â'm cyraeddiadau hyd yma.

Ymhen amser mi gefais wybod fy mod wedi bod yn llwyddiannus yn fy nghais, a'm bod i dderbyn fy hyfforddiant yng Ngholeg Llandrindod. Mwyaf yn y byd y meddyliwn am ddysgu plant ysgol gynradd, lleiaf yn y byd yr apeliai'r syniad ataf. Mi fyddwn wedi bod wrth fy modd gyda phlant hŷn, ond gan nad oedd gennyf radd fyddwn i ddim yn gymwys i ddysgu dosbarthiadau uwchradd ar ôl blwyddyn yn unig o hyfforddiant. Gwnaed trugaredd â chenedlaethau o blant iau wrth imi ysgrifennu, rhyw dair wythnos cyn y dyddiad pan oeddwn i fod i ddechrau yno, i ddweud wrth Goleg Llandrindod na fyddwn yn bresennol ar ddechrau'r tymor.

YN ÔL I'R BANC

Diwrnod i'w gofio oedd 8 Mai 1945. Diwrnod heddwch yn Ewrop ar ôl pum mlynedd ac wyth mis o ryfela, a phawb yn llawenhau. Dyheu am gael ei ryddhau oedd hanes pob un yn y Lluoedd. Yn Awst daeth y rhyfel yn erbyn Japan i ben. Y diwrnod hwnnw fe'm cludwyd yng ngherbyd y Commandant i orsaf RAF Cosford i helpu i gael trefn ar rai o gyfrifon y lle. Ar ôl bod wrthi'n ddyfal trwy'r dydd, mi lwyddais i ddychwelyd i Droitwich erbyn wyth o'r gloch i gael ymdrochi yn y pwll nofio agored. Honno oedd wythnos y bomiau ar Hiroshima a Nagasaki, wythnos a welodd ddiwedd y rhyfel ond dechrau gofidiau'r oes atomig i ddynolryw.

Ar 26 Gorffennaf, rhwng diwedd y rhyfel yn Ewrop a diwedd y rhyfel yn Japan, cynhaliwyd etholiad cyffredinol. Ar 20 Mehefin fe'm rhyddhawyd o'r fyddin er mwyn i mi gael gweithredu fel asiant etholiadol i Ambrose Bebb, a safai yn enw'r Blaid Genedlaethol dros Sir Gaernarfon. Ond yn y diwedd chefais i mo'r fraint honno. Mi gyrhaeddais Sir Gaernarfon ddau ddiwrnod yn rhy hwyr i fod yn asiant, gan fod y papurau'n gorfod cael eu cyflwyno i'r swyddog etholiad erbyn 18 Mehefin. Ted Lewis Evans a ddewiswyd yn asiant yn fy lle. Serch hynny, mi fûm wrthi'n ddiwyd am bum wythnos yn cynorthwyo Ambrose Bebb, ynghyd â J. E. Daniel, a safai dros Fwrdeistrefi Arfon, hen sedd Lloyd George. Hwnnw oedd fy mhrofiad cyntaf o wleidyddiaeth etholiadol.

Gweithiem bob diwrnod o fore gwyn tan nos, gan droi'n dwylo at bob math o orchwylion. Cawsom gwmnïaeth wrth ein bodd a phawb yn tynnu eu pwysau. Cofnodwyd hynt a helynt etholiad Sir Gaernarfon yn eithaf trwyadl gan Ambrose Bebb ei hun yn y *Calendr Coch* a gyhoeddwyd yn 1946.

Y cyfarfod a fwynheais fwyaf oedd un y bûm yn ei gadeirio yn y Felinheli. Ar ôl i mi gyflwyno fy hun i'r gynulleidfa fel mab John Roberts ac ŵyr William Roberts, Gwynfa, roedd y curo dwylo a'r stampio traed a ddilynodd yn argoeli y gallai fod yn gyfarfod ysgubol. A dyna'n union a gafwyd. I ddyfynnu cofnod yr ymgeisydd yn y *Calendr Coch* am y cyfarfod hwnnw: 'Yn ddi-os, y pybyraf, a'r hoenusaf o'm holl gyfarfodydd, a'i gymeradwyaethau'n fynych felys ar y glust. Pam, nis gwn, – onid rhyw wefr a gyneuwyd yn yr awyrgylch yn ebrwydd gan ymateb parod meddyliau ieuainc digymalau'. Os plesiodd y cyfarfod fi'n fawr, rhoddodd fwy fyth o foddhad i Nhad wrth imi adrodd yr hanes wrtho.

Daw ein cyfarfod ym Mhencaenewydd hefyd i'r cof. Yn ôl yr hyn a gofiaf, roeddwn wedi cael hwyl reit dda ar siarad yn y cyfarfod hwnnw. Siarad yn bennaf am bolisi economaidd a wnawn, gan ddyfynnu ffigurau oedd ar flaenau fy mysedd. Ar y diwedd fe ofynnwyd am gwestiynau. Cododd dyn ifanc a eisteddai yn union o'm blaen, gan ofyn a allwn i brofi'r hyn a ddywedais, a dangos y ffigurau iddo mewn du a gwyn. Wrth reswm, allwn i ddim, ond mi wyddwn fy mod wedi dweud calon y gwir. Ar derfyn y cyfarfod mi holais pwy oedd y dyn a chael ar ddeall mai John Aelod Jones – John Roberts Williams – oedd y gwalch. Hen dric gwleidyddol i ddrysu'ch gwrthwynebwyr, ac un digon effeithiol ar adegau!

Yn ystod yr ymgyrch mi alwais i weld Mr Pritchard, cyn-brifathro yng Nghaernarfon a thad un o'm cyfeillion, Merfyn Pritchard. Yn naturiol fe drodd y sgwrs at yr etholiad. Fel Plaid Genedlaethol Cymru yr oedd y Blaid yn cael ei hadnabod ar y pryd. A dyma Mr Pritchard yn dweud wrthyf fod Sais a adnabu wedi dweud wrtho, 'I'm going to vote for the Welsh party'. Gan ein bod yn aml yn cyfeirio at y pleidiau eraill fel pleidiau Seisnig, fe drawodd sylw'r Sais fi fel un priodol dros ben. Ar ôl cyrraedd yn ôl yn swyddfa'r Blaid dywedais wrth J. E. Jones yr hyn a glywais, gan ychwanegu fy mod i o'r farn y dylid meddwl am newid enw'r blaid i Blaid Cymru. Wn i ddim ai dyna'r symbyliad, ond mewn byr amser fe esgorwyd ar Plaid Cymru fel yr enw swyddogol.

Profiad diddorol hefyd oedd cynorthwyo J. E. Daniel yn rhai o gyfarfodydd ei ymgyrch ym Mwrdeistrefi Arfon. Fi fyddai'n cyhoeddi, ac yntau'n llefaru. Roedd yn siaradwr nerthol gyda meddwl miniog, disgybledig, a'r ddawn i ddadansoddi ei ddeunydd yn fanwl a dealladwy. Mi gofiaf hefyd y mefus a hufen a gawsom gan Mrs Catherine Daniel yn ei chartref ym Mangor – egwyl felys iawn yng nghanol y bwrlwm.

Bu'r pleidleisio ar 5 Gorffennaf, ond ddaeth y canlyniad ddim am sawl wythnos arall, gan fod rhaid aros i bleidleisiau'r Lluoedd Arfog gyrraedd o bedwar ban y byd. Ailymunais â'm huned yn Hampton Lovett ar 3 Awst. Goronwy Owen Roberts a enillodd sedd Sir Gaernarfon i Lafur, gan ddisodli'r Rhyddfrydwr Goronwy Owen. Cafodd Ambrose Bebb 2,152 o bleidleisiau yn y sedd y byddai Dafydd Wigley yn ei hennill i Blaid Cymru, gan ddisodli Goronwy Roberts, yn 1974.

Gan fy mod wedi cael dau fis o seibiant o'r fyddin er mwyn cynorthwyo efo'r etholiad, cafodd fy rhyddhad terfynol ei ohirio am ddeufis. O ganlyniad roedd hi'n tynnu at ddiwedd Tachwedd 1946 arnaf yn cael fy nhraed yn gwbl rydd o afael y fyddin. Fe gawsom i gyd ddau fis o wyliau cyn mynd yn ôl at ein gorchwylion sifil.

Gorfu i mi fynd i Aldershot i gael fy ngwisgo'n drwsiadus ar gyfer fy mywyd newydd. Dyna oedd y bwriad, ond siwt i ffitio dyn arall gefais i! Ond gymaint oedd fy llawenydd wrth ffarwelio â'r Fyddin, ni phoenwyd fi ryw lawer gan ddiffygion fy siwt. Fe'i gwisgais yn gyson i'm gwaith pan ailddechreuais yn y banc ar ddechrau 1947. Ar ôl cael fy rhyddhau o'r fyddin mi gefais gyfweliad gyda Mr Papworth, un o Is-reolwyr Cyffredinol Banc Martins. Fe'm croesawodd yn ôl i'r banc gan ddweud ei fod yn gobeithio fy mod wedi penderfynu mai bancio fyddai fy ngalwedigaeth o hyn ymlaen. Dywedais innau fod hynny'n dibynnu ar beth oedd gan y banc i'w gynnig i mi. Pan ddywedodd y byddwn yn ailddechrau yn y Liverpool City

Office, atebais innau i'r perwyl, os na allwn fynd i gangen yng Nghymru na fyddwn i'n mynd yn ôl i'r banc. Mynegodd ei syndod, gan ddweud ei fod wedi croesawu cannoedd yn ôl i'w swyddi ac mai fi oedd yr ail yn unig i ddangos unrhyw betruster ynglŷn â dychwelyd i'r banc.

Chwarae teg i Mr Papworth, dim ond saith cangen oedd gan Martins yng Nghymru. Dywedodd y gwnâi ei orau i gael swydd i mi yng Nghymru, serch bod pob un arall wedi mynd yn ôl i'r canghennau lle'r oedden nhw wedi cael eu galw. Bu Mr Papworth yn driw i'w air, ac fe werthfawrogwn hynny. Ces wybod mai i gangen Casnewydd y byddwn yn mynd. Pan gafodd Dan Thomas ei wneud yn rheolwr gan y cwmni yng nghangen Caerdydd, fe drosglwyddwyd ei ferch Rhiannon i gangen Casnewydd, ac yno y bu hi nes iddi briodi Gwynfor yn 1941.

Naw o staff oedd gan gangen Casnewydd a fi oedd yr hyn a elwid yn drydydd dyn, yn saith ar hugain oed. Roedd hanner y staff yn tynnu eu pwysau, a'r hanner arall i'r gwrthwyneb. Perl o reolwr, Harry Willmott, a'm tywysodd yn ôl i fyd bancio, a bu'n hynod garedig wrthyf. Yn rheolwr cymdeithasol dros ben, eto roedd yn ddigon hirben i fyw yn Southerndown, ymhell o ddwndwr y banc. Teithiai i Gasnewydd ar y trên bob dydd. Gofalodd mai fi gafodd ei wneud yn drysorydd Sioe Amaethyddol De Mynwy a'r Tredegar Farmers Hunt! Cynhelid Sioe Amaethyddol De Mynwy ar dir Ken Weekes yn Langstone Court, mewn cae delfrydol ar gyfer cŵn defaid. Cawsom y fraint o groesawu dau o fugeiliaid gorau Cymru, John Jones, Trawsfynydd a Pugh, Sealand – ynghyd â'u cŵn – i aros gyda ni yn 'Cartref'.

Fy rhagflaenydd ym manc Martins, Casnewydd oedd Berwyn Evans, ac arhosais innau yn ei hen lety yng Nghaerdydd. Bu Margaret, hithau, yn aros yno tra oedden ni'n chwilio am dŷ. Cafwyd eira trwm am ddau fis o ganol Ionawr ymlaen. Yn Boverton Street, allan o Ninian Road, yr oedd ein llety ac felly byddai'n rhaid cerdded yn ôl ac ymlaen i'r orsaf gan fod y tywydd mor oer nes rhwystro'r tramiau rhag teithio am sawl diwrnod – y points wedi rhewi. Ar ôl ymweld â sawl tŷ dyma benderfynu prynu Cartref, tŷ to fflat, gan gontractwr cludiant o'r enw Bryn Rees, pan oedd yr eira'n drwm ar lawr ac ar y to. Doedden ni fawr o feddwl bod gweithwyr Bryn Rees ar ben y to yn clirio'r eira fel y disgynnai, rhag ofn iddo ddiferu i'r stafelloedd cysgu a'r bathrwm. Os nad oedd modd iddyn nhw yrru lorïau, doedd waeth iddyn nhw ennill eu tamaid yn rhoi'r argraff i'r darpar brynwyr bod y tŷ yn ddiddos. Ar ôl i ni brynu'r tŷ fe aeth Margaret yn ôl i Synod i wneud llenni ac ati. Ddaeth hi ddim yn ôl am fis, oherwydd ym Mawrth y cafwyd eira trymaf 1947. Erbyn i ni gyrraedd Langstone roedd yr eira wedi diferu i bob ystafell yn y llofft.

Tŷ semi oedd Cartref, gyda'r Driscolls yn byw am y pared â ni – Bill a Lil, ynghyd â'u plant Pat a Christine, cymdogion dymunol dros ben. Oriadurwr oedd Bill wrth ei grefft, ac yn dynnwr coes heb ei ail. Syndod oedd deall ei fod wedi cael ei garcharu ar Ynys Manaw yn ystod y rhyfel fel un o ddilynwyr Oswald Mosley. Ar ôl i ni adael Langstone bu'n llythyru yn y *Western Mail*, yn dadlau o blaid cydnabod Sir Fynwy fel rhan o Loegr. Pan welais ef ymhen amser wedyn fe'm sicrhaodd mai dim ond creu cynnwrf oedd ei fwriad.

Ar 9 Mawrth 1948, bore gogoneddus o heulog, fe anwyd Meinir Heulyn yng nghartref mamaeth Elizabeth Rutter yn Herbert Street, Casnewydd. O fewn pedwar diwrnod roedd Meinir allan ar y feranda, ac allan y bu hi bob dydd ar ôl mynd adref, a hynny am wythnosau gan fod yr hin mor braf. Ar ddiwrnod ei geni fe ddaeth Jack Green, un o'n cwsmeriaid, â thusw o flodau iddi. Iddew caredig, yn berchen busnes gwerthu ceir, oedd Jack. Ymhen blynyddoedd, wedi i'r Elizabeth Rutter beidio â bod yn gartref mamaeth, fe gafodd y lle gryn sylw yn y *Western Mail* oherwydd honiad fod ysbryd yn cyniwair drwy'r lle. Fel y mae'n digwydd, yng Nghasnewydd y prynodd Meinir a'i gŵr Brian eu cartref cyntaf hwythau.

Roedd Margaret a minnau wedi ymaelodi mewn capel

Cymraeg yng Nghasnewydd a ddigwyddai arddel yr un enw â'm hen gapel yn Lerpwl, sef Mynydd Seion. Trosglwyddwyd ei haelodaeth hi yno o Frynrhiwgaled a f'un i o'r Mynydd Seion arall. Dyma finnau, bellach, yn Annibynnwr. Ym Mynydd Seion y bedyddiwyd Meinir, gan y Parchedig Elfet Thomas. Mai Jones oedd organyddes yr eglwys: hi oedd yn cynhyrchu'r rhaglen radio boblogaidd *Welsh Rarebit* ar y radio, a hi hefyd a gyfansoddodd 'We'll keep a welcome in the hillside'. Gwerinwr dymunol iawn, wedi ymddeol o'i waith ar y rheilffordd, oedd tad Mai Jones, a chefais aml i sgwrs gydag ef pan fyddai'n ymweld â'r banc. Diacon arall ym Mynydd Seion oedd Hawen Jones, brodor o Langrannog. Yn ddyn o bersonoliaeth hyfryd, ef oedd ysgrifennydd a chyhoeddwr y capel. Rhyw bedair milltir a deithiem i'r capel, a hynny ar y bws. Ar fore Sul roedd rhaid i ni gerdded i'r Royal Oak, ar gyrion Casnewydd, os am fynychu oedfa'r bore.

Ond yn ôl â ni i'r banc. Rhoddwyd til dan fy ngofal – yr ail un – gyda Bob Hughes, yr 'ail ddyn', ar y til cyntaf. Yn anffodus i Bob Hughes ni freintiwyd ef â gormod o amynedd wrth ddelio â chwsmeriaid. O ganlyniad fe dueddai cwsmeriaid i ddod ataf i yn hytrach na Hughes, ac fe achosodd hyn beth tyndra. Yna fe drosglwyddwyd Harry Willmott i Lincoln a daeth Ted Newhouse i gymryd ei le. Gobeithiai Bob Hughes gael ei wneud yn rheolwr ar ymadawiad Mr Willmott, ond fe'i siomwyd. I wneud pethau'n waeth, roedd Newhouse chwe mis yn iau nag ef. Er mwyn ceisio lleddfu teimladau Hughes fe ddechreuodd y rheolwr newydd ei alw i'w ystafell yn aml i drafod materion y gangen. Golygai hyn nad oedd Hughes yn medru talu'r sylw angenrheidiol i'r til. Felly dyma fi'n cael cyfrifoldeb y prif dil a Hughes yn cael ei symud i'r ail un. Gwaetha'r modd, fe esgeulusai Hughes lawer o'i waith beunyddiol er mwyn cael ymgynghori efo Newhouse. Canlyniad hyn oedd cynyddu fy ngwaith i'n sylweddol. Gan fod Hughes dair blynedd ar ddeg yn hŷn na fi, fe enillai hanner gymaint eto yn fwy o gyflog na fi. Gydag amser mi gefais lond bol ar hyn; roedd y peth yn effeithio ar fy iechyd a dechreuais golli pwysau.

I fod yn deg â Newhouse, fe wyddai fy mod yn cario mwy na'm siâr o waith y gangen. Cyn y Nadolig yn 1948 fe ddywedodd wrthyf ei fod wedi fy nghymeradwyo ar gyfer *merit rise*, sef codiad cyflog ar ben y cynnydd blynyddol arferol. Rhyw un o bob dau gant o'r staff oedd yn cael un, yn ôl yr hanes, ond roeddwn yn falch bod Newhouse wedi fy nghymeradwyo. Ar ben hynny, dywedodd wrthyf ei fod yn disgwyl y cawn fy ngalw'n ôl i Lerpwl cyn bo hir i'm hyfforddi'n fwy trwyadl mewn *securities*, fel rhan o'm hyfforddiant ar gyfer bod yn rheolwr.

Ar ddechrau'r flwyddyn newydd fe'm hysbyswyd gan Newhouse nad oedd wedi llwyddo i ddarbwyllo'r banc i roi *merit rise* i mi. Ar y pryd roeddwn yn ennill £485 y flwyddyn ynghyd â bonws o ryw £70 y flwyddyn. Erbyn tynnu trethi, cyfraniadau pensiwn ac ad-daliadau misol ar yr arian a fenthycwyd i brynu tŷ, roedd llai na £40 y mis ar ôl i gynnal gwraig a phlentyn. Felly roedd clywed gan y rheolwr fod y codiad wedi ei wrthod yn siom ar dir ymarferol yn ogystal ag ar egwyddor. Dywedais wrtho, 'Mr Newhouse, I'm afraid I can't afford the luxury of working for the bank much longer.' 'Right,' meddai. 'If that's the way you feel you'd better do something about it.' 'I will,' meddwn i. O fewn llai na phum mis mi ffarweliais â'm gyrfa yn y banc.

I'R FRO GYMRAEG

Rhaid cydnabod nad y cyflog yn unig oedd yn fy mlino wrth fyw yn Langstone. Cawsom ddwy flynedd hapus dros ben yno. Teimlem, serch hynny, ein bod yn methu cyfrannu i fywyd cyfoes Cymru, na derbyn yr hyn y dylem ei gael ohono. Yn un peth, nid oeddwn i erioed wedi byw yn y Gymru Gymraeg. Erbyn hyn, a Meinir yn tynnu at ei blwydd oed, doedden ni ddim am iddi hi gael ei hamddifadu, fel y cafodd ei thad, o addysg Gymraeg. Pan fydd penderfyniadau tyngedfennol yn y glorian, ni ellir gorbwysleisio gwerth cael gwraig a gŵr o'r un farn. Roeddem yn cytuno gant y cant ei bod yn bryd i ni uniaethu'n hunain yn fwy cadarnhaol â'r Gymru gyfoes. Cytunwn hefyd â barn Saunders mai ym myd Llywodraeth Leol y gellid gwneud y cyfraniad mwyaf tuag at ddatrys ein problemau a diogelu'n hetifeddiaeth. Doedd gen i ddim llawer o obaith cyflawni hynny wrth fyw yng nghyffiniau Casnewydd.

Y cwestiwn mawr a grefai am ateb oedd, beth allwn i ei wneud? Doedd gen i ddim gradd, doeddwn i ddim wedi cael fy hyfforddi mewn unrhyw faes heblaw bancio, ac eto fe deimlem ein dau ei bod hi'n bryd i ni symud tua'r gogledd neu'r gorllewin. Cadwem lygad barcud ar hysbysebion swyddi yn y *Faner* a'r *Western Mail.* O'r diwedd, mi welais fod cwmni bwydydd anifeiliaid yn chwilio am asiantau llawn ac asiantau cynorthwyol yng Nghymru, a dyma anfon am ffurflen gais. Y diwrnod y cyrhaeddodd y ffurflen oddi wrth gwmni Silcocks, mi dderbyniais lythyr yn yr un post oddi wrth John Owen, ffrind a fagwyd yn y Rhondda, un y deuthum i'w adnabod yn ystod y rhyfel. Gofynnai John yn ei lythyr a oeddwn i'n fodlon iddo ddefnyddio fy enw fel canolwr, gan ei fod yn gwneud cais am swydd gyda ffyrm a werthai fwydydd anifeiliaid. Wrth gwrs mi gytunais â'i gais, gan ofyn ai Silcocks oedd y ffyrm a chyfaddef fy mod innau'n golygu ymgeisio am swydd gyda'r un cwmni.

Cefais fy nghyfweliad yng ngwesty'r Park yng Nghaerdydd gan y rheolwr gwerthiant dros Gymru a'r Gororau, Mr Cynfab Roberts. Fe'm hysbysodd mai tair swydd asiantwyr llawn oedd ar gael trwy Gymru a'r Gororau, ond bod sawl swydd ar gael ar gyfer asiantwyr cynorthwyol. O ddeall mai dim ond asiantaeth lawn fyddwn i'n ei hystyried, gofynnodd Mr Roberts a fyddwn i'n barod i fynd i fy nhref enedigol ar gyfer y Bwrdd Dewis. O gyrraedd Lerpwl, gofynnais am ganiatâd i aros gyda'm rhieni yn hytrach nag yn y gwesty, a dyna wnes i. Cynhaliwyd y Bwrdd Dewis dros gyfnod o ddau ddiwrnod. Arhosai'r un ar ddeg arall oedd yn ymgeisio yng ngwesty'r Exchange, ac yno rhoddwyd ni trwy bob math o brofion. Ymddangosai llawer o'r dynion yn wybodus iawn yn y maes amaethyddol, er mawr fraw i mi. Ymunodd dau o'r cyfarwyddwyr â ni am ein prif brydau bwyd. Rhaid cydnabod i'r holi fod yn gwrtais a thrwyadl. Yr ail ddiwrnod fe ofynnwyd i rai ohonom fynd i gyfarfod y Rheolwr Gyfarwyddwr, Mr Maxwell. Yn ôl a ddeallais, tri ohonom a benodwyd. Roedd John Owen wedi ei benodi yn y bwrdd dewis o flaen fy un i. Felly fe lanwodd John a finnau ddwy o'r tair swydd wag, allan o chwe chant o ymgeiswyr. Trwy gyd-ddigwyddiad, roedd prif swyddfa Silcocks o fewn ergyd carreg i brif swyddfa banc Martins.

Gorffennais yn y banc ar 31 Mai 1949. Treuliais bythefnos cyntaf fy ngalwedigaeth newydd efo Ceri Hughes ym Mrynbuga, ac yna mi gefais bythefnos arall yn dysgu'r dechneg o werthu efo Vince Rees yn Llandrindod. Sôn am ddau werthwr da a chydwybodol. Fe werthai Vince saith deg tunnell o fwydydd ym mis Mehefin pan oedd y stoc allan yn pori'r caeau. Os medrwn i werthu saith deg tunnell yn y gaeaf, meddyliais wrthyf fy hun, mi fyddwn yn fodlon fy myd. Fyddwn i bellach ddim yn derbyn cyflog. Comisiwn ar y dunelledd a werthid fyddai'n penderfynu fy enillion. Am chwe mis cyntaf yn unig yn yr asiantaeth, fe delid un bunt ar ddeg yr wythnos i asiantwyr newydd, fel gwarant.

Ar ôl treulio mis Mehefin efo Ceri a Vince, fe'm hanfonwyd i fferm Silcocks yn Willaston yn ymyl Caer. Fe arhoswn yn y Crewe Arms, gan fynd allan i'r fferm bob dydd i gael fy hyfforddi. Roedd hwn yn hyfforddiant penigamp, ac ar ôl pythefnos mi deimlwn yn barod i wynebu unrhyw ffermwr. Tra roeddwn yn y Crewe Arms fe'm hysbyswyd mai yng ngogledd Sir Benfro a'r ardal o gylch tref Aberteifi y byddwn yn ennill fy mywoliaeth. Ond cyn i mi adael y Crewe Arms mi glywais ymhellach gan Mr Cynfab Roberts mai'r ardal yn union i'r gogledd o Aberteifi fyddai fy nhiriogaeth i. Roedd yr ardal newydd hon yn ymestyn o Bont Cych i Gastell-newydd Emlyn, Henllan, Horeb, Pren-gwyn, Rhydowen, Talgarreg, Gwenlli, Cwmtudu, Llangrannog, Aberporth, Blaenporth, Neuadd Cross ac yn ôl i Genarth – yr holl ffermydd o fewn y cylch hwnnw. A thrwy gyd-ddigwyddiad hollol, roedd yn gyfle inni fwrw gwreiddiau fel teulu yn yr union ardal lle'r oedd Margaret wedi ei magu.

Roeddwn wedi bod yn cael gwersi gyrru cerbyd pan oeddwn yn byw yn Langstone, ond yn dal heb gael prawf cyn ymuno â Silcocks. Disgwylid imi ddechrau fel prif asiant ar 18 Gorffennaf 1949. Dridiau ynghynt roeddwn yn sefyll fy mhrawf gyrru yn Llanbedr Pont Steffan. Dwn i ddim beth fyddai wedi digwydd pe bawn i wedi methu! Mi ffoniais Mr Cynfab Roberts ar ôl i mi lwyddo yn fy mhrawf a dywedodd wrthyf am fod yn Aberystwyth y bore canlynol er mwyn cymryd meddiant o'm cerbyd cyntaf. Morris Minor *side valve* newydd sbon oedd yn fy nisgwyl – y cyntaf o'r brid hwnnw yng Ngheredigion. Cymaint oedd prinder ceir newydd ar ôl y rhyfel fel y caent eu trysori gan eu perchnogion. Gan fod siâp y ceir newydd yn gwbl wahanol i'r ceir oedd wedi eu cynhyrchu cyn y rhyfel, fe achosent gryn dipyn o chwilfrydedd ymysg y cyhoedd. Toc ar ôl cael fy ngherbyd, cofiaf i mi fynd i'r Swyddfa Bost yn Llandysul gan adael y car ar bwys. Wrth ddod allan mi welwn chwech neu saith o bobl o amgylch y Morris yn ei bwyso a'i fesur. Gwyrdd tywyll oedd lliw'r car, ac o fewn blwyddyn roedd yna ddau Forris gwyrdd arall yn yr ardal. Gweinidog Capel Iwan oedd yn berchen un, a brawd a fyddai'n mynychu'r tafarnau'n gyson yn berchen y llall. Cefais wybod sawl gwaith i rywun weld fy ngherbyd i y tu allan i'r Lamb yn Llangeler, a'm hateb bob tro oedd nad fy ngherbyd i oedd yno, ond eiddo'r gweinidog o Gapel Iwan!

Dim ond am dri mis y cafodd fy nhad fyw i'm gweld yn ymdopi â'm gwaith newydd. Ar ddathliad priodas ruddem fy rhieni ar 6 Ebrill 1949 bu raid i ni ei gymell i ddweud gair yn ein parti bach teuluol – mor wahanol i'r arfer. Bu yn ysbyty Broad Green am ysbaid yn ystod yr haf, ond doedd dim y gellid ei wneud i adfer ei iechyd. Yn wahanol i Mam, roedd fy nhad yn ofni marwolaeth. Erbyn y diwedd roedd yn gofyn i Dduw beidio â'i gadw'n hir. Yn sicr fe gadarnhaodd fy ffydd innau mewn bywyd tragwyddol. Ei eiriau olaf, wrth Mam, oedd 'I love you, Lily,' wedi eu llefaru yn Saesneg am fod y nyrs oedd gyda Mam wrth ochr y gwely yn ddi-Gymraeg.

Dyna braf oedd cael ymsefydlu yn Sir Aberteifi, a'r her gyntaf i mi oedd ymgyfarwyddo â iaith y Cardi. Ar y dechrau roedd Margaret yn cael modd i fyw wrth weld Wncwl Dafi a minnau'n cael trafferth i ddeall ein gilydd – doeddwn i erioed wedi clywed ymadroddion fel 'cymercin' a 'pentigili' o'r blaen, ac roedd fy Nghymraeg Lerpwl a Sir Gaernarfon i yn ddieithr iawn iddo yntau. Roedd goresgyn y broblem hon yn hanfodol i lwyddiant fy mywoliaeth. Pa obaith oedd gen i i werthu bwydydd i ffermwyr os nad oedden ni'n deall ein gilydd yn siarad! Cofiaf unwaith fynd i fferm Morris Cefn Maes Mawr, ac wrth inni edrych ar y buchod, dyma fo'n gofyn, 'Beth y'ch chi'n feddwl o gadeirie'r rhain?' 'Wel ardderchog wir,' meddwn innau, heb unrhyw amgyffred am beth oedd o'n sôn, nes holi Margaret a chael gwybod mai pwrs y fuwch yw ei chadair! O dipyn i beth mi ddois i ddeall y dafodiaith ac i ddefnyddio tipyn ohoni. Erbyn hyn rwy'n siarad rhyw gymysgedd o Gymraeg gogledd a de: wn i ddim beth ddywedai fy nhad, ond siawns na chawn i faddeuant ar ôl byw ymhlith y Cardis am yn agos i drigain mlynedd!

Roedd angen inni chwilio am dŷ ar unwaith. Bu'r hen weinidog annwyl, y Parchedig J. C. Lloyd, farw yn 1948, gan adael tŷ'r gweinidog yn wag. Gwnaethom gais i gapel Brynrhiwgaled am gael rhentu'r tŷ tra oedden nhw'n chwilio am weinidog newydd, a chaniatawyd hynny. Felly dyma symud i Frynlleine, tŷ braf wedi ei godi yn y 1930au ond heb fathrwm, toiled, tap dŵr poeth, trydan na garej. Pymtheg swllt yr wythnos oedd y rhent. Gorfu i Margaret ferwi pob diferyn o ddŵr poeth, a lampau olew a oleuai'r tŷ. Elsan oedd ein toiled, un symudol fyddai'n cael ei wagio i'r ardd yn ôl y gofyn. Gwrtaith da, wrth reswm, ond ni chawsom gyfle i brofi ffrwyth yr ardd gan i'r capel symud ar unwaith i gael gweinidog newydd.

Roedd Margaret a'i chwaer Llywela wedi etifeddu dwy fferm, Synod Parc a Chnwcypwrpas, o dan ewyllys eu Anti Mari. Deiliad Synod Parc oedd Evan Tom Thomas, un o ddiaconiaid Brynrhiwgaled ac un o'r rhai mwyaf brwdfrydig dros alw gweinidog ar unwaith. Cynddeiriogwyd Wncwl Dafi, un arall o ddiaconiaid y Bryn, gan ymddygiad y 'plwciwr', fel y galwai ei gyd-ddiacon – plwciwr oherwydd ei osgo wrth gerdded. Tri gweinidog a ddewiswyd gan y capel i ddod ar eu prawf. Ond ar ôl clywed yr un cyntaf fe benderfynwyd symud ar unwaith i wahodd y Parchedig Christmas Williams i ddod atom. Roedd ein cael ni allan o Frynlleine yn un o'r rhesymau, os nad y prif un, dros frysio gyda'r alwad. 'Popeth yn iawn,' meddai Wncwl Dafi, 'mae gan rai dŷ braf yn yr ardal.'

O ganlyniad, dim ond chwe mis barodd ein harhosiad ym Mrynlleine. Cymerodd Anti Peg ac Wncwl Dafi drugaredd arnom wrth agor drws Crud-yr-awel i ni'n tri. Ymhen mis roeddem wedi symud eto i dŷ rhent o'r enw Berwyn yn Rhydlewis, yn Nyffryn Troed-yr-aur. Tŷ wedi ei ddodrefnu oedd Berwyn, gyda thair ystafell wely, bathrwm, toiled a dŵr poeth, ond heb drydan na garej. Fe gafwyd lloches i'r cerbyd mewn sied oedd yn eiddo i siop Rhydlewis. Roedd gan Berwyn ardd helaeth yn cynnwys tair coeden afalau benigamp. Buom yn gartrefol yn Rhydlewis o'r diwrnod cyntaf, gyda chymdogion diddorol a charedig tu hwnt. Hwnnw mewn gwirionedd oedd fy mhrofiad cyntaf o fywyd pentrefol, Cymraeg.

Gyferbyn â Berwyn roedd yna res o dri thŷ. Y Colbournes oedd yn y tŷ cyntaf, Dado Owen ac Ieuan ei fab yn y tŷ isaf, a'r Jonesiaid yn y canol. Bu Mrs Colbourne yn hynod gyfeillgar a charedig ac roedd Dado'n gymeriad cefn gwlad diddorol dros ben. Yn y fferm fach yn ffinio â Berwyn roedd Mrs Thomas, Bryncelyn: dynes beniog a darllenwraig frwd, cyfnither i Caradoc Evans o amharchus goffadwriaeth. Roedd Margaret a Mrs Thomas yn hynod gyfeillgar ac yn benthyca llyfrau ei gilydd.

I fyny i gyfeiriad yr ysgol, fe safai Gwynnant; dyma bencadlys y pentref os bu un erioed. Os am siwt dda o ddillad, trwsio pâr o esgidiau, torri gwallt, talu arian i'r banc, cael petrol i'r cerbyd, prynu nwyddau i'r tŷ, a chymwynasau dirifedi – y Gwynnant amdani. Y brenin oedd James Jones, neu Jim Gwynnant i bawb yn Rhydlewis. Ymestynnai ei diriogaeth ymhell tu hwnt i'r pentref, ac nid oedd dim na fu'n barod i roi cynnig arno.

Ar ôl y rhyfel fe barhawyd i ddogni bwyd a phetrol hyd at y pumdegau ac anodd, a dweud y lleiaf, oedd cael ffôn i dŷ oedd heb y gwasanaeth. Gan fy mod yn dibynnu ar gwsmeriaid i ddod i gysylltiad â mi os oedden nhw am archebu bwyd anifeiliaid, roedd cael ffôn yn gwbl anhepgor yn fy ngwaith. Gwnes gais am ffôn yn union ar ôl mynd i fyw i Berwyn. Yn y cyfamser fe ddywedodd teulu Gwynnant wrthyf am roi eu rhif nhw i'r cwsmeriaid, ac y bydden nhw'n derbyn yr archebion ar fy rhan. Nid yn unig hynny, fe fuon nhw'n dod â'r archebion i'n tŷ ni am dair blynedd heb rwgnach unwaith, a hynny ar bob tywydd, boed haf neu aeaf. Golygai hyn eu bod yn cerdded tri chan llath bob tro. Cefais gynnig ffôn yn y tŷ fis cyn inni adael Rhydlewis!

Teulu niferus, hapus dros ben, oedd teulu Gwynnant. Yr unig un a adawodd ei bentref genedigol oedd John Jones, a symudodd i Gastell-newydd Emlyn, gan agor siop lewyrchus yno, a'i galw, wrth gwrs, yn Gwynnant.

Yr hynaf o blant Gwynnant i aros yn Nyffryn Troed-yr-aur oedd David. Ef fyddai'n torri'r brethynnau ar gyfer pawb, yn ddynion a merched. Yn ddiacon a thrysorydd Capel Hawen, yn ynad heddwch doeth ei farn, roedd yn byw ym Mhenparc, tyddyn yn cael ei ffermio'n bennaf gan Mrs Jones nes i Lou y mab hynaf ddod yn ddigon hen i gymryd at yr awenau.

Ianto, neu Ifan, oedd y crydd yn y teulu ac fe allai droi ei law at dipyn o bopeth. Gyda thipyn o gloffni yn un goes, fe ddeuai ar garlam pan waeddai Jim, 'Ianto!' Pwythwr oedd Tom, ac yn dawel ac addfwyn ei ysbryd, yn ffyddlon yn Hawen ac yn hollol ddidwyll. Roedd Ifan, Tom a Jim yn dal i fyw adref yng Ngwynnant pan oedden ni yn Berwyn.

Dwy ferch a anwyd i'r teulu: Annie, yr hynaf o'r ddwy, a gadwai'r tŷ yn bennaf, a Lizzie yn hyfforddi plant i ganu'r piano. Ifan a Tom fyddai'n cynorthwyo fwyaf gyda'r petrol. Ond y trefnydd oedd Jim. Jim oedd yn cadw trefn ar y gweithgarwch i gyd, gan alw'i frodyr a'i chwiorydd i roi help llaw yn ôl yr angen. Fe gâi Jim yr enw o fod yn gallu gwerthu gwerth punt o nwyddau o'r siop i bwy bynnag a gynigiai bapur punt iddo wrth brynu bocs o fatsys. Fe rowndiai bopeth yn y siop nes bod y bunt wedi ei gwario. Gormodiaith, efallai, ond fe roddai Jim gynnig arni.

Roedd brawd arall, Robin, yn byw yng Nghwm Collen ac yn gweithio i'r Cyngor Sir. Byddai hefyd yn glanhau simneiau gyda'r nos. Ond os oedd y simneiau'n cael eu glanhau, nid dyna hanes gweddill y tŷ, wrth i'r huddyg gael ei wasgaru i bobman. Doedd Robin ddim yn cael ei gyfrif y glanaf wrth ei waith, ond yr oedd yn un brwd. Cofiaf i Margaret ofyn i Robin lanhau'n simneiau ni unwaith pan oedd Rhian, ein hail ferch, yn fabi. Erbyn i Margaret sgubo a golchi'r lloriau ddwywaith, ar ôl ymdrechion Robin, roedd yn dri o'r gloch y bore ac fe fyddai Rhian yn barod i'w bwydo am chwech.

Cario'r post oedd gwaith Emrys, un arall o feibion Gwynnant. Roedd ei fab John, bachgen cyfeillgar ac annwyl, wedi rhoi ei fryd ar gael ei ddewis i chwarae i dîm pêl-droed

Rhydlewis. Doedd neb yn fwy eiddgar na John, ond doedd ganddo mo'r un ddawn â'r bechgyn eraill oedd gryn dipyn yn hŷn. Tua 1985 bûm mewn gwasanaeth yn Chelmsford i goffáu gwraig a fu'n gadeirydd Cymdeithas y Cynghorau Sir, a phwy oedd yno'n cynrychioli Banc y Midland ond John. Dyna braf oedd ei weld a chael sgwrs.

Matriarch wirioneddol i'r teulu oedd Mrs Jones, Gwynnant, a hi oedd yr un gyntaf erioed i fwrw pleidlais i mi mewn etholiad Cyngor Sir. Fe'm gwahoddwyd i Gwynnant i weld Mrs Jones yn rhoi croes gyferbyn â'm henw ar gyfer ei phleidlais bost, er bod hynny'n siŵr o fod yn groes i ryw reol neu'i gilydd.

Roedd Rhydlewis yn frith o gymeriadau gwreiddiol, ac roedd gwerthu bwydydd anifeiliaid yn ffordd dda o ddod i'w hadnabod. Enw un fferm fach yn yr ardal oedd Salamanca – cartref ar un adeg, yn ôl y sôn, i filwr oedd wedi gwasanaethu yn Rhyfel y Peninsiwla ar ddechrau'r bedwaredd ganrif ar bymtheg. Erbyn i mi gyrraedd Rhydlewis, Mrs Lizzie Evans oedd yn ffermio'r ddwy erw ar hugain. Mae'n wir bod gan Mrs Evans ŵr, ond hi oedd calon y lle bach. Ac yn wir fe lwyddodd yn dda anghyffredin. Fe gadwai wartheg, ieir a moch, a phrin oedd ei hanghenion. O ganlyniad, mi gredaf iddi lwyddo'n well na'r rhelyw o amaethwyr i roi ceiniog fach naill ochr. Byddwn yn gwerthu bwydydd i Mrs Evans yn gyson, ac ni welwyd ei gwell am dalu. Ond un tro mi es i gasglu tâl am fwydydd a werthwyd iddi y mis blaenorol. Ar ôl i mi lenwi'r siec iddi hi gael ei harwyddo, dywedodd na allai arwyddo oherwydd bod crydcymalau yn ei braich dde. Roedd eisiau i mi arwyddo yn ei lle. Eglurais wrthi ei fod yn anghyfreithlon i rywun arall lofnodi ei henw. 'Ydych chi'n gweud wrtho i eich bod chi wedi gweithio mewn banc am flynydde ac eto mae ofn arnoch i arwyddo siec?' meddai, a daliai i wrthod arwyddo. Beth arall allwn i ei wneud ond mynd at Jim Gwynnant ac adrodd fy stori. Y cwbl a ddywedodd Jim oedd 'Gadewch Lizzie Salamanca i mi.' Bore drannoeth, pan alwais ynn Ngwynnant, roedd y siec yno wedi ei harwyddo.

Dro arall, pan oedden ni'n byw yn Synod Parc, derbyniodd Margaret lythyr, un byr ac i'r pwynt. 'Dear Mrs Roberts, Please send your husband to me at once as I need him very badly.' Mae'n lwcus fod Margaret yn adnabod Lizzie Salamanca. Rywbryd yn y 1950au fe gododd Lizzie dŷ newydd i gymryd lle'r hen Salamanca a'i alw'n Maesybedw.

Cymeriad arall oedd Dan Teiliwr, oedd yn byw yn Eryl yng nghanol y pentref. Dylwn egluro fod dau gapel yn diwallu anghenion ysbrydol y pentrefwyr: Tŵr Gwyn y Methodistiaid Calfinaidd, a Hawen, capel yr Annibynwyr. Gwaetha'r modd, roedd rhyw gymaint o groesdynnu enwadol i'w deimlo yn y pentref. Yn Nhŵr Gwyn a Hawen fel ei gilydd roedd amryw o aelodau call a goddefgar, ond credaf i'r mwyafrif fod braidd yn gul eu gorwelion.

Ond yn ôl at Dan Teiliwr. Dywedais wrth Dan fod Tecwyn Evans, un o hoelion wyth y Wesleaid, yn pregethu yng Nghilcennin ar y Sul a 'mod innau'n bwriadu mynd yno i wrando arno. Gofynnodd Dan a gâi ddod gyda fi. Galwais yn Eryl am chwarter i bump bnawn Sul i gasglu Dan, ond pwy ddaeth i'r drws ond Beca ei wraig. Gofynnodd i mi beth oeddwn i'n meddwl roeddwn yn ei wneud wrth geisio mynd â Dan i Gilcennin a hwythau â'u cennad eu hunain yn Nhŵr Gwyn yr un noson. Prin fod angen dweud mai fi yn unig deithiodd i wrando ar Tecwyn y noson honno.

Gwnaeth Dan ddiwrnod da o waith gyda'r ddrama. Yn actiwr medrus ei hun, fe gynhyrchodd amryw byd o ddramâu o safon yn y Neuadd.

Un o ddiaconiaid Hawen oedd Ifan Davies o fferm Cwmbychan. Prin fyddai crebwyll Ifan o ambell bregeth, yn enwedig yn yr haf, gan y tueddai Huwcyn Cwsg i gael y gorau arno. Dyna lle byddai Ifan Davies yn gorweddian yn ôl yn braf yn y sêt fawr, ei got ar agor a'i fresys yn y golwg, ynghyd â modfedd neu ddwy o'i drôns.

Ar ddechrau'r chwedegau fe etholwyd Ifan i gynrychioli plwyf Troed-yr-aur ar Gyngor Dosbarth Glannau Teifi. Yn ystod hafau sych byddai dŵr Cwm Collen yn mynd yn brin iawn, a doedd ei ansawdd ddim ymhlith y gorau. Fel cynghorydd da fe gwynai Ifan Davies yn gyson am ddiffygion cyflenwad dŵr Cwm Collen. Roedd dwy chwaer yn byw yn Landring, ym mhen pella'r cwm. Un diwrnod fe gyrhaeddodd Ifan y cyfarfod llawn o Gyngor Glannau Teifi a'r cyfarfod eisoes wedi dechrau. Cerddodd Ifan i mewn gan ddal potel uwch ei ben a chyhoeddi, 'Dyma sampl o ddŵr merched Landring'.

Soniais eisoes am dîm pêl-droed brwdfrydig Rhydlewis. Nid y chwaraewyr yn unig a gymerai ddiddordeb yn y tîm, ond yr holl bentref. Er mwyn sicrhau lle yn y tîm roedd rhaid bodloni'r panel dewis. Siarsiwyd pump ohonom gyda'r cyfrifoldeb o ddewis y tîm gorau, a byddem yn cyfarfod ar noson arbennig i ymgymryd â'r arswydus waith. Pan fyddai'r tîm yn chwarae oddi cartref fe lenwid dau fws o gefnogwyr, heb sôn am y rhai a ddefnyddiai eu ceir eu hunain. Roedd y cefnogwyr lawn mor frwd â'r chwaraewyr yn ystod y gêm. Pan gâi Morlais y bêl fe safai ei dad, Wil Aberffinant, ar un goes a'r goes arall wedi'i phlethu amdani. Hongiai sigarét rhwng ei wefusau yr un pryd.

Fe ymaelododd Margaret a finnau yn Hawen yn syth ar ôl mynd i fyw yn Rhydlewis. Fe'm perswadiwyd i fod yn athro ysgol Sul ar ddosbarth o fechgyn a merched tua'r deg a'r un ar ddeg oed. Cefais ddosbarth talentog iawn. Y Parchedig D. M. Davies oedd yn gweinidogaethu yn Hawen ar y pryd ac ef a fedyddiodd ein hail ferch, Rhian Heulyn.

Braidd yn bruddaidd ei lais oedd y gweinidog wrth draethu. Un bore Sul, a minnau'n hwyr, roedd Mr Davies wedi dechrau darllen a dau ohonom ninnau hwyrddyfodiaid yn gwrando y tu ôl i ddrws caeëdig. A dyma ni'n ei glywed yn llefaru'r gair 'Gorfoleddwn'. Os mai fel hyn yr oedd yn ein cymell i orfoleddu, druan ohonom pe baem yn gorfod tristáu!

Arweiniai Johnny Jones, Glynarwel, y canu gyda'i lais tenor melodaidd. Yn Gymro i'r carn ac yn ddoeth ei farn, roedd ganddo natur fwynaidd. Diacon doeth a pheniog arall oedd

Tommy Davies, Dolydd, saer coed wrth ei grefft. Buom yn hapus iawn fel aelodau yn Hawen.

Ar 9 Awst 1950 dywedodd Margaret wrthyf ei bod yn credu y byddwn yn dad am yr ail dro cyn nos. Ar yr un pryd fe fynnai fy mod yn mynd at fy ngwaith. Gan nad oeddem yn berchen ffôn, mi es â Margaret a Meinir i fyny i Grud-yr-awel, er mwyn gallu cadw mewn cysylltiad yn ystod y dydd. Ffoniais ganol dydd a chael gwybod fod pethau'n datblygu, ond siars i beidio â mynd i Grud-yr-awel ond yn hytrach i ffonio'n nes ymlaen. Dyna wnes i am bedwar o'r gloch, a chael gwybod ei bod yn bryd i mi ddychwelyd i Synod. Am chwech o'r gloch mi gychwynnodd Margaret, Llywela a fi am Aberteifi a'r ysbyty. Erbyn inni gyrraedd y dref fe berswadiodd Margaret fi i fynd am dro i draeth Poppit, gan na welai bwynt inni gyrraedd yr ysbyty'n rhy gynnar. Ar ôl inni ddychwelyd o Poppit i Aberteifi fe gododd awydd ar Margaret i gael cwpaned o goffi yng nghaffi Conti. A ninnau ar hanner ein coffi dywedodd Margaret, 'Well i ni fynd!' Roeddem yn yr ysbyty am hanner awr wedi wyth ac aeth Llywela a minnau'n ôl yn syth i Grud-yr-awel. Wrth i ni fynd drwy'r drws fe glywem y ffôn yn canu. Yr ysbyty oedd ar y lein i'm hysbysu fod Rhian Heulyn wedi cyrraedd am chwarter i naw. Cyn pen hanner awr roeddem yn yr ysbyty unwaith eto. Wrth inni fynd â Rhian gartref i'r Berwyn am y tro cyntaf galwasom yng Nghefnmaesmawr i'w dangos i Mrs Morris, a fu'n hynod garedig wrthym fel teulu.

Gyda dau blentyn bellach i'w cadw, roedd yn rhaid canolbwyntio ar fy ngwaith gyda Silcocks, a'r etifeddiaeth oedd yn fy aros yn asiantaeth Castell-newydd Emlyn. Dim ond dau gwsmer sylweddol a drosglwyddwyd i'm gofal. Un o'r rheini oedd John Morris, Cefnmaesmawr, oedd yn gwsmer ardderchog. Bu fferm Cefnmaesmawr ar frig y cynhyrchwyr llaeth, brid y Byrgorn, am saith mlynedd yn olynol cyn i mi ddechrau gwerthu cêc, y prif ymborth ar gyfer gwartheg, neu dda. Yn 1949 y Byrgorn oedd y brid mwyaf niferus o ddigon yn Sir Aberteifi. Felly, i un a fwriadai werthu cêc yn wyddonol, bonws anghyffredin oedd cael cwsmer tebyg i Mr Morris a wnaeth enw iddo'i hun fel cynhyrchydd llaeth.

Wrth 'werthu cêc yn wyddonol', y cyfan y bwriadwn ei wneud oedd rhoi ar waith yr hyn a ddysgais ar fferm Silcocks yn Willaston. Fe'm hyfforddwyd yn drwyadl ar sut i ddogni bwyd gwartheg, wrth ddefnyddio 'cyfwerth gwair' fel mesur safonol ar gyfer y maeth mewn gwahanol gnydau. Dim ond i mi ofyn i'r cwmni fe fydden nhw'n anfon siart i bob cwsmer a ddymunai gael un. Yn y cyfamser byddwn innau'n paratoi dogn iddyn nhw, a bu'r dull hwn o werthu yn hynod effeithiol. Ni chredaf i'r un ffyrm gêc arall roi hanner cystal hyfforddiant i'w staff gwerthu ag a wnâi Silcocks.

Cwsmer gwerthfawr a chyson arall a etifeddais oedd Arthur Griffiths, neu Arthur y Gof, yn ardal Blaen-porth. Patriarch o ddyn, yn dad i saith o blant, a gollodd ei wraig ar enedigaeth eu merch ifancaf. Cedwid y tŷ iddo gan Neli, un o'i ferched priod. Byddai Neli'n ysmygu, ond nid o flaen ei thad. Roedd yn gawr o ddyn, fel y gweddai i of, ond dyn a hoffais yn fawr. Llafuriai yn yr efail hyd y diwedd. Cefais y fraint o gludo ei arch. Bu Neli druan, oedd mor barod ei chwpaned o de, farw'n sydyn iawn ddwy neu dair blynedd ar ôl ei thad.

Ar wahân i Gefnmaesmawr a gof Blaenporth, prin a thila eu prynu fu'r ychydig gwsmeriaid eraill a drosglwyddwyd i'm gofal. Yn ystod pythefnos olaf mis Gorffennaf 1949, dim ond pedair tunnell o fwydydd a werthais. Gan fod Silcocks yn gwarantu'r cyflog o un bunt ar ddeg yr wythnos am y chwe mis cyntaf, doedd hi ddim yn fain arnom yn ariannol. Ond ar ôl hynny, dim ond y comisiwn ar y gwerthiant a dderbyniwn bob mis. Gallaf eich sicrhau mai gwerthu cêc a gâi flaenoriaeth ar bopeth arall am y ddwy flynedd nesaf. Ym mis Awst mi werthais 17 tunnell, 18 tunnell ym Medi; 25 yn Hydref, 35 yn Nhachwedd a 38 yn Rhagfyr. Erbyn Ionawr mi werthais 56 tunnell, oedd yn golygu fy mod yn ennill mwy na'm gwarant o gyflog wythnosol. Ym Mawrth fe gododd y gwerthiant i 73 tunnell, a theimlwn yn eithaf hyderus ynglŷn â'r dyfodol. Gan fod bwydydd anifeiliaid yn dal i gael ei ddogni, dim ond yn ôl nifer y cwponau a ddyrannwyd iddo y gallai ffermwr archebu ar gyfer anghenion ei fferm. Cyfyngid, felly, ar y gwerthu oedd yn bosib am flynyddoedd ar ôl y rhyfel. Doedd dim amdani ond bwrw ymlaen i ennill cynifer o gwsmeriaid newydd ag y gallwn nes fy mod yn teimlo fod dyfodol fy nheulu'n ddiogel.

Deng niwrnod o wyliau a gymerais yn ystod y ddwy flynedd gyntaf ar ôl dechrau efo Silcocks. Gweithiwn ar ŵyl y Banc – cosb am adael y banc, mae'n debyg – yn ogystal â gweithio'n aml o hanner awr wedi wyth y bore tan hanner awr wedi deg neu un ar ddeg y nos. Gan fod llawer o waith ysgrifenedig i'w wneud, golygai fy mod yn treulio llawer i awr ar y Sul wrth fy ngwaith – nid fod hynny'n fy nghadw o'r capel, chwaith.

Y tro cyntaf i mi dorri ar batrwm fy ngwaith beunyddiol oedd pan chwaraeai tîm criced Morgannwg yn erbyn India'r Gorllewin yn Sain Helen, Abertawe yn Awst 1951. Roedd gan India'r Gorllewin dîm gwych, yn cynnwys chwaraewyr enwog fel Ramadin, Walcott, Weekes a Worrell. Dydd Sadwrn oedd y diwrnod cyntaf. Wrth i mi barcio fy ngherbyd yn Sain Helen, pwy ddaeth allan o'r cerbyd nesaf ataf ond Ifanwy Roberts, un o Gymry Lerpwl, a'i gŵr, y Parchedig D. J. Williams. Dyna'r tro cyntaf i mi gyfarfod D.J., ond nid yr olaf. Bu'n pregethu yn ein Cyrddau Mawr ym Mrynrhiwgaled yn y 1950au. Dyn golygus anghyffredin a dorrwyd i lawr yn rhy gynnar o lawer.

Ar ôl cael cymaint o fwynhad yn gwylio'r criced ar y Sadwrn, penderfynais dalu ymweliad arall â Sain Helen ar y dydd Llun. Cyrhaeddais y cae am chwarter i ddeuddeg ac roedd cannoedd y tu allan yn methu cael mynediad. Es at blismon a geisiai berswadio'r dorf i wasgaru, gan ddweud fy mod wedi teithio'n bell iawn i weld y gêm. Pan ofynnodd imi o ble, a minnau'n ateb 'yn agos i Aberystwyth', gofynnodd i mi o ble yn union. Wrth gael yr ateb 'Rhydlewis' dywedodd nad oedd Rhydlewis yn agos i Aberystwyth. Beth allwn i ddweud, heblaw ei fod yn nes at Aberystwyth nag ydoedd at Abertawe. Gwenodd y plismon, a gofyn oedd gen i bapur newydd dyddiol. O ddeall fod gen i un yn fy nghar, dywedodd wrthyf am fynd i'w nôl a dychwelyd yn edrych mor swyddogol ag y gallwn. Taniais fy nghetyn, gan roi'r papur dan fy nghesail a cherdded yn dalsyth am y cae. Pan welodd y plismon fi fe'm cyfarchodd gyda 'Good morning, Sir'. 'Good morning, officer,' atebais innau. Curodd y plismon ar ddrws y fynedfa agosaf gan ddweud fy mod wedi bod i mewn o'r blaen.

Y diwrnod hwnnw mi welais Willie Jones yn sgorio cant a phump i Forgannwg. Dau ddiwrnod campus – ac yna'n ôl i werthu cêc.

DOD YN GYNGHORYDD

Roedd etholiadau'r cynghorau sir i'w cynnal yn Ebrill 1952, ddwy flynedd ac wyth mis ar ôl inni symud i Sir Aberteifi. Byddai'n braf bod wedi cael mwy o amser i fwrw gwreiddiau, ond os oeddwn am wireddu'r uchelgais oedd gen i wrth adael fy ngwaith yn y banc, a chyfrannu at achos Cymru trwy gyfrwng llywodraeth leol, hwn oedd fy nghyfle. Roedd Sir Aberteifi ar y pryd yn un o dair ar ddeg o siroedd Cymru, cyn iddi gael ei llyncu gan Ddyfed yn yr ad-drefnu yn 1974, a'i hatgyfodi fel Ceredigion yn 1996. Y Cyngor Sir oedd â gofal am ein haddysg a'n llyfrgelloedd, ffyrdd, cynllunio, lles ac iechyd cymdeithasol, a chant a mil o fân bynciau y daw cyfle i gynghorwyr draethu barn arnyn nhw. Er bod rhyddid ar lefel genedlaethol yn edrych yn bell i ffwrdd, roedd yn bwysig gwneud y defnydd gorau o'r rhyddid oedd o fewn ein cyrraedd yn barod. Roeddwn i'n ysu am gael bod yn rhan o'r gwaith hwnnw. Ond cyn breuddwydio gormod, byddai'n rhaid imi ennill sedd ar Gyngor Sir Aberteifi.

Yr aelod dros blwyfi Troedyraur, Llangunllo a Betws Ifan ar y pryd oedd Mr James, Aeron, Penrhiw-pâl: 'James Barclays' ar lafar gwlad, gan ei fod yntau'n gyn-fancwr ac wedi bod yn rheolwr ar gangen Castell-newydd Emlyn. Cyn gwneud y penderfyniad terfynol i'w wrthwynebu, bernais mai'r peth cwrtais fyddai mynd i'w weld, a holi ei farn ynghylch materion a oedd yn fy marn i, yn dra phwysig. Roeddwn i'n awyddus i'w holi'n arbennig am yr iaith Gymraeg ac addysg. Deuthum i'r casgliad nad oedd yn hanner digon cadarn ei farn ynglŷn â'r defnydd y dylid ei wneud o'r Gymraeg yn yr ysgolion. Dywedais wrtho y byddwn, yn ôl pob tebyg, yn sefyll yn ei erbyn am y sedd. Ar ôl cryn dipyn o bwyso a mesur, penderfynais mai sefyll a wnawn. Er fy mod yn dal yn newydd-ddyfodiad yn y sir, a bod angen i mi gryfhau fy musnes, credwn na fyddai'r Cyngor yn mynd â gormod o'm hamser am y tair blynedd nesaf os llwyddwn i gael fy ethol.

Erbyn hyn roeddwn yn weddol adnabyddus yn yr ardal fel 'Roberts Silcocks', yn sgil fy nghrwydradau i werthu cêc i ffermwyr y tri phlwyf. Gallai'r ffaith fy mod yn aelod o bwyllgor dewis tîm pêl-droed Rhydlewis ac yn mynychu'r dosbarth allanol yn neuadd y pentref, hefyd fod yn lles i'r achos. Ond a ddylwn i sefyll dan faner Plaid Cymru ai peidio? Ar y pryd roedd Gwynfor Evans yn aelod o Gyngor Sir Caerfyrddin ers tair blynedd yn enw'r Blaid. Gwnes ymholiadau ynglŷn â gwleidyddiaeth ar Gyngor Sir Ceredigion a chefais ar ddeall bod yr hanner cant o gynghorwyr ac un ar bymtheg o henaduriaid i gyd yn aelodau Annibynnol. Bernais mai'r peth doethaf oedd i minnau barchu'r traddodiad Annibynnol rhag bod yn wahanol i bawb arall. Fyddai hynny ddim yn fy rhwystro rhag gweithredu dros y gwerthoedd oedd yn bwysig i mi.

Mwynheais ganfasio yn fawr, a chael croeso'n gyffredinol. Daeth tri llanc i'm helpu yn y ffwrn dân, sef Jac Rees, Bryneirion, Ieuan Owen, Penffos a Thomas John James, Tremle. Bu'r tri yn gefn cadarn i mi ac fe 'sgubodd Jac ugeiniau o bobl i'r bythau pleidleisio ar ddydd yr etholiad. Cefais gymorth amryw o rai eraill i gludo pleidleiswyr ar y diwrnod, yn eu plith Oliver Davies a Delfryn James, dau asiant i Silcocks, ynghyd â John Morris Cefnmaesmawr ac amryw o'm cwsmeriaid eraill.

Yn gynnar ar fore'r etholiad mi alwais heibio rhyw chwech o bobl Rhydlewis, nad oeddwn wedi cael cyfle i'w canfasio cyn hynny. Yn eu plith roedd un o flaenoriaid Tŵr Gwyn, oedd yn cael ei adnabod yn y pentref fel Davies Ugain Wyneb. Daeth i'r drws a dechrau canmol fy ngwrthwynebydd, Mr James, i'r cymylau. Gan fy mod yn awyddus i fynd o gwmpas y gorsafoedd pleidleisio, doedd gen i ddim llawer o amser i ddal pen rheswm. Ond gwyddwn fod fy ngwrthwynebydd yn dweud ei fod yn anffyddiwr a bod y blaenor, wrth reswm, yn ffyddlon i foddion gras. 'Beth bynnag ddwedwch chi, Mr Davies, allwch chi ddim dweud fod Mr James yn gaffaeliad mawr i grefydd,' meddwn i. 'Efallai ei fod e'n colli dipyn bach fan yna,' cytunodd y blaenor, ond wn i ddim a gafodd hynny unrhyw ddylanwad ar ei bleidlais ai peidio.

Y Swyddog Etholiad gyda'r cyfrifoldeb am drefnu i gasglu'r blychau, trefnu'r cyfrif a chyhoeddi'r canlyniad, oedd ysgolfeistr Rhydlewis. Yn ystod y dydd dywedodd Davies, Siop Rhydlewis, oedd yn helpu'r Swyddog yn ei waith, ei fod yn credu mai fi oedd debycaf o ennill. Ateb y prifathro oedd, 'Bwrw mas *sitting member*? Dim ffiyrs!' Rhaid cofio mai Methodist o Gapel Tŵr Gwyn oedd yn siarad.

Daeth awr y prysur bwyso, gyda 427 o bleidleisiau i Roberts Silcocks a 324 i James Barclays. Yn naturiol roeddwn i ar ben fy nigon, ond eto'n teimlo rhyw gymaint o gydymdeimlad tuag at fy ngwrthwynebydd. Thomas Bryncelyn a dorrodd y newydd am y canlyniad i Margaret, oedd yn cysgu'n dawel gartref o flaen y tân. Doedd dim llawer o gwsg iddi hi na minnau am rai dyddiau wedyn, wrth i bobl alw o bell ac agos. Ac er nad oedden ni'n sylweddoli hynny ar y pryd, fyddai dim dianc am yn agos i ddeugain mlynedd arall rhag gofalon llywodraeth leol.

Doeddwn i ddim yn adnabod yr un enaid byw o blith aelodau Cyngor Sir Aberteifi cyn i mi gael fy ethol yn un ohonynt. Pan fynychais fy nghyfarfod cyntaf ym mis Ebrill, synhwyrwn fod amryw yn edrych arnaf braidd yn amheus, a doedd hynny'n ddim syndod. Onid oeddwn wedi bod yn helpu i sefydlu canghennau o Blaid Cymru yn ne'r sir yn ystod y chwe mis blaenorol, a hynny yng nghadarnle'r Blaid Ryddfrydol? Pwy oedd y llanc 33 oed a fentrodd i siambr lle'r oedd cyfartaledd oed yr aelodau yn 65? Cefais gyngor gan sawl un i beidio ag agor fy ngheg am flwyddyn, dim ond gwrando. Ufuddheais – am chwe wythnos. Ond pan glywais y Cynghorydd John John, oedd yn aelod o bwyllgor ymgynghorol bwrdd trydan MANWEB, yn defnyddio ffigurau hollol wallus mewn dadl ar drydaneiddio cefn gwlad, methais ag ymatal rhag bwrw i mewn i'r ddadl. Bwrdd Trydan De Cymru oedd yn gyfrifol am Droedyraur, a doedd gan yr un tŷ yn fy etholaeth i gyflenwad trydan cyhoeddus.

Canolbwyntiais gryn dipyn ar bwnc cael cyflenwad trydan i ardaloedd gwledig am y ddwy flynedd nesaf, a chafodd fy sylwadau gryn sylw yn y wasg. Yn 1954 fe gyhoeddwyd y cynllun mwyaf erioed yn hanes SWEB ar gyfer trydaneiddio ardaloedd gwledig. Roedd y cynllun yn cynnwys yr holl adeiladau yn fy etholaeth, ynghyd â llawer iawn o eiddo ar y ffin â Throedyraur. Mi ddysgais un wers bwysig o'r profiad hwnnw, sef bod dyfalbarhau yn talu ar ei ganfed, cyn belled â'ch bod chi'n sicr o'ch ffeithiau.

Daeth yn amlwg i mi o'r dechrau fod angen dybryd i godi statws yr iaith Gymraeg yn y byd addysg ac yng ngweithgareddau'r Cyngor ei hun. Yn anffodus, roedd y Cyngor yn cynnwys gormod o aelodau nad oedd ganddynt unrhyw frwdfrydedd dros y Gymraeg. Nid eu bod nhw o angenrheidrwydd yn elyniaethus i'r iaith, ond doedden nhw ddim yn gallu deall pam fod rhai ohonom mor danbaid o'i phlaid.

Yn Saesneg yr oedd holl gofnodion y Cyngor Sir, gan gynnwys y pwyllgor Addysg, yn cael eu cadw, mewn sir lle'r oedd y Gymraeg yn iaith gyntaf mwyafrif helaeth y boblogaeth. Sôn am dân ar fy nghroen! Ar ôl blwyddyn o dderbyn y cofnodion yn Saesneg, a'u trafod yn Gymraeg ym mhwyllgor cylch Llandysul, mi gefais ddigon. Cynigiais ein bod ni o hynny ymlaen yn cadw'n cofnodion yn Gymraeg. Pasiwyd y cynnig a chadarnhawyd y penderfyniad gan y Cyngor Sir.

Mae'n anodd credu erbyn hyn mai 'Aberayron' a 'Llandyssul' oedd yr enwau swyddogol a etifeddwyd pan es i ar y Cyngor Sir gyntaf yn 1952. Cofiaf yn dda y bore pan benderfynwyd ar ffurf gywir Aberaeron. Dywedodd y Clerc fod y Mesur Llywodraeth Leol a luniwyd ar ddiwedd y ganrif cynt yn cyfeirio at 'Aberayron'. Pan atgoffwyd y Pwyllgor fod afon Aeron wedi bod yn llifo i'r môr am filoedd o flynyddoedd cyn bod sôn am y fath beth â llywodraeth leol, cafwyd diwedd ar y ddadl.

Syndod mawr i mi hefyd oedd deall nad oedd y Gymraeg yn cael ei dysgu i bob disgybl yn y sir hyd at oedran gadael ysgol. Y drefn ar y pryd oedd bod pob plentyn yn dysgu Cymraeg fel pwnc hyd at bedair ar ddeg oed ac yna'n dewis rhwng Cymraeg a Ffrangeg, Cymraeg a Sbaeneg, neu Gymraeg ac Almaeneg, gan ddibynnu pa drydedd iaith a ddysgid yn yr ysgol. Roedd Saesneg yn orfodol i bob plentyn, ond nid y Gymraeg. Fel un oedd wedi'i eni a'i fagu yn Lloegr, ni allwn goelio fod yr iaith genedlaethol yn cael cyn lleied o barch yn y gyfundrefn addysg. Yn sgil fy ymyrraeth yn y ddadl ar ddysgu Cymraeg i bawb hyd oedran gadael ysgol, cefais fy rhoi ar yr Is-bwyllgor Iaith. Ac o fewn rhyw flwyddyn fe gafwyd y maen i'r wal, a daeth y Gymraeg hefyd yn orfodol i bob disgybl hyd at un ar bymtheg oed.

Un o'm cyd-aelodau ar yr Is-bwyllgor Iaith oedd J. T. Owen, Aberaeron, gŵr y byddai Margaret yn ei ganmol yn fawr fel athro Cymraeg a Hanes arni hi yn yr ysgol. Erbyn hyn roedd yn brifathro Ysgol Ramadeg Aberaeron. Ar ddiwedd un pwyllgor lle buom yn trafod dysgu pynciau trwy gyfrwng y Gymraeg, dyma J.T. yn dweud, 'Rwy'n gobeithio dechrau dysgu Ysgrythur drwy gyfrwng y Gymraeg y flwyddyn nesaf.' Allwn i ddim credu'r peth! Ysgol Gymraeg ei hiaith oedd Aberaeron, ac roeddwn wedi clywed cymaint o ganmoliaeth i J.T. gan un y parchwn gymaint ar ei barn. 'Brenin mawr, dach chi'n meddwl dweud wrtha i nad ydach chi wedi bod yn dysgu Ysgrythur, o bopeth, drwy gyfrwng y Gymraeg ers blynyddoedd?' oedd y geiriau a ddaeth o'm genau. Fe ddangosai hyn yr ofnusrwydd a'r diffyg hyder a fodolai ymhlith cynifer o Gymry a ddylai fod yn gwneud iawn am y camwri a wnaed â'n hiaith oddi ar Ddeddf Addysg 1870. Onid oeddwn wedi cael fy addysg fy hun ymysg llawer o fechgyn a gredai bod un Sais yn gyfwerth â deg Ffrancwr? Pa ryfedd fy mod yn methu deall taeogrwydd y Cymro yn ei wlad ei hun.

Roedd yna rai ar y Pwyllgor Addysg, wrth gwrs, a ymlafniai'n gyson bob amser dros y Gymraeg. Ymhlith y mwyaf amryddawn o'r rheini roedd Cassie Davies. Mawr yw'n dyled i Cassie am ei hymroddiad a'i chyfraniad enfawr i fywyd Cymru ar hyd ei hoes.

Gweithio'n ddistaw o fewn eu milltir sgwâr a wnâi eraill, gwneud y 'pethau bychain'. Un peth a wylltiai Llewelyn Bebb oedd gweld y geiriau *School Bus* ar bob bws ysgol. Dyn tawel, bonheddig oedd Llew, ond un a deimlai i'r byw ynglŷn â'r mater hwn. Iddo ef yn fwy na neb y mae'r diolch fod plant Ceredigion ers blynyddoedd maith bellach yn cael eu cludo i'r ysgolion uwchradd mewn BWS YSGOL.

Sylweddolais yn fuan mai camgymeriad fyddai i mi ganolbwyntio ar yr iaith mewn addysg, a hynny'n unig. Bernais mai'r ffordd orau i ennill hyder fy nghyd-aelodau oedd profi fy mod yn eang fy niddordebau, ac nad oedd fy mrwdfrydedd wedi ei gyfyngu i un pwnc. Wrth edrych yn ddiweddar ar rai o'r toriadau papurau newydd a gedwais trwy'r blynyddoedd, synnais fy mod wedi codi cymaint o bynciau dadleugar o fewn fy mlwyddyn gyntaf ar y Cyngor. Pob clod i'm cyd-gynghorwyr am eu hamynedd.

Roedd gen i ddiddordeb mewn gwaith dyngarol, ac mi ymdeflais i waith y Pwyllgor Plant a'r Pwyllgor Lles. Mrs G. C. Evans, Aberystwyth oedd cadeirydd y Pwyllgor Lles pan etholwyd fi i'r Cyngor. Ar ôl bod yn y gadair am ddwy flynedd, dywedodd Mrs Evans ei bod yn rhoi'r gorau iddi er mwyn i rywun arall gael cyfle i wneud y gwaith. Roeddem wedi cael gwybod ymlaen llaw fod hyn am ddigwydd, a gofynnwyd i mi a fyddwn yn barod i'm henw gael ei ystyried ar gyfer y swydd. Gwyddwn mai er mwyn cadw cynghorydd arall, Dic Ellis, allan o'r gadair yr oedd rhai am i mi ei llenwi, ac oherwydd fy niffyg profiad bernais mai'r peth doethaf oedd gwrthod. Roeddwn i'n dechrau ymgyfarwyddo â'r holl wleidydda cynllwyngar sy'n digwydd y tu ôl i'r llenni, hyd yn oed ar gynghorau 'anwleidyddol'. Bu crefu arnaf i ailystyried, ac yn y diwedd mi fodlonais i sefyll, a chefais fy ethol yn ddiwrthwynebiad. Dyma fi'n gadeirydd un o brif bwyllgorau Sir Aberteifi, a hynny ar ôl prin ddwy flynedd o wasanaeth.

Bu'r penodiad hwnnw, er mor annisgwyl, yn fodd i mi ledu ychydig ar fy ngorwelion. Pan âi'r sir i drafod unrhyw fater yn ymwneud â Lles, neu os byddai angen anfon dirprwyaeth at y Gweinidog Materion Cymreig, byddai disgwyl i'r cadeirydd fod yn bresennol.

Un o flaenoriaethau'r Pwyllgor Lles ar y pryd oedd ychwanegu at nifer y cartrefi henoed er mwyn diwallu'r angen cynyddol mewn sir oedd â'i phoblogaeth yn hŷn na'r cyffredin. Yn ystod fy nwy flynedd yn y gadair fe ddymchwelwyd yr Hen Dloty yn Llanbedr Pont Steffan, oedd yn cael ei ddefnyddio fel cartref henoed cwbl anaddas, a chodi cartref newydd sbon yn ei le. Prynodd y Cyngor blasty Falcondale, ar gyrion y dref, a'i ailwampio i'r un pwrpas. Un o'm dyletswyddau cyhoeddus cyntaf fel cadeirydd y Pwyllgor Lles oedd agor Falcondale yn swyddogol fel cartref henoed ar 8 Gorffennaf 1955.

Fy nghyfrifoldeb i hefyd oedd darparu te ar ôl y seremoni, ac fel un oedd bellach yn tyfu'n Gardi da, mi arbedais arian trwy fynd â'm llaeth fy hun yno, yn un o unedau godro Alfa Laval. Roedd y llanc o ddinas Lerpwl bellach yn dechrau datblygu fel ffarmwr – o fath!

FFERM A THEULU

Dim ond am flwyddyn y buom yn byw yn Rhydlewis ar ôl imi gael fy ethol ar y Cyngor. Wedyn fe ddaeth Synod Parc – fy nghartref presennol – yn wag, a dyma ninnau'n symud yno, i dŷ oedd wedi ei godi gan dad-cu Margaret yn 1885. Soniais eisoes fod Margaret a'i chwaer Llywela wedi etifeddu dau dŷ rhyngddyn nhw, Synod Parc a Chnwcypwrpas, yn ewyllys Anti Mari. Roedd 38 cyfer o dir ynghlwm wrth y ddau le, a daeth y chwiorydd i gytundeb i rannu'r eiddo yn 1953. Byddai Margaret yn dod yn berchen ar Synod Parc, gydag 19 cyfer o dir, a Chnwcypwrpas, gyda gweddill y tir, yn dod yn eiddo i Llywela. Dyna sut y bu i Margaret a finnau droi'n amaethwyr. Yn Synod Parc doedd dim ond lle i odro chwe buwch, ac roedd hynny'n hen ddigon i ddau nad oeddent erioed wedi godro o'r blaen. Godro â'n dwylo yr oedden ni am y flwyddyn gyntaf, ond ymhen blwyddyn fe ddaeth gwaredigaeth pan gyrhaeddodd y trydan, ac yn ei sgil yr Alfa Laval. Buom hefyd yn pori hanner cant o ddefaid ar dir Llywela, ac yn cadw ieir a phesgi moch yn Synod Parc.

Trwy'r blynyddoedd fe fuon ni'n ffodus iawn yn ein cymdogion, ac mae byw yn eu canol wedi bod yn bleser pur. Ond mae'n rhaid i mi enwi un yn arbennig, gan y byddai'n galw i'n gweld ni bob bore am fisoedd yn y dyddiau cynnar, i weld sut oedden ni'n bwrw mlaen gyda dirgelion y byd amaethyddol. Roedd Twm Jâms, Synod Ganol, a'i deulu mawr croesawgar, yn hynod garedig bob amser. Oni bai am Twm a'i arweiniad, byddai llawer o'n gweithgareddau wedi mynd yn draed moch llwyr. Ac mae sôn am draed moch yn fy atgoffa am dro trwstan.

Y drefn ar ein fferm fach ni oedd prynu perchyll fesul hanner cant yn y farchnad, a'u tewhau nes eu bod nhw'n barod i'w gwerthu fel porc. Margaret fyddai'n bwydo'r moch, a hi hefyd fyddai'n fy helpu i'w pwyso ar dafol bwrpasol i foch bacwn – tipyn o gamp ar adegau!

Roedd pobl yr ardal yn barod iawn i gynnig gwersi i'w cymdogion dibrofiad. Ond doeddwn i, rhaid cyfaddef, ddim llawn mor barod i wrando. Un cyngor oedd inni beidio byth â chymysgu dwy dorred o foch bach wrth eu tewhau. Ond, wrth gwrs, roedd y bachgen a godwyd yn y ddinas yn gwybod yn amgenach, ac aeth ati i gymysgu tair torred. Ar y dechrau roedd y teuluoedd cyfan yn byw'n gytûn, ac yn pesgi'n braf. Ond ymhen rhyw fis dyma naw o'r moch yn ymosod yn ffyrnig ar y degfed. Er gwaethaf pob ymdrech i achub ei fywyd, trigo fu hanes y mochyn.

Sut oeddwn i am guddio'r anffawd rhag y cymdogion oedd wedi'm rhybuddio rhag y fath drychineb? Rydw i'n gredwr cryf mewn ffawd, ac yn digwydd bod ar y diwrnod hwnnw roedd bachgen o'r enw Sydney May o Aberteifi, a weithiai i SWEB, yn torri twll ar ein tir ni i osod un o'r polion a fyddai'n dod â'r trydan i'r Synod. Edrychais ar y mochyn, edrychais ar y twll, ac es draw i gael gair â Syd. Ar ôl ei longyfarch ar grefftwaith y tyllu, esboniais beth oedd fy mhicil, ac awgrymais y byddai'n syniad da rhoi'r mochyn ar waelod y twll, a thaenu pridd drosto. 'Alla i byth â gwneud peth fel'ny,' meddai Syd yn bendant.

Dros y ffordd i'n tŷ ni roedd tafarn y Synod Inn, ac fe wyddwn fod Syd yn gwsmer ffyddlon yn y sefydliad hwnnw. Dyma fi'n rhyw led awgrymu efallai y gallen ni ddod i ddealltwriaeth, a dyma Syd yn gwegian. 'Peidiwch â becso,' meddai, 'dodwch y mochyn yn y twll ac fe osodwn ni bolyn ar ei ben e.' 'Peidiwch â dweud wrth neb,' rhybuddiais. 'Dim gair,' addunedodd Syd.

Ymhen pythefnos dyma benillion anhysbys yn cyrraedd trwy'r post:

Fe glywsoch gân y mochyn du,
Yr hen alarnad honno,
Am borcyn bach a aeth i'w dranc
A hiraeth llanc amdano.

Fe'i claddwyd, do, mae hynny'n wir,
Ond ble mae tir ei feddrod?
Does neb a ŵyr, a dweud yn blaen,
Ni chodwyd maen yn gofnod.

Ond dyma newydd da, bid siŵr,
I dwr o foch a hychod,
Pan gladdwyd mochyn Synod Parc
Rhowd marc ar fan ei feddrod.

Nid maen di-nod o ddeunydd gwael
O dan y dail a'r rwbel,
Ond colofn deilwng, fawr ei chost,
Parhaol bostyn uchel.

Y pensaer mawr a'i cododd hi
Oedd Sydney May a'i offer,
Fe roddodd Syd o'r diwedd stop
Ar gopïo Mr Gapper.

Dyw'r gofeb i Fictoria lew
Na chofeb siew Prins Albert
Yn ddim i'w canfod gwerth y chweil
Ger peilon mochyn Robert.

A bellach clywir sŵn y gloch
Yng ngwlad y moch a'r cibau,
Yn galw'u llwyth a'u hepil siawns
I ddawnsio gyda'r pibau,

A chanu clodydd Synod Parc
A thalu parch i'r porchell
A'u dysgodd sut i groesi'r ffin
Cyn profi min y gyllell.

Wel gorffwys bellach, fab y sgwlc,
Mae iti dwlc rhagorach,
A'r postyn coffa uwch y llawr
Fydd Mecca mawr dy linach.

Roedd y chwe blynedd y buom yn ffermio Synod Parc yn gyfnod prysur dros ben i Margaret a minnau. Cynyddu'n gyson wnâi galwadau'r Cyngor Sir, gan mor anodd oedd gwrthod derbyn her a chyfrifoldeb newydd pan ddeuai cyfle. Allwn i chwaith ddim esgeuluso fy ngwaith gyda Silcocks, oedd yn brif gynhaliaeth y teulu. Byddai wedi bod yn amhosib imi gyfrannu'r hyn a wnes i fywyd cyhoeddus heb gefnogaeth barod Margaret, nid ei bod hi'n dymuno cael unrhyw glod. Hi oedd fy meirniad llymaf pan oedd angen beirniadaeth, ac roedd gennyf barch mawr i'w barn gytbwys a synhwyrol. Yn sicr, ni chafodd yr un o'r plant eu hesgeuluso mewn unrhyw ffordd gan eu mam er gwaetha'i phrysurdeb.

Cyngor Sir neu beidio, Silcocks neu beidio, un peth a wnaethon ni trwy'r blynyddoedd oedd gofalu mynd ar wyliau fel teulu. Am flynyddoedd buom yn mynd i aros yn Aberdaron, a chael croeso mawr gan Mrs Hughes a'i theulu yng ngwesty Henfaes. Mae gen i gof clir hefyd am un gwyliau yn yr Alban, lle cawsom gwmni fy mam. Fel gwraig i forwr, roedd Mam wedi arfer crwydro cryn dipyn i gwrdd â llong fy nhad, yn enwedig yn ystod y Rhyfel Mawr. Gwn iddi fynd i Gasnewydd, Glasgow a Belffast yn y cyfnod hwnnw. Roedd ei hysfa grwydrol yn dal yn gryf gydol ei hoes, felly yn 1954 dyma'i gwahodd i ddod gyda ni am wyliau i'r Alban, ac roedd hithau'n falch o'r cyfle.

Roedd yn dipyn o siwrnai o Geredigion i Gaeredin cyn oes y traffyrdd, gyda dwy ferch fach mewn Morris Minor, er bod hwn yn Forus *overhead valve* yn hytrach na'r un *side valve* a'i rhagflaenodd. Yn ystod y gwyliau dywedodd Mam y byddai wrth ei bodd petai'n cael gweld Loch Lomond, ac yn naturiol mi gytunwyd i fynd â hi yno. Cyn dechrau'r daith roeddwn wedi astudio'r map, a phenderfynu bod yn rhaid i ni gael gweld y Trossachs ar ein ffordd i'r loch, yn hytrach na dilyn y priffyrdd mwy uniongyrchol trwy'r ardaloedd poblog yng nghyffiniau Glasgow. Roedd y ffordd fynyddig yn fwy troellog a maith nag oedden ni wedi sylweddoli, a chyn hir roedd y gyrrwr yn dechrau anesmwytho. Wedi'r cyfan, roedden ni i fod yn ôl yng Nghaeredin i gael pryd o fwyd am saith o'r gloch.

Margaret a ddarllenai'r map, ac erbyn i ni gyrraedd cyffiniau Loch Lomond roedd yn dechrau hwyrhau, y ffordd yn ddiddiwedd, y gyrrwr a'r teithwyr yn dechrau blino a'r amynedd yn brin. Aeth pethau'n waeth pan gyhoeddodd Margaret ei bod yn credu ein bod wedi mynd heibio'r tro am Loch Lomond. Edrychais innau ar y map a gweld ei bod hi'n iawn. Roedden ni ddeuddeg milltir y tu draw i'r lôn oedd yn arwain am y loch. Dyma fi'n troi'r cerbyd yn ôl yn fy nghynddaredd a rhuthro i gyfeiriad y llyn. Pan welais ehangder o ddŵr, arhosais. 'Dyna chi,' meddwn i wrth Mam, 'dacw fo Loch Lomond,' ac i ffwrdd â mi fel cath i gythraul yn ôl i gyfeiriad Caeredin, yn benderfynol o beidio colli fy swper. Yr hyn a'm cynddeiriogai fwyfwy oedd clywed sŵn chwerthin direol o sedd gefn y Morus. Ond fe lwyddwyd i gyrraedd Caeredin mewn pryd, ac roeddwn innau erbyn hynny'n gweld doniolwch y sefyllfa. Rhyw droeon trwstan fel yna sy'n gwneud gwyliau teuluol yn gofiadwy, ac yn dod â llawer o bleser a thestun chwerthin i bawb wrth edrych yn ôl.

Y daith honno i'r Alban oedd yr un olaf a gafodd Mam gyda ni fel teulu. Rhyw chwe wythnos cyn Nadolig 1954, es i Lerpwl i'w nôl er mwyn iddi gael treulio'r rhan fwyaf o'r gaeaf gyda ni. Mynnodd nad oedd hi am aros yn hir. Llwyddwyd i'w pherswadio i aros hyd ddiwedd Ionawr, ond ddim diwrnod yn hwy. Bu Margaret yn hynod o ffeind wrth Mam, a rhyfeddwn at ei hamynedd ar adegau.

Pan es i â Mam yn ôl i Lerpwl ar 1 Chwefror, roedd yn ddiwrnod braf tu hwnt. Ond yn sydyn fe drodd y tywydd yn llym a doedd Mam ddim yn dda o gwbl; yn wir, âi o ddrwg i waeth. Bu Margaret yn teithio'n ôl ac ymlaen i Lerpwl gymaint ag y gallai, a hithau'n fam i ddwy ferch fach. Cyrhaeddodd Anti Jessie o Goedybryn am gyfnod byr a deuai Anti Vi, chwaer Mam, draw yn gyson o Fanceinion pan oedd gwir angen. Pan aeth hi'n rhy wael i'r teulu ymdopi daeth ei brawd ifancaf, Yncl Albert, draw i fynd â hi i Ysbyty Lourdes yn Greenbank Road. Lleianod oedd yn gofalu amdani. Es i'w gweld ar ddydd Sul, 17 Ebrill, a dyna pryd y gwelais fy hen ffrind Geoff yn dod allan o'r Lourdes ar ôl talu ymweliad â Mam. Ddau ddiwrnod yn ddiweddarach fe gafodd Mam drawiad trwm ar ei chalon. Bu farw ar 19 Ebrill ac fe'i claddwyd yn Llanfairisgaer bedwar diwrnod yn ddiweddarach. Mam, na chafodd neb ei gwell, yn fwyn ei hysbryd a pharod ei chymwynas i bob achos da. Nid ofnodd angau erioed.

Daeth ein cyfnod yn Synod Parc i ben – am y tro – yn 1958, nid am ein bod yn dymuno gadael ond oherwydd amgylchiadau y tu allan i'n haelwyd ni. Roedd Anti Peg ac Wncwl Dafi, y cwpl oedd wedi magu Margaret a Llywela ar ôl marwolaeth eu rhieni, yn byw yng Nghrud-yr-awel, tŷ oedd wedi ei godi gan y teulu ar dir Synod Parc. Roedd yn lle delfrydol i sefydlu busnes, ar y sgwâr lle mae'r briffordd rhwng Aberaeron ac Aberteifi yn cwrdd â'r ffordd i Landysul a Chaerfyrddin ar y naill law ac i gyfeiriad y môr a'r Cei Newydd ar y llall. Er mai sadler oedd Wncwl Dafi wrth ei grefft, fe benderfynodd y ddau arallgyfeirio gan sefydlu gorsaf betrol brysur, swyddfa bost a siop, a hyd yn oed swyddfa gyflogi lle byddai pobl ddi-waith Cei Newydd a'r ardal yn dod i arwyddo'u papurau dôl.

Ond erbyn diwedd y pumdegau roedd Anti Peg ac Wncwl Dafi wedi penderfynu eu bod nhw wedi cael digon, ac yn barod i ymddeol. Gan fod Llywela, fy chwaer-yng-nghyfraith, wedi bod gyda nhw drwy'r blynyddoedd, roedden ni i gyd wedi cymryd yn ganiataol mai hi fyddai'n cymryd drosodd. Ond na, roedd Llywela wedi penderfynu cychwyn ar yrfa newydd yn y gwasanaethau cymdeithasol. Ar ôl clywed hynny roedd Anti Peg yn dechrau gwaelu a cholli pwysau. Roedden ni'n ei gweld hi'n dihoeni o flaen ein llygaid. Ond un diwrnod dyma Margaret yn dweud, 'Dwi ddim yn credu bod dim byd yn bod ar Anti Peg. Ddim am adael Crud-yr-awel mae hi.' Roeddwn innau'n credu'r un peth. Roedd y teulu'n bwysig iawn iddyn nhw, rhywbeth yr oeddwn innau'n ei barchu, ac roedd yn gas ganddi feddwl am bobl ddieithr yn byw yng Nghrud-yr-awel. Bu Margaret a finnau'n trafod y peth, a dyma benderfynu mynd i weld Anti Peg a chynnig iddi y bydden ni'n symud i Grud-yr awel a gofalu am y busnes. O'r eiliad honno mi wellodd Anti Peg ac adennill pwysau. Yn y meddwl yr oedd y cyfan. Felly dyma symud i mewn, ychwanegu darn at yr adeilad a sefydlu caffi a siop grefftau at y busnes oedd yno eisoes. Rhwng hynny a'm gwaith innau gyda Silcocks, roedd hwn yn ddechrau ar gyfnod prysur iawn yn ein hanes. Ond unwaith eto roedd llawer o'r baich yn disgyn ar ysgwyddau Margaret, wrth i mi dreulio mwy a mwy o amser yng ngwaith y cyngor sir a'r cyfrifoldebau eraill a ddeuai yn ei sgil.

BRWYDRAU A CHYMERIADAU

Yng ngolwg llawer o bobl, hwyrach nad yw swyddfeydd a siambrau a phwyllgorau cynghorau lleol yn cael eu hystyried ymhlith y llefydd mwyaf diddorol i dreulio'ch amser. Mae'r ddelwedd gyffredin o lefydd diflas a di-liw yn gwneud cam dirfawr â hen Gyngor Sir Aberteifi. Roedd y cyngor hwnnw'n frith o gymeriadau gwreiddiol a dadleugar na welwn eu tebyg bellach, rwy'n ofni, mewn llywodraeth leol. Hanner cant o gynghorwyr ac 16 o henaduriaid oedd ar y Cyngor, gydag etholiadau'n cael eu cynnal bob tair blynedd. Yr aelodau hiraf eu gwasanaeth di-fwlch fyddai'n cael eu dyrchafu'n henaduriaid – chwech o ogledd y sir a chwech o'r de. Byddai henaduriaid yn gwasanaethu am chwe blynedd, ac yna'n gorfod sefyll etholiad os oedden nhw am barhau ar y Cyngor. Yn rhai o'r siroedd eraill byddai swydd henadur yn parhau am oes heb etholiad byth wedyn.

Doedd un o gymeriadau mwyaf lliwgar Cyngor Sir Aberteifi ddim yn gynghorydd nac yn henadur. Swyddog Lles y sir oedd Carellio Morgan, ac os bu swyddog erioed yn haeddu'r ansoddair 'unigryw', Carellio oedd hwnnw. Roedd Carellio'n fardd gwlad a enillodd ugeiniau, os nad cannoedd, o gadeiriau mewn eisteddfodau lleol. Roedd hefyd yn dderwydd ffyddlon na fyddai byth yn colli seremoni'r derwyddon yng Nghôr y Cewri bob mis Mehefin. Ond doedd ei bresenoldeb yn ei waith yn gynharach yn y flwyddyn ddim mor ddeddfol. Byddai'r adran yn dechrau paratoi'r gyllideb les am y flwyddyn ganlynol ryw ddeufis cyn i'r flwyddyn ariannol newydd ddechrau yn Ebrill. Bron yn ddi-feth, byddai Carellio'n cwyno am ryw anhwylder neu'i gilydd yn ystod misoedd Chwefror a Mawrth. Yn ystod fy nwy flynedd yn gadeirydd y Pwyllgor Lles byddwn yn delio llawer â Carellio, ac fe'i cefais yn ddyn dymunol iawn.

Roedd stori ar led ei fod unwaith wedi bygwth Trysorydd y Sir, Mr Greenwood, gyda dryll. Wn i ddim faint o sail sydd i'r stori, ond fe barhaodd yn ei swydd fel Swyddog Lles am flynyddoedd ar ôl y digwyddiad honedig hwnnw.

Brenin digamsyniol Ceredigion yn y cyfnod hwnnw oedd yr Henadur Meredydd Llewellyn Gwarnant Williams. Roedd ganddo'i ddilynwyr pybyr, ac fe ymladdai'n ffyrnig dros yr hyn a fynnai. Credaf i mi ei wrthwynebu'n amlach na neb arall ar y Cyngor Sir, ac eto mi lwyddais i gydweithio'n ddigon hapus gyda'r aelod oedd wedi ei ethol gyntaf ar y Cyngor yn y flwyddyn y cefais i fy ngeni. Roedd ganddo feddwl miniog a threiddgar, er y byddai'n cyfeiliorni weithiau. Enghraifft o hynny oedd ymgais gan ddau neu dri o aelodau hynaf y Cyngor i basio cynnig o ddiffyg hyder ym Mhensaer y Sir, George Bruce, gyda Meredydd ar flaen y gad. Bu dadlau brwd, ond pan rifwyd y pleidleisiau dim ond chwech oedd o blaid diswyddo Bruce, gyda gweddill y Cyngor yn datgan eu ffydd ynddo.

Yn 1961 fe etholwyd John Leighton Davies, gyda mwyafrif o 29 pleidlais, i gynrychioli Llandysul ar y Cyngor yn lle Edward Lewis o Wasg Gomer. Roedd colli'r etholiad yn siom bersonol aruthrol i Edward Lewis, ac roedd y Cyngor hefyd ar ei golled heb ei farn gadarn a chytbwys. Petai wedi cadw'i sedd byddai wedi dod yn gadeirydd y Cyngor Sir yn 1961/62, ac roedd pawb ohonom yn teimlo'n arw drosto. Mi wyddwn, dan yr amgylchiadau, fod Meredydd Williams yn cael ei ystyried am ail dymor yn y gadair. Yng Ngheredigion doedd dim rheidrwydd arnoch i fod yn aelod o'r Cyngor Sir i fod yn gadeirydd. Gallai'r Cyngor ethol y sawl a fynnai. Un bore fe alwodd yr annwyl Ben Thomas, yr aelod dros Landysiliogogo, i'm gweld, gan awgrymu y byddai modd i ni ethol Edward Lewis i'r gadair er ei fod wedi colli'r etholiad. Dywedais wrtho fod Meredydd Williams yn debygol o gael ei gynnig am y gadair. 'Rwyf wedi siarad â Meredydd ac mae e'n dweud na wnaiff e sefyll yn ffordd Edward,' meddai Ben Thomas. Gofynnodd imi a fuaswn i'n barod i gynnig Edward Lewis. Cytunais innau.

Yr arfer oedd enwebu'r cadeirydd o dde a gogledd y sir bob yn ail flwyddyn, a hynny yn yr is-bwyllgorau priffyrdd priodol. Pan gyfarfu is-bwyllgor ffyrdd y de fe ofynnodd y cadeirydd am enwebiadau, a chyn i mi gael cyfle i godi roedd rhywun wedi cynnig yr Henadur Meredydd Williams a rhywun arall wedi ei eilio. Nid dyna'r ymateb a ddisgwyliwn. Holodd y cadeirydd a oeddem am enwebu rhywun arall. Teimlwn mewn tipyn o gyfyng gyngor. Er fy mod yn edmygu Edward Lewis, roedd o leiaf ddau aelod yn bresennol oedd yn gyd-Ryddfrydwyr, yn Seiri Rhyddion ac yn ynadon, ac yn hynod gyfeillgar gydag Edward Lewis. Arhosais i un o'r rheini ei gynnig, ond gan na chododd yr un ohonyn nhw, mi godais i a chynnig Edward Lewis i'r gadair. Ar hynny fe gododd Meredydd a dweud, 'I refuse to let my name go forward against a defeated member.' Felly dyma ni'n pleidleisio ar Edward Lewis yn unig, a chael deuddeg pleidlais o'i blaid a deuddeg yn erbyn. Er bod gan y cadeirydd bleidlais ychwanegol mi godais ar unwaith i dynnu enw Edward Lewis yn ôl, gan ddweud fy mod yn ei adnabod yn ddigon da i wybod na fyddai am dderbyn y swydd os na fyddai wedi llwyddo i ennill pleidlais mwyafrif y Cyngor. Felly fe ddaeth Meredydd Williams yn gadeirydd y Cyngor unwaith eto.

Fu dim llawer o Gymraeg rhwng Meredydd Williams a minnau am naw mis wedi'r digwyddiad hwnnw. Ar ôl un o gyfarfodydd llywodraethwyr Ysgol Ramadeg Llandysul y daeth cymod rhyngom. Roedd yn arllwys y glaw pan ddaethom o'r cyfarfod, a gofynnais i Meredydd ddod i mewn i'r car gyda mi i drafod ein hanghydfod. Gofynnais iddo pam ei fod wedi gwrthwynebu Edward Lewis, ac yntau wedi addo i Ben Thomas na fyddai'n sefyll yn ei ffordd; atebodd nad oedd erioed wedi rhoi caniatâd i'w enw fynd ymlaen. Rhywun arall, felly, oedd wedi cynnig Meredydd i'r swydd er mwyn gofalu na chawsai Edward Lewis fwyafrif ymysg aelodau De Ceredigion. Dyna enghraifft arall o'r ystrywiau a fyddai'n digwydd o bryd i'w gilydd yng ngwleidyddiaeth fewnol y Cyngor Sir.

Yn 1955 mi sefais eilwaith am sedd ar y Cyngor, ond y tro

hwn ddaeth yr un gwrthwynebydd i'r maes. Roedd Meredydd Williams ar y pryd yn un o bedwar cynrychiolydd Sir Aberteifi ar Gymdeithas Cynghorau Sir Cymru a Lloegr (CCA) ac ar Bwyllgor Siroedd Cymru (PSC). Anaml iawn y byddai Meredydd yn mynychu cyfarfodydd y naill gorff na'r llall, ond byddai'n gofyn i mi fynd fel dirprwy iddo ar Bwyllgor Siroedd Cymru, a hynny am sawl blwyddyn cyn i minnau ddod yn aelod o'r ddau gorff. Byddai Pwyllgor Siroedd Cymru'n cyfarfod yn aml yn Amwythig dros y ffin, oedd yn dweud cyfrolau am gyflwr y ffyrdd a'r rheilffyrdd o fewn ein gwlad. Mewn un cyfarfod, a minnau wedi mynegi fy marn yn eithaf pendant ar ryw bwnc, fe'm synnwyd braidd o glywed llais o'r tu ôl imi yn anghytuno yr un mor gadarn. Aeth yn dipyn o ddadl rhyngom, ac ar y diwedd mi ofynnais pwy oedd wedi codi llais yn fy erbyn. Dyna oedd fy mhrofiad cyntaf o ddelio â Llewellyn Heycock, a fu'n gadeirydd Pwyllgor Addysg Morgannwg am flynyddoedd maith ac yn un o'r bobl mwyaf grymus mewn llywodraeth leol yng Nghymru. Gyrrwr trên oedd Llew o ran ei alwedigaeth, ond mewn gwirionedd fe dreuliai ei holl fywyd mewn gwasanaeth cyhoeddus. Dywedodd wrthyf unwaith ei fod o'r un achau â Philip Jones a Jubilee Young, dau o hoelion wyth y pulpud. Un o hoelion wyth y Blaid Lafur oedd yr Arglwydd Haycock o Dai Bach, a bu'n arloeswr cadarn ym myd addysg Gymraeg ym Morgannwg. Go brin y byddai Ysgol Rhydfelen, lle'r oedd dwy o'm hwyresau i gael eu haddysg, erioed wedi dod i fodolaeth heb arweiniad penderfynol Llew Heycock.

Cafodd Meredydd Williams un profiad creulon yn y chwe degau. Cyhoeddwyd ei enw fel darpar Uchel Siryf Sir Aberteifi, ddwy flynedd cyn y dyddiad penodi ar gyfer y swydd, ac ailadroddwyd y cyhoeddiad o fewn rhyw flwyddyn i'r penodiad. Lai na mis cyn y penodiad fe ddiflannodd ei enw oddi ar y rhestr, a dewiswyd rhywun arall yn ei le. Yn amlwg roedd rhywun o ddylanwad wedi dwyn perswâd ar swyddfa'r Cyfrin Gyngor i ddileu enw Meredydd Williams. Pam na ellid bod wedi gwneud hynny ddwy flynedd, neu flwyddyn, ynghynt? Yn un peth, roedd Meredydd Williams wedi prynu gwisg ddrudfawr ar gyfer swydd yr Uchel Siryf.

Digwyddiad a achosodd gryn dipyn o benbleth i Eric Carson, Clerc y Sir, oedd hwnnw pan gyhuddwyd yr Henadur Evan Lewis o gamddefnyddio'i awdurdod fel aelod. Roedd hyn wedi i Benny Price, aelod oedd yn berchen garej, ennill contract i gyflenwi ambiwlans newydd i'r sir, a hynny sawl gwaith yn olynol. Y broblem oedd fod y ddau aelod yn adnabod ei gilydd yn dda. Am flynyddoedd ar ôl y rhyfel, pan oedd hi'n anodd i neb gael gafael ar gar newydd i'w brynu, byddai Evan Lewis yn llwyddo i newid ei gar bob blwyddyn ym modurdy Benny Price. Sgrifennodd rhywun yn ddienw at y Clerc i achwyn, gan haeru fod Evan Lewis yn defnyddio'i ddylanwad ar y Cyngor er mwyn sicrhau'r contract ambiwlans i Benny Price, ac mai yn sgil hynny y câi Evan Lewis ei gerbyd newydd yn flynyddol. Mynnai Meredydd Williams gael gwybod pwy oedd wedi sgrifennu'r llythyr. Gwrthod datgelu hynny wnaeth Eric Carson, gan ddweud, 'I have a duty to the Council as a whole. I am not here to serve any clique, grouping, party or cabal, but the inerests of the whole membership of the County Council.' O gofio am foneddigeiddrwydd naturiol Eric Carson, gellir dychmygu'r effaith drydanol a gafodd hyn ar y Cyngor. Fu dim rhagor o holi ar y Clerc.

Roedd J. E. R. Carson wedi ei fagu yng Ngheredigion ond wedi bwrw'i brentisiaeth fel cyfreithiwr mewn llywodraeth leol yn West Hartlepool. Fe'i penodwyd yn Glerc Ceredigion ym 1949. Bu'n Glerc delfrydol i'w sir, yn alluog, diymffrost, doeth ei gyngor a chwbl ddidwyll ei natur. Gallai ddangos cryfder cymeriad anghyffredin wrth lynu at ei ddyletswydd i fod yn Glerc diduedd.

Dim ond am ddwy flynedd y cefais gwmni Josiah Jones yr arwerthwr ar y Cyngor Sir. Fel llawer i ddyn cefnog, gofalai Josiah Jones ar ôl ei geiniogau. Pan fyddai pwyllgor yr henoed yn cyfarfod yn yr hen dloty yn Llanbed, roedd yn arferiad inni gael pryd bach ysgafn ganol dydd cyn ailgydio yn y busnes.

Swllt a chwech (7c heddiw) fyddai'r tâl am y bwyd. Ond gofalai Josiah Jones ddod â'i frechdanau ei hun i'w bwyta yn ei gar. Yn ei ewyllys fe adawodd £141,000, a hynny yn 1954.

Ei gyfraniad mwyaf cofiadwy i weithgareddau'r Cyngor Sir oedd ei gyngor i Saeson oedd yn anghytuno â'r ffordd yr oedd y Cymry'n gwneud pethau. A'i ddwy law yn ddwfn ym mhocedi ei drowsus, dyma fe'n codi i ddweud, 'If they don't like it, they can go back to the other side of Offa's Dyke'. Gallwn ddychmygu'r ymateb gan wleidyddion petai cynghorydd yn dweud peth felly heddiw!

Tro doniol a ddaw i'r cof yw ymyrraeth Morgan Davies, Pont Lanio, mewn dadl ynglŷn â chau un o'r ysgolion bach yn ei etholaeth. Hen lanc oedd Morgan, ac yn Galfin i'r carn. Ar ôl ymbil yn daer ar y Pwyllgor Addysg i beidio â chau'r ysgol oherwydd bod nifer y disgyblion wedi disgyn i lai na deg, gorffennodd ei lith gyda pherorasiwn taer: 'I beg of you, Mr Chairman, not to close this school. Keep it open for another two years and I guarantee to double the school population.' Chwarddodd y pwyllgor yn ddilywodraeth ac eisteddodd Morgan Davies i lawr a'i wyneb yn fflamgoch, heb sylweddoli arwyddocâd yr hyn oedd wedi ei ddweud. Ond ni wnaed unrhyw benderfyniad y diwrnod hwnnw i gau'r ysgol.

Cymeriad a hanner hefyd oedd Dic Ellis, neu'r Henadur R. J. Ellis i roi iddo ei deitl llawn. Dyma'r dyn yr oedd rhywun yn awyddus i'w gadw o gadeiryddiaeth y Pwyllgor Lles pan gefais i fy swydd gyntaf o fewn y Cyngor. Plymwr oedd Dic o ran ei grefft, ac fe weithiai'n aml yng Ngholeg Prifysgol Cymru, Aberystwyth. Adroddir stori amdano'n gweiddi ar bennaeth y sefydliad hwnnw, gan amneidio gyda'i law i gymell y prifathro i ddod at y plymwr yn hytrach na bod y plymwr yn mynd at y prifathro. Hawdd y gallaf goelio hyn o adnabod y dyn. Trwy gyd-ddigwyddiad rhyfedd, roedd Dic yn gefnder o waed coch cyfan i Taffy Ellis, yr athro a ofalodd bod fy nhrywsus yn dynn pan dderbyniais y gansen gan brifathro'r Institute flynyddoedd ynghynt.

Cyngor Cymdeithas Troed-yr-aur.

Cyngor Cymdeithas Betws Ifan.

Aelodau Cyngor Sir Dyfed 1974.

Yr ysgol a fynychais am 25 tymor, ond 'The Liverpool Institute of Performing Arts' erbyn heddiw, a sefydlwyd gan Sir Paul McCartney (cyn-ddisgybl).

Capel Chatham St., Lerpwl.

Geoff Smerdon.

Gethin Bennett, Cadeirydd olaf Dyfed a Mrs Bennet. Hywel Heulyn Roberts, Cadeirydd cyntaf Dyfed a Margaret Roberts.

16 Medi, 2000.

Cofeb Nain Jones, y Felinheli.

Rhian Heulyn tua 1991.

Gwen 1994.

Uchel Siryf Dyfed, 1982-83.

2004.

Swyddogion Brynrhiwgaled.

Ysgol Sul y Bryn, 1994.

Dug a Duges Caerloyw. Abbaty Westminster 1989.
Myfi sy'n cludo baner yr A.C.L. yn Abbaty Westminster
(yn dathlu canmlwyddiant y gymdeithas).

Y cyn-Prif Weinidog, y Gwir Anrhydeddus Edward Heath, yn ymweld â Chanolfan Chwaraeon Cymru gyda Harry Llewellyn.

Cyn-gadeiryddion Dyfed ynghyd â'r Cadeirydd ac Is-gadeirydd 1988-89.

Cyngor Cymdeithas Llandygwydd.

Canmlwyddiant Brynrhiwgaled 1994.

Mrs Kathryn Thomas yn cyflwyno tusw o flodau i Margaret ar derfyn perfformiad Canmlwyddiant Capel Brynrhiwgaled, 1994.

Ar gyfeiliorn!

Hans a minnau yn Hampton Lovett.

Meinir, Rhian a Mair Heulyn yn sgwar Trafalgar.

Mair a Glyn Heulyn ar Injan Joe Williams, Pwllgrafel.

Ymlacio gartre yn yr ardd.

Meinir, Glyn, Rhian a Mair, 1993.

Betsan, Ifan, Geraint, Sara, Gwen, Owen, Branwen – saith ŵyr.

Y ddau frawd.

Margaret a Llywela.

Priodas Aur, 1994.

Y gang.

Taith Cerddwyr *Y Gambo*, Cwmtydu, 1990.

Penarth. Haf 2000 neu 2001.

Gwendid mawr Dic Ellis oedd ei fod yn mynnu tra-arglwyddiaethu dros staff y Cyngor Sir. Gan ei fod yn byw yn Aberystwyth, hawdd iawn oedd taro i mewn i Swyddfa'r Sir yn y dref, ac oherwydd ei natur byddai'n codi ofn ar lawer o'r staff. Fel ei gefnder, roedd gan Dic dymer wyllt. Yn Aberaeron y byddai'r Cyngor a'i bwyllgorau'n cyfarfod fel arfer, ond ambell waith byddai pwyllgor yn cael ei gynnal yn Aberystwyth. Erbyn dechrau'r saithdegau roedd gan y Cyngor drysorydd newydd o'r enw Ted Carrott, gŵr a allai fod yn gymysgedd o Jekyll a Hyde. Wrth siarad ag ef yn unigol, ni allech ddod o hyd i neb mwy addfwyn, tawel a digyffro, ond o'i roi mewn pwyllgor gallech daeru i'r gŵr drwg ei feddiannu. Cofiaf un tro, yn y Pwyllgor Cyllid, iddo godi a dweud wrth Meredydd Williams, o bawb, 'You can't do that!' Doedd yr un aelod, heb sôn am swyddog, yn cael siarad felly wrth Meredydd Williams.

Oherwydd natur Dic Ellis a Ted Carrott, roedd gwrthdaro rhwng y ddau yn anochel. Yn fy myw ni allaf ddwyn i gof yr hyn oedd yn cael ei drafod mewn un cyfarfod, ond gwn mai fi oedd yn y gadair, a bod yr Henadur Ellis wedi cael triniaeth feddygol ychydig amser cyn hynny. Roeddwn i newydd wneud rhyw gyfeiriad at erthygl ym mhapur newydd yr *Observer* pan ddechreuodd Dic ein hannerch. Aeth Dic ati i ganmol yr *Observer*, gan ddweud y byddai'n arfer ei dderbyn yn ffosydd Ffrainc yn ystod y Rhyfel Mawr. Aeth ymlaen i ddweud ei fod wedi gweld Mr Isaac, y llawfeddyg, pan oedd ar ei ffordd i'r theatr i gael ei driniaeth, a bod y meddyg wedi dweud wrtho, 'I saw your name in the paper, speaking on an educational matter.' Chafodd R. J. Ellis ddim cyfle i ddweud rhagor, gan i Carrott dorri ar ei draws a dweud, 'Cor, you must have been dreaming!' O wybod am dymer Dic, gallwn ddychmygu Ted Carrott yn gelain o fy mlaen. Cyn imi sylweddoli, roedd y geiriau 'Uffern dân' wedi croesi fy ngwefusau, ac Eric Carson, na chlywais lw na rheg o'i enau na chynt na chwedyn, yn ymbil ar ei Waredwr. Gallech glywed pìn yn disgyn yn y saib a ddilynodd osodiad y trysorydd. Gofynnodd Dic, 'What did you say?' ac ailadroddodd

Carrott ei eiriau. Edrychodd yr Henadur R. J. Ellis yn fileinig arno am eiliad, ac yna fe ddechreuodd chwerthin, er mawr ryddhad i ni oll. Ar ôl y cyfarfod gofynnais i Ted Carrott beth yn y byd mawr oedd wedi dod drosto i ddweud y fath beth. Ei ateb, hollol ddiniwed, oedd ei fod wedi credu bod Mr Ellis o dan effaith yr anaesthetig pan gwrddodd â'r meddyg ar ei ffordd i'r theatr.

Ymladdodd Dic Ellis am sedd ar Gyngor Dyfed adeg ad-drefnu llywodraeth leol yn 1973, ac yntau'n 84 oed. Barn fy nghyd-aelodau oedd iddo fod yn ffodus mai colli fu ei hanes. Fuasai Dic byth wedi cael ei draed tano ar Gyngor Dyfed.

Fe gollodd Ted Carrott ei wraig pan oedd hi tua thrigain oed. Yn fuan wedyn bu'n hysbysebu am ail wraig. Druan â Carrott, roedd ganddo lai o wallt ar ei ben nag sydd gen i heddiw. Felly prynodd wìg. Yn anffodus, byddai'r wìg yn symud bob tro y byddai Carrott yn crafu'i ben wrth feddwl am ateb i gwestiwn mewn pwyllgor. Sut bynnag am hynny, fe ddenodd yr hysbyseb saith o ymgeiswragedd i'w sylw, ac fe briododd un ohonynt. Yn y brecwast priodas, pan ddaeth tro'r priodfab i siarad, fe gyhoeddodd: 'I had seven on appro and here's the winner'.

Pan oedd Mr Greenwood yn drysorydd y sir bu'n ffodus dros ben i gael Dic Jones yn ddirprwy iddo. Dic Jones a wnâi'r gwaith, a Greenwood a gâi'r clod. Dic i bob pwrpas fyddai'n paratoi holl waith y gyllideb a'i chyflwyno i'r cyngor sir. Cafodd yr enw o fod yn gybyddlyd gyda'i arian ei hun, ac os oedd hynny'n wir, roedd hefyd yr un mor ofalus wrth drafod eiddo'r Sir. Edrychai yn llygad pob ceiniog a bu'n swyddog hynod ymroddgar a darbodus.

Bu'n rhaid i Dic Jones ymddeol yn gynnar o'i waith oherwydd cyflwr ei iechyd. Un o Abertawe oedd o, ac yn gwbl ddi-Gymraeg. 'Alan' oedd Llyfrgellydd egnïol y Sir, Alun R. Edwards, iddo'n ddi-feth. 'Alan' neu beidio, fe gâi Alun y maen i'r wal bob tro pan ddeuai'n fater o drafod cyllideb y Llyfrgell.

O gofio fy nghefndir bancio, roedd yn naturiol fod gen i ddiddordeb mawr yn y Pwyllgor Cyllid ac Amcanion

Cyffredinol. Roedd y pwyllgor hwnnw'n allweddol i holl weithgareddau'r Cyngor Sir, ac o ganlyniad fe benderfynwyd y dylai pob aelod o'r Cyngor fod ar y Pwyllgor Cyllid. Bûm yn is-gadeirydd Cyllid am sawl blwyddyn cyn i mi olynu'r Henadur D. Rees Morgan fel cadeirydd yn 1963. Roeddwn yn dal yn y gadair pan ddaeth oes Cyngor Sir Aberteifi i ben yn 1974.

Yn gam neu'n gymwys, roedd gan y Cadeirydd Cyllid gryn ddylanwad pan ddeuai'n fater o wariant o fewn y sir, a bu hyn o gymorth mawr i mi wrth hyrwyddo achosion oedd yn agos at fy nghalon. Cyn i Sir Aberteifi ddirwyn i ben, fe waethygodd iechyd y Trysorydd, Richard Jones. Pan nad oedd yn gallu bod yn bresennol i gyflwyno'r gyllideb, ar ei gadeirydd y syrthiai'r fantell. Golygai hyn annerch y Cyngor Sir am awr gyfan, wrth gyflwyno'r manylion. Gan fy mod yn cael cymaint o fwynhad yn y gwaith, doedd ymwneud â'r phroblemau ariannol ddim yn faich. Yn sicr roedd y profiad a gefais yn y banc yn brentisiaeth ardderchog ar gyfer ymdrin â miliynau'r Cyngor Sir.

Yn Llundain y bydden ni'n cyfarfod â'n broceriaid ariannol fel arfer, ond ambell waith fe fydden nhw'n ymweld â Cheredigion. Un tro, a ninnau'n cael cinio yn yr Hafod, Pontarfynach, eisteddais ar bwys Jocelyn Abel-Smith, partner yng nghwmni'n broceriaid, de Zoote & Gorton. Un o hen ddisgyblion Eton oedd hwn, ond yn gwmni digon difyr. Ar y pryd roedd Michael Foot newydd olynu Aneurin Bevan fel Aelod Seneddol Glyn Ebwy. 'Michael Foot's a funny chap,' meddai Abel-Smith. Yna aeth ymlaen i egluro ei fod ef a'i wraig newydd fod yn aros yn yr un gwesty â'r Foots yn ystod gwyliau ym Marrakech. Bu'r ddau deulu yno am dair wythnos gyda'i gilydd a dod yn eithaf cyfeillgar. Ar ôl hedfan adref ar yr un awyren dyma drefnu iddyn nhw gyfarfod rywbryd eto. Yn fuan wedyn gwahoddodd Abel-Smith ei gydymaith newydd i'w dŷ am bryd o fwyd, ond ddaeth dim ateb. Ymhen amser fe ddigwyddodd y ddau daro ar ei gilydd a gofynnodd Abel-Smith, yr hen Etoniad, a oedd y gwahoddiad wedi cyrraedd. 'Look,' meddai Foot, y sosialydd tanbaid, 'it's all very well for us to be friendly in Marrakech but I can't afford to know you in London!'

Roedd cadeiryddiaeth y Pwyllgor Cyllid yn dod ag ambell gyfle i weithio dros y Gymraeg mewn gwahanol feysydd. Buom yn tystiolaethu o flaen Ymchwiliad Bowen ar arwyddion ffyrdd dwyieithog yng Nghymru, ac rwy'n falch o ddweud i Sir Aberteifi arwain ar y mater hwnnw. Chwarae teg i Sir Gaerfyrddin, doedden nhw ddim ymhell ar ein holau.

Un peth a ystyriwn yn dyngedfennol oedd sefydlu ysgol uwchradd ddwyieithog yn Sir Aberteifi cyn i sir newydd Dyfed ddod i fodolaeth yn yr ad-drefnu yn 1974. Os byddai un ysgol uwchradd ddwyieithog yn bodoli eisoes o fewn ffiniau'r Ddyfed newydd, yna fyddai dim modd gwarafun addysg ddwyieithog i unrhyw blentyn yng ngweddill y sir o ran egwyddor. Hyd at hynny, dim ond yn y rhannau o Gymru oedd wedi eu Seisnigeiddio yr oedd ysgolion dwyieithog i'w cael. Mawr yw'n dyled i Haydn Williams a Moses Jones yn Sir y Fflint, a Llew Haycock yn Sir Forgannwg, am ddangos y ffordd. Erbyn hyn roedd y mewnlifiad wedi dechrau yng Ngheredigion, ac roeddwn i'n sicr na fyddai dim yn tycio yn ein sir ninnau bellach ond gosod sylfeini cadarn i'r Gymraeg. Dwy ysgol uwchradd oedd i'w cael yn Aberystwyth ar y pryd, Ardwyn yn Ysgol Ramadeg a Dinas yn Ysgol Fodern. Dyna'r amser pan benderfynwyd dileu'r 11+ o ogledd y sir a chanolbwyntio ar gael addysg gyfun i bob disgybl yn ardal Aberystwyth. Hwn oedd ein cyfle, a gwnaethom yn fawr ohono. Bu amryw o gynlluniau dan ystyriaeth am fisoedd lawer, a ffyrnig fu'r dadlau. Er bod llawer ohonom o blaid sefydlu ysgol ddwyieithog yn yr hen Ardwyn, fe'n gwrthwynebwyd yn haerllug, yn enwedig gan garfan o'r Blaid Lafur a lechai yn y Brifysgol. Yn anffodus, fe ochrodd Elystan Morgan gyda nhw. Pan gynhaliwyd y cyfarfod terfynol i benderfynu tynged yr ysgol ddwyieithog, roedd y neuadd yn orlawn. Dyna'r unig dro i mi weld meinciau wedi eu gosod yn rhesi yng nghefn y siambr, a'r rheini'n llawn o'n gwrthwynebwyr. Un frawddeg yn unig a lefarais wrth i ni drafod dyfodol addysg uwchradd yn Aberystwyth: 'Mr Cadeirydd, rwy'n cynnig ein bod yn cymryd y camau priodol i agor ysgol ddwyieithog yn Ardwyn erbyn blwyddyn i fis Medi nesaf.' Cefais fy eilio gan hanner dwsin o aelodau, ac ni phleidleisiodd neb yn erbyn. Diflannodd y gwylwyr yn ebrwydd o'r siambr! Rhaid i mi dalu teyrnged hael i John Phillips, ein Dirprwy Gyfarwyddwr Addysg, am y modd yr wynebodd rai cynulleidfaoedd gwrthwynebus wrth geisio egluro'n polisi ad-drefnu yn ysgolion uwchradd Aberystwyth. Costiodd gwrthwynebiad Elystan ei sedd iddo yn etholiad cyffredinol Chwefror 1974.

PLAID CYMRU

Er mai cynghorydd Annibynnol oeddwn i ar hyd y blynyddoedd, doedd hynny ddim yn golygu cefnu ar fy naliadau na rhoi'r gorau i wleidydda y tu allan i lywodraeth leol. Ar ôl symud gyntaf i Geredigion roedd yn rhaid i mi roi blaenoriaeth i'm gwaith gyda Silcocks a chynnal fy nheulu. Ond ymhen dwy flynedd roeddwn yn teimlo'n ffyddiog fod y busnes ar ei draed, a'i bod yn bryd imi ddechrau gweithio dros achos Plaid Cymru. Doedd dim gwrthdaro mawr rhwng fy ngwaith fel cynghorydd a'm hymgyrchu dros y Blaid, er imi fod yn cynrychioli Ceredigion ar Gyngor Cenedlaethol y Blaid am ugain mlynedd.

Digon swrth oedd Plaid Cymru yn Sir Aberteifi ar ddechrau'r pum degau. Bregus iawn oedd ein trefniadaeth sirol, a doedd dim sôn am y posibilrwydd o gystadlu am etholaeth seneddol Ceredigion. Ond fe gynhyrfwyd ein byd bach dedwydd i'w seiliau yn 1951 pan benodwyd Dafydd Orwig, y cenedlaetholwr tanbaid o Ddyffryn Ogwen, yn drefnydd siroedd Maldwyn a Cheredigion. Druan â Dafydd, doedd ei swydd ddim yn brin o her gan fod ganddo ddwy etholaeth digon anwleidyddol eu natur i'w meithrin i aeddfedrwydd politicaidd. A druan ohonom ninnau Bleidwyr os oedden ni'n meddwl y caem laesu dwylo! Y munud y gwelwn i Dafydd – nad oedd yn berchen car – yn brasgamu i ddyffryn Troedyraur mi synhwyrwn fod llond trol o waith yn fy nisgwyl – ac ni chefais fy siomi unwaith.

Roedd Dafydd wedi graddio mewn Daearyddiaeth yn Aberystwyth yn haf 1951. Yn syth wedyn fe'i penodwyd i'r swydd gyda'r Blaid, a go brin y cafodd yr un blaid erioed drefnydd gyda mwy o frwdfrydedd a dyfalbarhad. Gan ddibynnu ar fysus a'i fawd i deithio o fan i fan, byddai'n lletya'n aml yn ein tŷ ni. Tŷ tair llofft, wedi ei ddodrefnu, oedd

Berwyn. Cysgai Margaret a fi yn un ystafell, a Meinir a Rhian mewn un arall. Felly un ystafell wely sbâr oedd gennym at ddefnydd ymwelwyr, ac yn honno y cysgai Dafydd. Gan fod y dodrefn yn hen, roedd y gwely yn yr ystafell honno wedi colli un o'i goesau. Ar y pryd roedd siwgr yn dal i gael ei ddogni ers y rhyfel, ac roedden ni wedi cadw stoc ohono mewn dau focs bisgedi. Y ddau focs hynny, yn llawn o siwgr, oedd yn cynnal un gornel o wely trefnydd newydd Plaid Cymru!

Bwriad Dafydd wrth ymweld â Berwyn oedd defnyddio'n tŷ ni fel pencadlys ar gyfer sefydlu canghennau o'r Blaid yn ne Ceredigion, a byddwn innau'n mynd efo fo i'r cyfarfodydd i annerch a chymell y darpar aelodau. Yn ystod gaeaf 1951/52 cynhaliwyd cyfarfodydd yn Aberystwyth, Rhydlewis, Bwlchygroes, Pontgarreg, Cwmcou ac Abercych. Sefydlwyd canghennau o'r Blaid ym mhob un o'r mannau hyn, gan ofalu am ofod yn y papurau lleol i hysbysu'n gweithgarwch.

Flynyddoedd yn ddiweddarach roedd Dafydd Orwig yn parhau i fod yr un mor frwd a thrylwyr yn ei waith mewn llywodraeth leol, ac yn un o benseiri polisi iaith arloesol Cyngor Gwynedd.

Yn y pum degau y dechreuodd saga boddi Tryweryn, a phan alwyd cynhadledd genedlaethol yn Neuadd y Ddinas yng Nghaerdydd i drafod y bygythiad, cefais fy newis i fynd yno i gynrychioli Sir Aberteifi. Yn eistedd yn union o fy mlaen roedd George Thomas, Aelod Seneddol ar y meinciau cefn bryd hynny, ac o'i flaen yntau, Cliff Protheroe, Ysgrifennydd Cyngor Llafur Cymru. Ar ddiwedd y cyfarfod clywais George yn gofyn i Cliff Protheroe, 'How's the downtrodden working man these days, Cliff?' a hynny gan chwerthin yn uchel. Ai fi oedd ar fai am gredu bod elfen o ragrith yn y cwestiwn? Chefais i erioed y fraint (!) o adnabod George Thomas yn dda, ond roedd yn gymysgfa ryfedd. Yn llwyddiannus iawn fel Llefarydd Tŷ'r Cyffredin, gyda phawb yn canu'i glodydd; ond yn wrth-Gymraeg, a hynny, mae'n debyg, yn deillio o ryw gymhlethdod oherwydd gwreiddiau teuluol yng Ngwlad yr Haf. Bu'n ffôl dros ben wrth ymosod ar Cledwyn Hughes, druan, yn ei atgofion. Does gen i ddim cof iddo wneud cyfraniad i'r drafodaeth ar y bygythiad i Dryweryn, ond roedd yn lle annisgwyl i gyfarfod y fath ddyn.

Yn etholiad cyffredinol 1955 fe benderfynodd Plaid Cymru ei bod am sefyll yn sedd Caerfyrddin, a hynny am y tro cyntaf. Enwebwyd Jennie Eirian Davies yn ymgeisydd, ac roedd yn ddewis rhagorol. Roedd gan Jennie bersonoliaeth gref, roedd yn llithrig a deifiol ei hymadrodd, yn fyr o gorff ond fel arian byw yn ei hosgo. Pleser oedd cael mynd allan yn gyson i'w helpu yn ei hymgyrch. Roedd Llafur hefyd yn ymladd am y sedd oedd yn cael ei dal ers deng mlynedd gan y Rhyddfrydwr Syr Rhys Hopkin Morris. Bûm ym mhob rhan o'r etholaeth yn siarad ar ran Jennie, gan brofi o'r melys a'r chwerw sy'n rhan o ymgyrchu etholiadol. Un noson, roedd Jennie wedi cynnal ei chyfarfod cyntaf yng Nghydweli, a minnau'n siarad mewn lle arall yn gyntaf. Fi oedd i ddilyn Jennie a phan gyrhaeddais Gydweli mi welais fod yr hin wedi poethi, gan fod dyn oedd tua'r deg ar hugain oed yn heclo Jennie. Pan ddaeth hi'n amser cwestiynau roedd yr un gŵr yn gofyn cwestiwn ar ôl cwestiwn. Hen dric gwleidyddol oedd hwn i geisio bwrw amserlen yr ymgeisydd yn chwilfriw. Yn y diwedd mi ddwedais wrth Jennie am ei baglu hi i'r cyfarfod nesaf, gan adael y gŵr penfelyn i mi. Yn y diwedd fe drodd y gynulleidfa arno ac fe ddiflannodd. Erbyn i mi gyrraedd Nantgaredig ar gyfer y cyfarfod nesaf, roedd y penfelyn yno eto o fy mlaen yn heclo ac yn holi. Bu'n dilyn Jennie o gyfarfod i gyfarfod am ran helaeth o'i hymgyrch, ond chefais i erioed wybod pwy oedd y creadur.

Roedd cenhadu Jennie'n llwyddiannus dros ben wrth ledaenu'r neges am y tro cyntaf yn Sir Gâr. Gwnaeth argraff ddofn ym mhobman a chael ychydig dan bedair mil o bleidleisiau. Er bod hyn ugain mil yn llai na phleidlais y Rhyddfrydwyr, roedd Jennie wedi braenaru'r tir ar gyfer buddugoliaeth Gwynfor a Phlaid Cymru un mlynedd ar ddeg yn ddiweddarach.

Bu farw Hopkin Morris yn Nhachwedd 1956. Yn yr isetholiad y Chwefror canlynol fe safodd Alun Talfan Davies dros y Rhyddfrydwyr, Megan Lloyd George dros Lafur a Jennie Eirian unwaith eto dros Blaid Cymru. Mewn isetholiad mae modd crynhoi holl adnoddau plaid wleidyddol ar gyfer yr ymgyrch, ac roedd hynny'n fantais i'r Blaid yn Sir Gâr. Cafwyd ymgyrch wych, a bûm innau'n annerch mewn ugeiniau o gyfarfodydd. Cynhaliwyd ein cyfarfod olaf cyn yr etholiad ym Mrynaman, lle'r oedd Eirian Davies, gŵr Jennie, yn weinidog gyda'r Hen Gorff. Ym Mrynaman y gwelais lowyr yn eistedd ar eu cwrcwd am oriau mewn cyfarfodydd gwleidyddol, heb unrhyw arwydd eu bod nhw'n anghyfforddus. Gan eu bod wedi hen arfer â gweithio ar eu cwrcwd am oriau meithion mewn mannau arswydus o gyfyng, doedden nhw ddim yn gweld eistedd fel hyn yn wrhydri o fath yn y byd yn neuadd braf Brynaman.

Erbyn i'r cyfarfod ddirwyn i ben tua hanner nos, roedd yr ymgyrchu ar ben. Mynnodd Jennie ein bod yn mynd i gael swper hwyr, neu frecwast cynnar iawn, gyda hi ac Eirian. Ar ôl inni fwyta a sgwrsio am hynt a helynt yr etholiad, roedd hi'n ddau o'r gloch y bore arnom yn cychwyn am adref. Yng Ngwauncaegurwen, sylweddolais nad oedd gennyf ddigon o betrol yn y car i fynd fawr pellach. Felly dyma fi'n ôl i'r Mans ar unwaith, a dal Jennie ac Eirian cyn iddyn nhw noswylio. Daeth Eirian gyda fi i dŷ aelod o'r Blaid oedd wedi bod yn swpera gyda ni. Roedd ar fynd i'r gwely, ond fe aeth â fi i'r becws lleol gan gredu y byddai ganddyn nhw betrol sbâr. Siwrnai seithug arall. Yn y diwedd fe ddaeth y cyfaill o hyd i beipen, ac wrth sugno'n galed fe lwyddodd i drosglwyddo digon o betrol o'i gar ei hun i fy nhanc i i warantu y cyrhaeddwn y Synod. Wrth imi yrru drwy Gorsgoch roedd y wawr yn torri a'r adar yn dechrau ar eu cân.

Lady Megan a enillodd yr etholiad i Lafur, gan ddisodli'r Rhyddfrydwyr, hen blaid ei thad a'i chyn-blaid hithau. Cafodd Jennie Eirian ddwy fil o bleidleisiau'n fwy nag yn etholiad 1955.

Un bore yn 1958, a minnau'n cael brecwast ar ôl godro, fe ganodd y ffôn. Gwynfor oedd yn y pen arall, yn gofyn a wnawn i sefyll dros y Blaid yn etholaeth Caerfyrddin yn yr etholiad cyffredinol nesaf. Dywedais wrtho mai fo a neb arall ddylai sefyll yng Nghaerfyrddin. Roedd yn byw yn yr etholaeth ac wedi gwneud diwrnod da o waith fel aelod eofn o Gyngor Sir Caerfyrddin er 1949. Ond roedd Gwynfor eisoes wedi ceisio ennill Meirionnydd bedair gwaith, ac yn benderfynol mai yno y dylai ddyfalbarhau. Doedd Gwynfor ddim yn un hawdd ei droi, a sut gallwn i wrthod cais dyn oedd wedi trefnu ei holl fywyd i wasanaethu'i wlad? Felly dyma fwrw fy mhrentisiaeth fel ymgeisydd seneddol Caerfyrddin ar gyfer yr etholiad cyffredinol a gynhaliwyd ar 7 Hydref 1959.

Safai Megan Lloyd George eto dros Lafur ac Alun Talfan Davies fel Rhyddfrydwr. Dewisodd y Toriaid J. B. Evans, un o'r ddau ddyn oedd yn bennaf cyfrifol am sefydlu Undeb Amaethwyr Cymru flwyddyn neu ddwy cyn yr etholiad. Yn Gymro naturiol ac yn adnabyddus iawn yn yr etholaeth, fe'i ystyriwn yn ymgeisydd cryf dros ben. Gyda phedwar ymgeisydd o'i gymharu â thri y tro cynt, roedd rhywun neu rywrai yn sicr o golli pleidleisiau. Ac felly y bu: collais fil o bleidleisiau o'i gymharu â phleidlais Jennie Eirian yn 1955, a chollodd Alun Talfan wyth mil o'i gymharu â chanlyniad Hopkin Morris. Enillodd J. B. Evans chwe mil o bleidleisiau, ac ychwanegodd Megan ddwy fil at y bleidlais Lafur. Chymerodd Jennie ddim rhan yn fy ymgyrch, ond daeth i'r cyfrif yn Neuadd y Sir a thybiwn imi weld gwên foddhaus ar ei hwyneb pan gyhoeddwyd y canlyniad.

Bu'r profiad o ymladd fel ymgeisydd seneddol yn un hynod werthfawr, ond mi deimlais i'r byw y ffaith fod Plaid Cymru wedi ennill dros fil o bleidleisiau'n llai nag a gafodd yn 1955. Am wythnosau wedi'r etholiad byddwn yn deffro ganol nos â'm stumog yn corddi wrth feddwl i'r Blaid golli tir o dan fy ymgeisyddiaeth i. Yn sicr, doedd y ffaith nad oeddwn i'n byw yn yr etholaeth nac yn gyfarwydd iawn â'r sir ddim yn help i'r ymgyrch.

Gwyddwn mai Ceredigion fyddai'r tir mwyaf ffrwythlon i mi fel ymgeisydd seneddol. Roeddwn wedi hen gartrefu yn sir enedigol fy ngwraig ac wedi gwasanaethu'n hir fel cynghorydd. Ond hyd y gwn i, chafodd fy enw erioed ei ystyried gan y Pwyllgor Rhanbarth i fod yn ymgeisydd dros Sir Aberteifi. Cefais wahoddiad o Sir Feirionnydd i adael i'm henw fynd ymlaen am ystyriaeth yn yr etholaeth honno yn 1970, ond gwrthod wnes i am ddau reswm. Roeddwn yn credu y dylai'r ymgeisydd fyw yn yr etholaeth er mwyn gwneud cyfiawnder â'r achos. Ac yn bwysicach, roeddwn wedi fy argyhoeddi erbyn hynny mai mewn Llywodraeth Leol y gallwn wneud fy nghyfraniad mwyaf er lles fy ngwlad.

Yn 1966 fe adewais fy ngwaith gyda Silcocks, er mwyn cael mwy o amser ar gyfer fy ngweithgareddau eraill. Ers deng mlynedd roeddwn wedi methu rhoi mwy na diwrnod a hanner yr wythnos i'r gwaith oedd yn brif gynhaliaeth fy nheulu, ond yn dal i lwyddo i gadw yn yr 20 y cant uchaf o'r gwerthwyr, diolch i'm cwsmeriaid ffyddlon. Ond bellach roedd y cwmni am roi'r gwerthwyr i gyd ar gyflog sefydlog yn hytrach na chomisiwn, a olygai fod disgwyl inni weithio pum niwrnod yr wythnos. Er iddyn nhw gynnig imi fod yn rheolwr ar bump neu chwech o asiantaethau pe bawn yn aros, roedd gen i gymaint o alwadau eraill fel nad oedd dewis ond ffarwelio.

Ond nid dyna fy mhrif reswm dros gofio 1966. Ar 14 Gorffennaf fe enillwyd Caerfyrddin gan Gwynfor yn yr isetholiad a drawsnewidiodd hanes Cymru. Yn gynnar drannoeth yr etholiad daeth galwad ffôn yn gofyn i mi fod yn Nhalar Wen, cartref Gwynfor yn Llangadog, am chwech o'r gloch y nos i drefnu rhai pethau ynglŷn â dyfodol yr AS newydd yn San Steffan. Ar y prynhawn Gwener hwnnw roedd yn rhaid imi'n gyntaf fynd i gyfarfod o Lys y Brifysgol yn Abertawe. Yno, fel ym mhobman, roedd yr ymateb i fuddugoliaeth Gwynfor yn anghredadwy. Roedd fel petai trwch poblogaeth Cymru, beth bynnag oedd eu lliwiau gwleidyddol, yn wirioneddol falch o weld person a batrymodd ei fywyd yn llwyr er gwasanaeth i'w wlad yn llwyddo o'r diwedd.

Erbyn chwech o'r gloch roeddwn yn Nhalar Wen. Yno gyda Gwynfor roedd J. E. Jones, cyn-ysgrifennydd cyffredinol y Blaid, ei olynydd Elwyn Roberts, ac Islwyn Ffowc Elis, oedd wedi bod yn gyfrifol am lenyddiaeth drawiadol yr ymgyrch etholiad. Fel cadeirydd pwyllgor cyllid y Blaid yr oeddwn i yno.

Pan ddaeth yn fater o ystyried pa ddau Aelod Seneddol oedd i gael y fraint o hebrwng Gwynfor i'r Tŷ, roedd Gwynfor ei hun o'r farn y dylid gofyn i'w hen gyfaill Elystan Morgan – a oedd erbyn hyn yn AS Llafur – fod yn un o'r ddau. Roedd pawb arall ohonom yn erbyn. Yn y diwedd fe benderfynwyd gofyn i Jim Griffiths, Llanelli ac S. O. Davies, Merthyr. Roedden nhw'n ddigon hen i gael maddeuant am beidio ag ymateb i alwad Plaid Cymru!

Os cofiaf yn iawn, £3,700 oedd cyflog Aelod Seneddol yn 1966. O ddeall hynny, fe synnodd Gwynfor y byddai'n ennill cymaint a dywedodd ei fod yn golygu trosglwyddo'i ardd farchnad yn Llangadog i feddiant ei weithwyr. Credaf i ni ei ddarbwyllo i gymryd pwyll cyn penderfynu'n bendant.

Ar ôl buddugoliaeth Gwynfor fe gynyddodd aelodaeth y Blaid yn sylweddol. Y cwestiwn mawr oedd sut i ffrwyno'r brwdfrydedd i bwrpas. Un peth y dylid ei wneud oedd sefydlu canghennau newydd er mwyn cryfhau'n peirianwaith etholiadol. Gyda hyn mewn golwg, mi roddais wybod i'r arweinwyr fy mod ar gael i weithio'n rhan amser i'n Plaid Genedlaethol, os oedden nhw o'r farn y buasai hynny o fantais iddi. Y canlyniad oedd imi gael fy mhenodi'n drefnydd rhan amser dros siroedd Meirionnydd, Maldwyn a Cheredigion ac etholaeth Llanelli. Fe'm cadwyd yn brysur iawn gyda gwaith y cyngor sir, ond o leiaf roedd y rhan fwyaf o'r nosweithiau a'r penwythnosau'n rhydd. Dyna pryd y byddai'n cyfarfodydd cyhoeddus a'n Pwyllgorau Rhanbarth yn cael eu cynnal. Roedd hynny'n rhoi cyfle i mi hybu twf y Blaid yn fy rhan i o Gymru.

Yn gynnar yn 1967 fe alwyd isetholiad yng Ngorllewin y Rhondda ar farwolaeth yr Aelod Llafur, Iori Thomas. Ein hymgeisydd ni yno, yng nghadarnle'r Blaid Lafur, oedd Vic

Davies o Dreorci, gydag Alec Jones yn sefyll dros Lafur. Rhoddodd Plaid Cymru bob gewyn ar waith i geisio ennill y sedd – roedd gwir angen cwmni ar Gwynfor yn San Steffan! Cefais innau fy neilltuo yno am rai wythnosau i ganol gwres yr ymgyrchu, a chael cyfle i ddod i adnabod pobl y Cwm yn dda. Roeddwn yn lletya'n bennaf yng nghartref Mary a Cennard Davies yn Nhreorci a Betty a Bryn Jones yng Nghlydach Vale. Mawr oedd y croeso gan y ddau deulu, a mawr y bwrlwm a'r afiaith a gawsom yng nghwmni'n gilydd.

Mae'n anodd gwybod sut i ddechrau cofnodi'r profiadau gwerthfawr a ddaeth imi yn ystod yr ymgyrch, mewn ardal oedd tan hynny'n un ddieithr i mi. Arnaf i y syrthiodd y cyfrifoldeb o gasglu arian yn yr etholaeth, ac rwy'n cofio am un rodd arbennig o hael o le annisgwyl. Dan gyfarwyddyd Betty Jones, mi alwais i weld hen ŵr o'r enw Mr Pugh oedd yn byw heb fod ymhell o Glydach Vale. Roeddwn wedi cael rhybudd ymlaen llaw fod ei gartref mewn stryd oedd ar fin cael ei dymchwel, yn un o dri thŷ yn y stryd gyfan lle'r oedd rhywun yn dal i fyw. Byw ar ei ben ei hun yr oedd Mr Pugh, ac roedd ei gegin yn eithaf diaddurn. Yn ystod sgwrs ddiddorol dros ben, dywedodd yr henwr wrthyf ei fod yn theosoffydd, a bod ganddo ddealltwriaeth gyfrin o faterion ysbrydol. Credai fod dydd yr hen genhedloedd y bu bri arnyn nhw mewn oesau gynt ar wawrio unwaith eto. Nododd Israel a Tsieina fel enghreifftiau o'r hyn a olygai. Fel ernes o'i ewyllys da a'i gefnogaeth, cyfrannodd ugain punt at ymgyrch y Blaid, a hynny mewn stryd lle'r oedd y rhan fwyaf o'r tai wedi eu dymchwel a ffenestri'r gweddill wedi eu malurio neu eu bordio.

Go brin y bydd neb oedd yn bresennol yno yn anghofio cyfarfod enfawr y Blaid yn Neuadd Parc a Dâr yn Nhreorci y noson cyn yr etholiad, gyda bron 1,400 y o bobl y tu mewn i neuadd fwya'r cwm, a channoedd eraill y tu allan. Cafwyd cyfarfod ysgubol, gyda Gwynfor, Illtyd Lewis, Meredith Edwards a Vic Davies ei hun ar eu gorau. Yn gynharach yr un diwrnod roeddwn wedi bod yn gyrru Vic yng nghar cyntaf modurgad o naill ben yr etholaeth i'r llall, o Flaenrhondda i Benygraig.

Yn ystod yr ymgyrch fe ymaelododd llawer â'r Blaid o'r newydd, a thaniwyd ysbryd gwladgarol cannoedd ar gannoedd o bobl ifanc. Ar fore'r etholiad, fy nyletswydd gyntaf oedd mynd o gwmpas y bythau pleidleisio i wneud yn siŵr bod ein gweithwyr ni yn eu lle. Wrth fynd drwy Donpentre ychydig cyn saith o'r gloch y bore mi welais ferch ifanc, yn gwisgo lliwiau'r Blaid, yn cerdded nerth ei thraed i gyfeiriad y bwth pleidleisio. Arhosais i gael gair â hi. 'Whatever happens today I shall always support Plaid Cymru,' meddai a'i llygaid yn disgleirio. Tybed pwy oedd hi, a beth ddaeth ohoni?

Wrth inni ddisgwyl i'r blychau pleidleisiau gyrraedd o'r gwahanol fythau ar noson yr etholiad, fe ofynnodd golygydd y *Western Mail* i mi sut oeddwn i'n barnu siawns y Blaid. Dywedais fy mod yn credu y byddai'n ganlyniad agos iawn. Dywedodd yntau fod eu pôl piniwn nhw'n dangos na fyddai mwy na dwy fil o bleidleisiau'n gwahanu Llafur a Phlaid Cymru. Ar ddiwedd y cyfrif, 2,306 oedd mwyafrif Llafur, o'i gymharu â 16,888 yn yr etholiad cyffredinol gwta flwyddyn ynghynt.

Cefais lawer o foddhad yn ystod fy mhymtheng mis yn drefnydd i'r Blaid, gan sefydlu canghennau newydd a cheisio aildanio gweithgarwch mewn ambell hen gangen oedd wedi mynd i gysgu. Rhan bwysig o waith y trefnydd oedd mynychu Pwyllgorau Rhanbarth, oedd â'r un ffiniau â'r etholaethau seneddol. Nid y rhwyddaf o'm gorchwylion oedd ymgodymu gyda phroblemau Pwyllgor Rhanbarth Llanelli. Erbyn canol y chwe degau roedd tipyn o sylw'n cael ei roi i Fyddin Rhyddid Cymru, neu'r FWA. Gyda Gwynfor mor brysur yn y Senedd, a'r Blaid ar gynnydd trwy Gymru, roedd hi'n bwysig portreadu Plaid Cymru fel plaid synhwyrol y gellid ei chefnogi'n ddibetrus. Yn anffodus, doedd hynny ddim mor hawdd wrth i enwau'r Blaid a'r FWA gael eu cyplysu a'u cymysgu'n fynych yn y wasg a'r cyfryngau. Onid oedd Dai Bonner, cefnogwr i'r FWA, yn aelod o Bwyllgor Rhanbarth Llanelli, a Dennis Coslett, aelod blaenllaw a lliwgar o'r 'Fyddin', yn byw yn y cylch?

Cefais gydweithrediad da gan fwyafrif llethol aelodau'r Blaid yn yr etholaeth, ac roedden nhw'n barod iawn i ymladd etholiadau lleol. Roedd y Pwyllgor Rhanbarth yn awyddus i gael Carwyn James, arwr y Strade, yn ymgeisydd ar gyfer etholiad cyffredinol 1970, a chyda'r amcan hwnnw mewn golwg mi alwais i'w weld yng Ngholeg Llanymddyfri lle'r oedd yn athro Cymraeg. Cytunodd â'n cais, a chafodd Carwyn y bleidlais uchaf yn hanes y Blaid yn Llanelli hyd nes i Helen Mary Jones ennill y sedd yn etholiadau'r Cynulliad ym Mai 1999.

Roedd bywyd dipyn yn rhwyddach i mi ym Meirionnydd, lle'r oedd y Pwyllgor Rhanbarth i'w gweld yn benderfynol eu bod nhw am wneud iawn am y tir a gollwyd gan y Blaid ar ôl i Gwynfor symud fel ymgeisydd oddi yno i etholaeth Caerfyrddin. Yn 1964 gwelwyd gostyngiad o 1,500 ym mhleidlais y Blaid gydag Elystan yn ymgeisydd, a chollwyd 1,200 arall o bleidleisiau yn etholiad Mawrth 1966. Dewiswyd Dafydd Wigley yn ymgeisydd ar gyfer 1970, ac fe lwyddodd Dafydd i ddod yn ail da yno cyn symud i Gaernarfon lle daeth yn fuddugol yn 1974.

Yng Ngheredigion, oedd hefyd yn rhan o'm tiriogaeth, fe ddewiswyd Hywel ap Robert yn ymgeisydd ar gyfer etholiad 1970 – bargyfreithiwr llwyddiannus a gŵr bonheddig i'r carn. Yn rhadlon ei gyfarchiad a chynnes ei gwmnïaeth, daeth yn boblogaidd dros ben yn y sir. Yn anffodus, roedd yna bryder yn y Pwyllgor Rhanbarth nad oedd yn rhoi digon o sylw i faterion gwleidyddol. Mae'n bwysig i ymgeisydd seneddol fod ei enw'n cael ei ddwyn i sylw'r etholwyr yn gyson. Ffordd effeithiol i wneud hynny yw trwy ofalu am ddatganiadau gwleidyddol rheolaidd yn y wasg. Y teimlad yn y Pwyllgor Rhanbarth, a hwnnw'n cael ei ddatgan yn groyw, oedd bod Hywel yn colli cyfle ar ôl cyfle i argyhoeddi etholwyr Ceredigion o bwysigrwydd neges y Blaid. Gofynnwyd i mi fynd i'w gyfarfod a dweud wrtho am yr anniddigrwydd.

Trefnwyd i ni gyfarfod yng ngwesty'r Belle Vue yn

Aberystwyth ar brynhawn Sadwrn. Siom i mi oedd gweld bod Mrs ap Robert yno gyda'i gŵr ar gyfer yr achlysur. Awgrymais, mor gynnil ag y gallwn, y byddai'n trafodaeth braidd yn sych ac yn anniddorol iddi hi. Ond penderfynu aros wnaeth Mrs ap Robert. Gwyddwn fy mod yn mynd i orfod dweud pethau y byddai'n well gennyf beidio â'u dweud o flaen gwraig dyn deallus, bonheddig a llwyddiannus yn ei yrfa. Gorfu imi ddweud wrth Hywel am amheuon y Pwyllgor Rhanbarth. Gofynnais iddo geisio gwneud datganiadau gwleidyddol yn awr ac yn y man. Yn unol â hynawsedd arferol Hywel ap Robert, cynhaliwyd ein sgwrs mewn modd cyfeillgar, agored heb unrhyw ddrwgdeimlad. O bryd i'w gilydd, pan edrychwn ar Mrs ap Robert, mi wyddwn nad oedd hi wedi cael prynhawn wrth ei bodd. Gwerthfawrogwn ei theimladau, ond roeddwn wedi ceisio'i harbed rhag clywed y sgwrs. Yn y diwedd fe gafodd Hywel ap Robert ymgyrch lwyddiannus iawn, gan orffen gyda modurgad o gant a hanner o gerbydau'n teithio trwy'r etholaeth. Daeth o fewn 4,656 o bleidleisiau i ennill y sedd i Blaid Cymru.

Â Gwynfor bellach yn Aelod Seneddol, fe ddaeth i bwyllgor gwaith y Blaid un tro yn llawn brwdfrydedd, yn ôl ei arfer, a hynny y tro hwn oherwydd ei fod wedi cyfarfod argraffydd o'r enw Brian Kelly ar y trên ar ei ffordd adref o Lundain. Roedd Brian Kelly wedi argyhoeddi Gwynfor y dylid cyhoeddi'r *Welsh Nation* am bris rhesymol dros ben, wrth ddefnyddio technoleg *web offset litho* yn hytrach na'r dull metel poeth traddodiadol i argraffu'r papur. Roedd Kelly eisoes yn defnyddio'r dechnoleg newydd i argraffu papur hysbysebion rhad ac am ddim yn Bromley, Caint. Fe'n hargyhoeddwyd yn y Pwyllgor Gwaith fod Brian Kelly yn haeddu rhagor o ystyriaeth. O ganlyniad, fe'n gwahoddwyd i gartref Brian Kelly ym Mryn-coch, Castell-nedd. Yn bresennol roedd Gwynfor, J. E. Jones, Elwyn Roberts a minnau, yn ogystal â Mr a Mrs Kelly. Awgrymodd Kelly y dylem wneud apêl am gyfraniadau er mwyn sicrhau cyfalaf wrth gefn ar gyfer llogi stafelloedd pwrpasol a thalu cyflog Hywel Davies, newyddiadurwr ifanc oedd i oruchwylio'r fenter.

O ganlyniad i'r apêl fe gyfrannwyd dros ddeng mil o bunnau. Pedwar ohonom oedd â hawl i arwyddo sieciau ar ran y busnes, sef Mr a Mrs Kelly, Elwyn Roberts a Hywel Heulyn – unrhyw ddau o blith y pedwar i arwyddo. Gan fod y papur yn cael ei argraffu yng Nghastell-nedd, fe drosglwyddwyd y llyfr main i ofal Brian Kelly. Ein bancwyr oedd y Midland, cangen Llandeilo. O fewn ychydig wythnosau, cafodd Elwyn wybod gan y banc mai ychydig dros dair mil o bunnau oedd yn weddill yn y cyfrif. Dyma symud ar unwaith. Y diwrnod canlynol roedd Elwyn a minnau yn y Midland yn Llandeilo yn y bore bach. Gwnaethom drefniadau i ymweld â Mr a Mrs Kelly yn eu cartref ym Mryn-coch yn hwyr y prynhawn. Cawsom fynediad trwy'r drws ffrynt, a bu siarad plaen am hir amser. Yn y diwedd, dywedwyd wrth y ddau nad oedden nhw i arwyddo'r un siec arall, ac fel arwydd o'n bwriad aethom â'r llyfr siec busnes oddi arnyn nhw. Drwy'r drws cefn y bu raid i ni ymadael â thŷ Mr a Mrs Kelly! O leiaf roedden ni wedi arbed tair mil o'r deng mil o bunnoedd oedd wedi ei gyfrannu i goffrau'r Blaid.

Ar ddechrau'r antur anffodus, pan oedden ni'n cael pryd bwyd hwyliog gyda Kelly, dywedodd ei fod yn awyddus i gyfrannu'n ariannol at y Blaid. O wrando arno'n adrodd am ei wrhydri ym myd busnes, ac ar ôl gweld moethusrwydd ei dŷ, roedden ni wedi edrych ymlaen at gyfraniad sylweddol. Cyfanswm ei siec, pan gyrhaeddodd, oedd deg punt. Dylasai hynny fod wedi bod yn ddigon o rybudd i ni, ond fe lwyddodd i'n twyllo ni i gyd gyda'i osgo hunanfeddiannol a'i siarad brwd.

Bûm yn cynrychioli Ceredigion ar Bwyllgor Gwaith Cenedlaethol y Blaid o 1951–70 ac yn gadeirydd y Pwyllgor Cyllid am ran helaeth o'r cyfnod hwnnw. Byddai'r rhan fwyaf o'n cyfarfodydd yn cael eu cynnal ym Mhlas Hendre, Aberystwyth, a mawr oedd dyled y Blaid i Charlotte a Dafydd Miles am eu cymwynasgarwch dros gyfnod go faith.

Yn ystod fy mlynyddoedd ar y Pwyllgor Gwaith, gwastraffwyd llawer o amser yn gwrando ar syniadau nad oedden nhw'n bwysig nac yn dderbyniol i drwch aelodaeth y

Pwyllgor. Nid fy mod yn erbyn i bawb ddatgan eu barn, ond fe roddwyd llawer gormod o raff i unigolion megis Trefor Morgan a Neil Jenkins. Llesteiriwyd cryn dipyn ar gynnydd y Blaid gan ddadleuon mewnol amherthnasol, oedd yn anathema i'r mwyafrif. Cafwyd sawl ymdrech i roi delwedd ifancach i'r Blaid, a hawdd oedd deall cymhellion fel hyn. Ond pan ydych chi'n rym yn y maes gwleidyddol allwch chi ddim fforddio cael ymrannu a checru ymhlith eich gilydd yn rhy aml. Y nefoedd a ŵyr, fe gafodd y Blaid ddigon o rwystrau wrth iddi dyfu ac aeddfedu. Y rhwystr mwyaf oedd diffyg hyder fy nghenhedlaeth i, a'r amharodrwydd i ysgwyddo'r her a osodwyd inni pan losgwyd Penyberth. O ran anian, efallai fy mod i'n ffodus imi gael fy magu yn Lloegr. Y syndod mawr a gefais wrth ddod i fyw i Gymru oedd gweld diffyg hyder y Cymro, yn enwedig yn y byd gwleidyddol.

GENI SIR

Yn yr ailwampio a ddeuai i rym yn sgil Deddf Diwygio Llywodraeth Leol 1972, byddai nifer siroedd Cymru'n cael ei gwtogi o dair ar ddeg i wyth, a siroedd Caerfyrddin, Penfro a Cheredigion yn uno i greu awdurdod newydd Dyfed.

Roedd y tair hen sir wedi sefydlu pwyllgor ar y cyd i baratoi'r ffordd ar gyfer y Ddyfed newydd, lle'r oedd yr aelodau cyntaf i gael eu hethol yn Ebrill 1973. Dewiswyd pedwar ohonom o bob sir i gynllunio'r gwaith o drosglwyddo'r awenau i Ddyfed. Un o'r penderfyniadau cyntaf oedd bod angen sicrhau digon o gyllid i'r awdurdod newydd, hyd nes y gallai godi ei arian ei hun. Penderfynwyd y dylai pob un o'r hen siroedd warantu £3 y pen o'i phoblogaeth ar gyfer y sir newydd. Golygai hyn y byddai gan Ddyfed rywle ar draws miliwn o bunnau i wasanaethu poblogaeth o 320,000. Cadwodd siroedd Caerfyrddin a Cheredigion eu gair yn anrhydeddus, ond nid felly Sir Benfro, er mawr gywilydd iddi.

Roeddwn i wedi penderfynu sefyll ar gyfer Cyngor Dyfed, ond gwyddwn fod gennyf dipyn o frwydr o'm blaen os oeddwn am ennill sedd Glannau Teifi 2. Un anfantais oedd nad oeddwn wedi byw yn yr etholaeth a gynrychiolwn ar Gyngor Sir Aberteifi ers dros ugain mlynedd. O dan yr ad-drefnu, dim ond 15 aelod a fyddai gan Geredigion ar yr awdurdod newydd, yn lle'r 66 a fodolai yn yr hen sir. Doedd dim rhaid bod yn fathemategydd i sylweddoli y byddem yn gorfod cynrychioli cymaint deirgwaith y boblogaeth, o dan y drefn newydd, ag a wnaem yn Sir Aberteifi. Roeddwn i wedi gobeithio y byddai fy etholaeth newydd yn cael ei hymestyn i'r gogledd o'm hen sedd, i gynnwys yr ardal lle'r oeddwn i'n fwyaf adnabyddus. Yn anffodus, tyfu tua'r de fu ei hanes, gan ymestyn i lawr cyn belled â thref Aberteifi. Anfantais o'r mwyaf oedd hyn i mi, gan nad oeddwn yn adnabod llawer o bobl ym mhlwyfi Llandygwydd a Llangoedmor, y ddau blwyf mwyaf o bell ffordd.

Flynyddoedd ynghynt, pan benodwyd fi'n henadur yn Sir Aberteifi, mi berswadiais y Parchedig S. Idris Evans, gweinidog Hawen a Bryngwenith, i sefyll fel cynghorydd yn fy lle, ac enillodd Idris fy hen sedd. Pan ddaeth hi'n fater o sefyll etholiad ar gyfer Dyfed, penderfynodd Idris ei fod yntau am fod yn y ras. A dyna ychwanegu at fy nhrafferthion, gan y gallai Idris danseilio fy mhleidlais yn fy man cryfaf yn yr etholaeth. I gymhlethu pethau fwyfwy, fe benderfynodd yr Henadur Melbourne Griffiths a'r Cynghorydd Parry Morgan, offeiriad Llangoedmor, eu bod hwythau am sefyll, yn ogystal â Mr Hutton a safai dros y Blaid Lafur. Ond roedd gennyf un peth o'm plaid: y *Cardigan and Tivyside Advertiser.* Fyth er pan etholwyd fi'n gynghorydd am y tro cyntaf yn 1952, roedd y papur lleol wedi bod yn rhyfeddol o deg wrth adrodd hanes y Cyngor Sir. Bu'r gohebydd John Thomas yn gywir iawn yn ei adroddiadau ac yn batrwm o'r gohebydd papur newydd diduedd. Rhoddodd adroddiadau cywir o'r hyn a ddywedais dros gyfnod o ugain mlynedd ar Gyngor Sir Aberteifi. Daeth John Thomas yn olygydd y *Tivyside* cyn ymddeol.

Roeddwn wedi meddwl peidio canfasio ardal mor helaeth â Glannau Teifi 2, a finnau mor brysur ar Gyngor Sir Aberteifi. Gwnes drefniadau i gynnal dwsin o gyfarfodydd cyhoeddus drwy'r etholaeth er mwyn i bobl gael cyfle i'm holi am fy nyheadau ar gyfer y Ddyfed newydd. Yn ffodus i mi, fe ffoniodd Parry Morgan ar ôl iddo fod yn canfasio am ddiwrnod, a dweud ei fod am roi'r gorau iddi. Roedd wedi rhoi'r ffidil yn y to ar ôl treulio diwrnod caled yn canfasio tai ym mhlwyf Penbryn, a darganfod wedyn bod y cyfan yn ofer gan nad oedd Penbryn yn rhan o'r etholaeth. Dyma newyddion da, bid siŵr, gan fod offeiriad Llangoedmor yn gymeradwy dros ben yn y plwyf mwyaf poblog.

Wrth ddychwelyd o Lundain ryw dair wythnos cyn yr etholiad, mi ddeuthum i'r casgliad fod yn rhaid i minnau ganfasio os oeddwn am ennill y sedd. Felly, cefais air gyda Chlerc Cyngor Sir Aberteifi i ddweud na fyddwn ar gael am y tair wythnos nesaf. Dyma ddechrau canfasio bob dydd o fore gwyn tan nos, yn ogystal â chynnal y deuddeg cyfarfod cyhoeddus. Gwyddwn fod rhaid i mi gael dwy bleidlais am bob un a gâi Idris yn fy hen etholaeth, a chredaf imi wneud hynny. Enillais gyda mwyafrif o 105 dros Melbourne Griffiths, a'r canlyniad oedd:

Roberts	705
Griffiths	600
Evans	323
Hutton	132

Credaf i mi ganfasio pob tŷ yn yr etholaeth heblaw pymtheg. Gartref yr oedd Margaret y tro hwn eto pan ddaeth y canlyniad!

Roedd penderfyniad wedi ei wneud ymlaen llaw mai rhywun nad oedd yn bwriadu sefyll ar Gyngor Dyfed a ddylai gadeirio cyfarfod cyntaf yr awdurdod newydd, hyd nes y byddai Dyfed wedi ethol ei chadeirydd parhaol. Aelod o Gyngor Sir Caerfyrddin a ddewiswyd, sef yr Uwch Gapten Fisher-Hoch, Llansteffan.

Drannoeth yr etholiad, daeth Fisher-Hoch ar y ffôn yn gynnar yn y bore. Dywedodd ei fod yn credu y dylem gwrdd yn fuan i drefnu ar gyfer cyfarfod cyntaf Dyfed. Cefais ar ddeall ganddo fod y Blaid Lafur am gynnig Frank Thomas fel cadeirydd, ac roedd yr Uwch Gapten yn synhwyro na fuaswn i'n gefnogol i hynny. Roedd yn llygad ei le: gydag ymgeisydd o'r Blaid Lafur wedi fy ngwrthwynebu y diwrnod cynt, allwn i ddim dweud â'm llaw ar fy nghalon fy mod yn awyddus i weld aelod o'r blaid honno'n arwain Dyfed am y tro cyntaf. Yn fwy na hyn, mi wyddwn fod y sefyllfa afiach a fodolai rhwng Llafur a'r Annibynwyr wedi llesteirio unrhyw gynnydd yn Sir

Gaerfyrddin dros y blynyddoedd. Fyddai sefyllfa felly ddim yn rhoi cychwyn da i'r sir newydd.

O ddeall nad oeddwn yn fodlon cefnogi Frank, gofynnodd Fisher-Hoch a fuaswn yn barod i gynrychioli aelodau Ceredigion mewn cyfarfod ym Mhlas Llansteffan, ei gartref, am ddeg o'r gloch y bore canlynol. Ar ôl cyrraedd y Plas mi welais fod Bill Philpin yno'n cynrychioli grŵp Annibynnol Sir Benfro ac Arthur Harries yn cynrychioli Annibynwyr Sir Gaerfyrddin, gyda Roy Nichol yno fel ysgrifennydd answyddogol yr Annibynwyr. Dechreuodd Fisher-Hoch trwy ddweud mai'r peth cyntaf y dylem gytuno arno oedd enwebiad am y gadeiryddiaeth. Aeth ymlaen i ddatgan y farn mai o Sir Gaerfyrddin y dylai'r cadeirydd cyntaf ddod, gan fod gan Sir Gâr fwy o aelodau na'r ddwy sir arall gyda'i gilydd. Neu efallai, ychwanegodd, mai rhywun o Sir Benfro fyddai'n dod i'r gadair. Heb betruso am eiliad dyma Arthur Harries yn dweud, 'It'll be Heulyn', ac fe gytunodd Bill Philpin. Dyma nhw'n dweud wrthyf am ymorol fy hun am bleidleisiau o Sir Aberteifi, tra bydden nhw'n gofalu am gefnogaeth imi o'r ddwy hen sir arall.

Doeddwn i ddim wedi dychmygu am eiliad y byddwn yn cael fy newis yn ymgeisydd Annibynnol am y gadeiryddiaeth. Wedi'r cyfan, dim ond 15 o gynghorwyr Dyfed oedd yn dod o Geredigion, tra bod 24 o Sir Benfro a 41 o Gaerfyrddin. Yn naturiol roeddwn i'n falch o gael fy newis, a hynny'n rhannol am reswm nad oedd yn hysbys i'm cyd-aelodau. Roedd gwraig Fisher-Hoch yn ferch i neb llai na'r Arglwydd Kilsant, y dyn hwnnw a garcharwyd yn 1931 am y twyll gyda chwmni'r White Star a achosodd i fy nhad golli ei waith a'i bensiwn. Mi fuasai Nhad wedi bod wrth ei fodd mai yn ei thŷ hi y gwnaed y penderfyniad a allai sicrhau mai ei fab fyddai cadeirydd cyntaf un o siroedd newydd Cymru – cyfiawnder o'r diwedd! Ond un peth oedd cael fy newis yn ymgeisydd am y gadeiryddiaeth, mater arall oedd cael fy ethol. Ddwy noson cyn i Ddyfed gwrdd am y tro cyntaf, mi ofynnais i 13 o'n 15 aelod o Geredigion gyfarfod yng Nghrud-yr-Awel. Bernais y byddai'n ddoethach i beidio gwahodd y ddau aelod a etholwyd yn enw'r Blaid Lafur! Dywedais wrth y 13 fy mod yn cael fy nghynnig i'r gadair gan y ddwy sir arall, ac mi gefais eu cefnogaeth lwyr hwythau.

Gwyddem fod chwech o'r Annibynwyr a etholwyd i Ddyfed yn cefnogi'r Blaid Lafur. Yn ein cyfarfod cyntaf, ar 26 Ebrill 1973, fe'm cynigiwyd i'r gadair gan Arthur Harries gyda Bill Philpin yn eilio. Cyn i ni ddod at y busnes o ethol cadeirydd cawsom anerchiad gan Fisher-Hoch, yn olrhain hanes Dyfed o'i dechreuad. Fe gymerodd ugain munud i draddodi ei druth, er mawr anesmwythyd i Frank a minnau. O'r diwedd daeth y bleidlais, ac fe'm hetholwyd gyda 49 o bleidleisiau i'r 28 a gafodd Frank Thomas. Wnaeth Frank na minnau ddim pleidleisio, a doedd gan Gydweli ddim cynrychiolydd oherwydd i Mr Morris, ymgeisydd Plaid Cymru, farw yn ystod yr ymgyrch ac fe ohiriwyd yr etholiad yno tan ar ôl ein cyfarfod cyntaf. Dyna gyfrif am yr 80 aelod o Gyngor Dyfed. Etholwyd Carey George, Abergwaun, yn is-gadeirydd a bu cydweithio hapus iawn rhyngom am dair blynedd fy nghadeiryddiaeth. Bu Carey'n gadeirydd yr hen Sir Benfro ac yr oedd yn Gymro o'r iawn ryw.

Er i etholiad cyntaf Dyfed gael ei gynnal yn Ebrill 1973, byddai'n flwyddyn arall cyn y byddai disgwyl i ni gymryd cyfrifoldeb dros y gwasanaethau. Golygai hyn ein bod yn rhoi pob gewyn ar waith er mwyn sicrhau llwyddiant y Ddyfed newydd. Yn gyntaf, bu'n rhaid i ni benderfynu ar y patrwm o bwyllgorau a weddai orau i Ddyfed, cyn penodi cadeiryddion i bob pwyllgor. Yn fy anerchiad cyntaf fel cadeirydd, dywedais fy mod yn sicr y byddai Dyfed yn llwyddo, dim ond i ni fel aelodau gyd-dynnu a rhoi lles a buddiannau'r sir yn gyntaf. Fel ernes o ewyllys da fe benodwyd pedwar aelod Llafur i fod yn gadeiryddion cyntaf y pwyllgorau Polisi ac Adnoddau, Addysg, Gwasanaethau Cymdeithasol a Diogelu'r Cyhoedd. Prin y gallai'r un aelod Llafur, oedd wedi arfer â'r hen drefn gecrus o lywodraethu, gredu i'r fath beth ddigwydd. Ond fe dalodd ei ffordd i Ddyfed ar ei ganfed. Yn y flwyddyn neu ddwy gyntaf fe welwyd cryn dipyn o groes-bleidleisio. Hynny yw, byddai unigolion yn dilyn eu cydwybod yn hytrach nag ufuddhau i benderfyniad grŵp. Penderfynais, yn fy nhair blynedd fel cadeirydd, mai annoeth fyddai i mi fynychu cyfarfodydd y grŵp Annibynnol. A bu hynny, mi gredaf, o fantais i undod y Cyngor.

Gorchwyl hollbwysig oedd penodi prif swyddogion newydd, ynghyd â'u dirprwyon, er mwyn i'r rheini gael amser i gynllunio ar gyfer y sir fawr newydd. O gofio ein bod ni bellach yn gorfod dewis un prif swyddog lle gynt yr oedd tri, roedd hon yn dipyn o her. Siomwyd sawl swyddog rhagorol. Yn ogystal â'r penaethiaid, fe dreuliwyd oriau dirifedi'n ceisio dewis y staff mwyaf cymwys ar gyfer pob gwasanaeth. Cadeirydd yr is-bwyllgor personél oedd Howard Cooke, un arall o rengoedd y Blaid Lafur, ac mae'n rhaid i mi dalu teyrnged i Howard am ei ymroddiad diflino yn ystod blwyddyn gyntaf ein bodolaeth. Bu Howard Cooke yn ddigon o boendod ar lawer achlysur, yn enwedig ar bwnc yr iaith. Teg, serch hynny, yw cydnabod ei ragoriaethau.

Un o'n penderfyniadau cyntaf oedd ein bod am benodi prif weithredwr a fyddai heb gyfrifoldeb dros unrhyw wasanaeth arbennig, i arwain tîm o brif swyddogion y sir. Penodwyd Gwilym Rhys Peregrine, Clerc yr hen Sir Gaerfyrddin. O ystyried y gwahanol elfennau a ddaeth ynghyd i geisio cyd-fyw o fewn Dyfed, mantais aruthrol fyddai cael Prif Weithredwr doeth ei farn a'i ymddygiad. Ym mherson Gwilym Peregrine fe gawsom yr union ddyn.

Fy mhrif flaenoriaeth mewn Llywodraeth leol bellach oedd sicrhau llwyddiant y sir newydd. I wneud cyfiawnder â'r her honno, penderfynais roi heibio fy aelodaeth o rai o'r cyrff cyhoeddus y bûm yn ymddiddori ynddyn nhw dros y blynyddoedd. Byddai'r Aelod Seneddol Rhys Hopkin Morris yn arfer cyfeirio at Sir Caerfyrddin fel 'cyfandir'. Roedd y gymhariaeth yn fwy perthnasol fyth i Ddyfed. Gan fy mod yn gorfod llywio sir fwyaf Cymru, oedd yn ymestyn dros fwy na chwarter tiriogaeth y wlad, ac yn gartref i draean o filiwn o bobl amrywiol iawn eu cefndir a'u hanghenion, roedd gen i fwy na digon ar fy mhlât.

DEUGAIN O OFALON

Erbyn i Ddyfed ddod i fodolaeth roeddwn yn rhoi fy holl amser, am ddeng mis y flwyddyn, i waith cyhoeddus. Ond trwy fisoedd Gorffennaf ac Awst, pan nad oedd llawer yn digwydd yn y cynghorau, byddwn yn anghofio am y cyfan ac yn helpu i edrych ar ôl ein busnes teuluol, yn enwedig y siop grefftau – roeddwn i wrth fy modd yn gwerthu. Fis Medi, yn ôl â mi wedyn at yr hen drefn a threulio oriau meithion mewn pwyllgorau a chyfarfodydd, neu yn y car yn teithio i Gaerdydd neu Lundain. Roedd y gwaith wedi ymestyn y tu hwnt i weithgareddau'r Cyngor erbyn hyn, wrth imi gael fy newis gan y Cyngor neu'r Ysgrifennydd Gwladol i wasanaethu ar wahanol gyrff y tu allan i ffiniau fy sir. Unwaith yr oedd rhywun yn cychwyn ar y trywydd hwnnw, roedd y galwadau'n tyfu fel caseg eira. Daeth y cyfnod prysuraf ar ôl imi gael fy ethol yn gadeirydd Dyfed. Roedd gweithredu fel llysgennad i'r Cyngor yn rhan bwysig o'r swydd, a olygai dreulio mwy a mwy o amser oddi cartref, gan roi mwy o faich y cartref ar ysgwyddau Margaret – er mai hi fyddai'r olaf i gwyno.

Ar ôl imi ymddeol o fod yn gynghorydd euthum ati i lunio rhestr o'r cyrff a'r pwyllgorau allanol y bûm yn ymwneud â nhw drwy'r blynyddoedd. Roedd hyd y rhestr yn syndod i mi fy hun – ugain o swyddi yn ystod fy nghyfnod ar Gyngor Sir Aberteifi, a'r un nifer yn union tra oeddwn yn gynghorydd Dyfed. Wna i ddim manylu ar bob un o'r deugain, oedd yn amrywio o fynychu Pwyllgor Graddau Anrhydeddus Prifysgol Cymru i gadeirio Cyd-bwyllgor Trafod Crwneriaid Cymru a Lloegr. Ond mae'n deg dweud imi fwynhau'r rhan fwyaf o'r cyfrifoldebau, a bod rhai'n cynnig cyfle i ddylanwadu mewn meysydd oedd yn agos at fy nghalon.

Fel aelod o Gyd-bwyllgor Addysg Cymru, byddwn yn treulio cymaint â thri diwrnod yng Nghaerdydd ambell i wythnos. Gan fy mod yn aelod o Lys a Chyngor yr Amgueddfa Genedlaethol, a hefyd Amgueddfa Werin Sain Ffagan, byddwn yn y brifddinas yn amlach fyth. Fy nghyfraniad mwyaf i'r Amgueddfa Genedlaethol oedd ei rhwystro rhag prynu llun o dîm rygbi Caerdydd am bris o £22,000, arian sylweddol yng nghanol y saith degau. Oddi wrth Bwyllgor Celf yr Amgueddfa, dan gadeiryddiaeth Syr Hugo Boothby, y daeth yr argymhelliad hurt i'w brynu. I mi, nad oeddwn yn honni bod yn arbenigwr yn y maes, roedd y darlun yn ymylu ar y grotésg. Gallwn synhwyro nad oedd rhyw lawer o frwdfrydedd o blaid y pryniant ymhlith fy nghyd-aelodau, ond roedd y rhai hynny a ddylai fod yn hyddysg yn y celfyddydau gweledol yn bur dawedog. Mwyaf yn y byd yr edrychwn ar y llun, mwyaf y teimlwn fy hun yn cynddeiriogi. Yn y diwedd, dywedais na fyddwn i'n barod i roi chwe cheiniog amdano. Os do fe, dyma'r llifddorau'n agor ac roedd y mwyafrif o'r un farn â mi. Ni phrynwyd y llun.

Rhaid imi gydnabod fy malchder pan gefais fy mhenodi'n gadeirydd Amgueddfa Werin Cymru. Olynu Frank Price Jones yr oeddwn, a Frank a'm cynigiodd am y gadair. Fel Cymry Cymraeg rydym yn tueddu i ymddiddori mwy yn Sain Ffagan, sy'n dod o dan adain yr Amgueddfa Genedlaethol, nag yn yr adeilad ysblennydd ym Mharc Cathays. Yn un peth, roedd y Curadur, Dr Iorwerth Peate, wedi rhoi oes o ymlafnio ar ran yr Amgueddfa Werin, ac wedi llwyddo'n rhyfeddol i ddwyn Sain Ffagan i sylw'r byd. Yn ystod fy nghadeiryddiaeth i yr ymddeolodd Dr Peate, a'r cadeirydd oedd i wneud y perorasiwn o ddiolch yn y cyfarfod olaf cyn yr ymddeoliad. Cefais ar ddeall mai yn Gymraeg yn unig yr oedd disgwyl imi lefaru, a hynny yn Nhrefynwy o bob man! Mae rhai o'r farn fod cyn-Ysgrifennydd Cymru Nicholas Edwards, Arglwydd Crughywel bellach, yn tueddu i fod braidd yn oeraidd ei osgo. Os na welson nhw Ralph Edwards, tad Nicholas, wyddon nhw ddim byd amdani! Dyn byr o gorff, byrrach fyth ei dymer, gyda mwstás bach tebyg i

Hitler – dyna Mr Ralph Edwards. Gan nad oedd, hyd y gwn i, yn deall gair o Gymraeg, edrychai ei fwstás fel pe bai cerrynt trydan wedi ei feddiannu wrth i mi draddodi fy nheyrnged i waith clodwiw y Doctor Peate.

Seremoni a roddodd foddhad o'r mwyaf i mi, fel ŵyr i lwythwr llechi yn y Felinheli, oedd agoriad Amgueddfa Lechi Chwarel Dinorwig yn Llanberis. Fi gafodd y fraint o gloi'r cyfarfod, gan dalu clod i weithwyr a fu'n llafurio mor galed am gyflog cwbl annigonol. Yn ystod fy nhymor fel cadeirydd y penodwyd Trefor Owen i olynu Iorwerth Peate yn guradur Sain Ffagan. Tua'r un adeg fe agorwyd yr Oriel Amaethyddol gan Syr Emrys Jones – ychwanegiad buddiol a gwir angenrheidiol i'r Amgueddfa Werin.

Byddai fy niddordeb yn y theatr hefyd yn golygu teithiau i Gaerdydd. Bûm yn aelod ac yn is-gadeirydd y Welsh Theatre Company rhwng 1961 a 1969, ac yn aelod o Fwrdd Theatr Cymru o 1961–84. Yr un a'm tynnodd i mewn i faes y theatr oedd Nesta Howe, merch o'r Barri a chyfnither i Gwynfor. Bu Nesta farw'n ddisymwth yn ei phedwar degau. Roedd yn berson hoffus, llawn brwdfrydedd.

Bu Hugh Ferguson Jones, cadeirydd Pwyllgor Cyllid Dinas Caerdydd, yn aelod o'r Welsh Theatre Company. Roedd yn ddyn plaen ei dafod, ac yn enedigol o Sir y Fflint. Tra'r oeddwn i'n gadeirydd Cyngor Sir Aberteifi ac yntau'n Arglwydd Faer Caerdydd fe sefydlwyd cyswllt cyfrifiadurol rhwng y ddau awdurdod, y tro cyntaf i arbrawf o'r natur hwnnw ddigwydd yng Nghymru. Bu farw y noson cyn y diwrnod pan oedd ei enw i ymddangos yn y rhestr anrhydeddau fel marchog.

Cyfarwyddwr drama o'r enw Clifford Williams oedd cadeirydd y Welsh Theatre Company. Yn anffodus, roedd mor brysur yn cyfarwyddo yng Nghanada fel mai anaml y byddai ar gael i gadeirio cyfarfodydd, a olygai mai fi, fel is-gadeirydd, fyddai'n llenwi'r bwlch.

Yn ystod y chwe degau fe wnaed ymgais i godi adeilad a fyddai'n darparu neuadd gyngerdd a theatr genedlaethol i

Gymru. Y sbardun pennaf i'r syniad oedd y St David's Trust, a bûm mewn nifer o gyfarfodydd i drafod a cheisio hybu'r ymdrech. Daeth Saunders Lewis i'r cyfarfod cyntaf ond chafodd ei syniadau ynglŷn â datblygiad y neuadd ddim llawer o groeso gan y gweddill ohonom. Dywedodd Saunders na welai unrhyw bwynt iddo fynychu rhagor o gyfarfodydd, a welson ni mohono wedyn. Y cam nesaf oedd galw cynhadledd genedlaethol i weld faint o gefnogaeth oedd yna i'r syniad. Trefnwyd y gynhadledd honno gan y St David's Trust a daeth dau neu dri chant ynghyd o bob rhan o Gymru.

Y cadeirydd oedd Arglwydd Aberdâr, a'r ddau brif siaradwr oedd Syr Ben Bowen Thomas a'r Athro Gwyn Jones. Aeth y cyfarfod braidd yn flêr, gan y mynnai Clifford Evans, yr actor, godi bwganod o hyd. Ar ddiwedd y cyfarfod, pan oeddwn i'n siarad â Syr Ben, mi synnais ei glywed yn dweud, 'Pwy mae Clifford Evans yn feddwl yw e, y *second rate actor* ag yw e?' Roedd Syr Ben ymhell o fod y gŵr syber, urddasol a hunan-feddiannol yr oeddwn i wedi ei adnabod cyn hynny. Byddai amynedd yr Archangel Gabriel wedi bod dan brawf llym wrth geisio delio â gor-frwdfrydedd Clifford Evans, a chalondid oedd gweld bod Ben Bowen yntau'n medru ffrwydro o dro i dro.

Gwnaed apêl am arian i godi'r neuadd, a hyd y deallwn, cyfraniad Richard Burton o £10,000 oedd yr unig gyfraniad sylweddol a ddaeth i law. Mae'n siŵr inni fod yn rhy uchelgeisiol wrth feddwl cael un adeilad a fyddai'n gartref i holl weithgareddau'r celfyddydau perfformio bryd hynny, boed ddrama, opera, bale neu gyngherddau. Mawr yw'n dyled i Ddinas Caerdydd am fynd â ni ran o'r ffordd trwy godi Neuadd Dewi Sant.

Ar ddiwedd y chwe degau fe benderfynwyd y dylai Cwmni Theatr Cymru, y bûm yn aelod o'i fwrdd rheoli o 1961–84, symud ei bencadlys o Gaerdydd a gweithredu o Fangor. Rhoddwyd cefnogaeth ariannol eithaf hael i'r Cwmni yn y blynyddoedd cyntaf. Golygai hyn ein bod yn crwydro Cymru gyfan gyda'n cynyrchiadau ac yn gallu arbrofi o bryd i'w gilydd wrth gyflwyno dramâu. Roedd hyn yn torri cŵys newydd. Rhoddodd Wilbert Lloyd Roberts ei holl ddawn a'i egni fel cyfarwyddwr y Cwmni, a gwnaeth gyfraniad arbennig i ddatblygiad y ddrama Gymraeg dros gyfnod maith. Efallai i ni arbrofi'n ormodol o ran ennill cynulleidfaoedd, ac fe amharodd hynny rywfaint ar ein hincwm. Serch hynny, bu'r ffordd y cwtogwyd ar ein grant gan Gyngor y Celfyddydau yn enbyd o anghyfrifol.

Dan arweiniad Wilbert fe gafwyd cyfnod ffyniannus iawn yn hanes y theatr Gymraeg. Serch fy mod wedi ei gyfarfod gyntaf pan oedd yn *chauffeur* i Ambrose Bebb adeg etholiad 1945, chefais i ddim cyfle i ddod i'w adnabod yn dda cyn dyddiau'r Cwmni Theatr. Yn ystod ei deyrnasiad fe gafodd llu o dalentau addawol eu meithrin. Treth ar unrhyw gwmni theatr yw gorfod teithio'n ddi-baid. Wrth symud eich pabell yn ddyddiol, mae'r straen o 'gynnal yr achos' yn gallu bod yn llethol. Mae'n glod i alluoedd artistig Wilbert ei fod wedi arbrofi cymaint – allwch chi ddim cynnal theatr genedlaethol ar olygfeydd mewn cegin a pharlwr yn unig. Ar y llaw arall, rhaid cydnabod nad yw trwch ein poblogaeth yn gwerthfawrogi themâu cymhleth, yn enwedig os ceir cynyrchiadau felly yn rhy aml. Ar ôl cael eu siomi gyda rhai dramâu arbrofol, tueddai'r gynulleidfa i gadw draw o berfformiadau o'r cynyrchiadau mwy poblogaidd. Ac eto, does dim disgwyl i artist aros yn ei unfan a bodloni ar fywyd di-her.

Daeth Cwmni Theatr Cymru i ben yn 1984, wedi i Gyngor Celfyddydau Cymru benderfynu cwtogi 30 y cant ar ein grant, a hynny ar fyr rybudd. Doedd dim gobaith inni allu goroesi dan y fath amgylchiadau.

Fel aelod o fwrdd y Cwmni Theatr, roeddwn innau wedi cael gwahoddiad i eistedd ar Banel Drama Cyngor y Celfyddydau. Ychydig o bleser a gefais o'm cysylltiad â'r panel hwnnw. Wrth geisio hybu buddiannau'r ddrama Gymraeg, a Chwmni Theatr Cymru'n arbennig, roeddwn i'n synhwyro fod yna gryn dipyn o anwybodaeth a diffyg cydymdeimlad ymysg rhai o'm cyd-aelodau. O bryd i'w gilydd byddem yn gweld Elwyn Jones, oedd yn enwog ar y pryd fel awdur y cyfresi teledu *Z Cars* a *Softly Softly*, yn disgyn arnom fel cawod o genllysg o Lundain, i feirniadu'n hymdrechion heb unrhyw ymgais i fod yn wrthrychol nac yn adeiladol. Ar ôl mwynhau ei hun ar y Panel Drama byddai'n ei baglu hi nerth ei dacsi i'r orsaf i ddal y trên nesaf yn ôl i Lundain a'i gylchoedd cyfryngol.

Yn sicr, doedd anghenion y ddrama ddim yn cael yn agos gystal chwarae teg â gofynion y celfyddydau eraill gan Gyngor y Celfyddydau. Yn ystod cadeiryddiaeth yr Arglwydd Cledwyn o Benrhos y daeth y Cwmni Theatr i ben, ac roedd hyn yn sarhad ar ddyn galluog a chydwybodol oedd ar y pryd yn arwain yr Wrthblaid yn Nhŷ'r Arglwyddi.

Bu Syr Thomas Parry yn gadeirydd arnom cyn cyfnod yr Arglwydd Cledwyn. Cofiaf yn dda, mewn un cyfarfod, i Syr Thomas bwyntio bys prifathrawol at rai ohonom, gan ddatgan yn groyw nad oedd am ganiatáu unrhyw wamalrwydd. Roedd Alun Llywelyn Williams newydd sibrwd rhywbeth eitha gogleisiol yn fy nghlust a finnau wedi ymateb gydag ebychiad isel, ond roedd Tom wedi fy ngweld. Gofynnais iddo ai cyfeirio ataf i yr oedd. 'Ie,' atebodd yn ei lais awdurdodol. Gall unrhyw un oedd yn adnabod Syr Thomas Parry werthfawrogi'r sefyllfa! Taw piau hi ambell waith!

Does gen i ddim cof sut y cefais wahoddiad i fod yn aelod o Fwrdd Opera Cenedlaethol Cymru yn 1974. Efallai bod a wnelo'r ffaith fy mod yn gadeirydd Dyfed ac yn Gadeirydd Pwyllgor Siroedd Cymru rywbeth â'r gwahoddiad. Ar y pryd roedd y cynghorau sir yn cyfrannu'n ariannol i goffrau'r Cwmni Opera, a digon prin oedd yr aelodaeth o'r de-orllewin. Rhaid fod y Bwrdd yn ymwybodol bod Meinir, fy merch hynaf, yn delynores yng ngherddorfa'r Cwmni. Er bod gen i lond trol o waith yn barod, mi dderbyniais y gwahoddiad gan fy mod yn credu mor gryf fod yn rhaid inni gefnogi'n sefydliadau cenedlaethol.

Pe bawn yn honni fy mod yn eithriadol hoff o opera, mi fyddwn yn anonest. Y cyfan allaf ddweud yw ei fod yn tra ragori ar y bale yn fy ngolwg! Unwaith yn unig y bûm yn y bale, a hynny i weld *Swan Lake* yn y Playhouse yn Lerpwl yn 1944. Roedd yr ymweliad hwnnw i fod yn glo ar ddiwrnod hyfryd a dreuliodd Margaret a fi yn dringo Moel Famau, cyn dal bws yn ôl i'r ddinas i weld y perfformiad. Theimlais i erioed awydd cryf i weld bale byth wedyn.

Ond yn ôl at Gwmni Opera Cenedlaethol Cymru. Alfred Francis, cyn-ddisgybl yn y Liverpool College, oedd cadeirydd y Cwmni pan ymunais i gyntaf â'r Bwrdd. Roedd y Cwmni'n eithriadol o boblogaidd, a dyna pam y llwyddodd i oroesi trwy'r gwasgfeydd ariannol a fyddai'n bygwth y celfyddydau o dro i dro. Bu'r Cwmni'n nodedig am ei gorws o leisiau cyfoethog, gyda sawl un yn cael ei ddefnyddio'n gyson i ganu rhannau unigol.

Ymhen amser fe benodwyd yr Arglwydd Davies o Landinam i olynu Alfred Francis fel cadeirydd. Er bod Francis yn adnabod byd yr opera yn dda, ac iddo wneud cyfraniad gwerthfawr yn ei ddydd, doedd ganddo mo'r dycnwch na'r brwdfrydedd i oresgyn yr anawsterau oedd yn wynebu'r Cwmni ar y pryd. Yn fuan ar ôl i David Davies gymryd at yr awenau fe benodwyd Brian McMaster, ac yntau ond yn ei dri degau cynnar, yn gyfarwyddwr. Bu'r penodiad hwnnw'n drobwynt yn hanes y cwmni. O'r diwedd roedd gennym gyfarwyddwr ifanc, hynod egnïol, gyda hunanhyder dihysbydd, i'n harwain i feysydd newydd sbon. Roedd McMaster yn ddoeth mewn pwyllgor, a bron bob amser yn cael ei ffordd. O dan ei ddylanwad fe ymestynnwyd gorwelion y Cwmni a bu'n perfformio yn Efrog Newydd, Tokyo, Paris, Milan, Leipzig a Lisbon.

Ychydig cyn i'm cyfnod fel aelod o'r Bwrdd ddod i ben yn 1988, fe aeth yn ymrafael rhwng y Cwmni a'r Gerddorfa oherwydd cyflogau. Roedd aelodau'r Gerddorfa o'r farn nad oedden nhw wedi cael codiad haeddiannol yn eu tâl gan y Cwmni. Aeth y ffrwgwd o ddrwg i waeth, a'r diwedd fu i'r cerddorion dderbyn llythyrau diswyddo. Pan glywais yr hanes gan Meinir a'i gŵr Brian, oedd hefyd yn aelod o'r Gerddorfa, ffoniais David Davies ar unwaith i ddweud beth a feddyliwn o'r fath ymddygiad tuag at gerddorion proffesiynol oedd wedi rhoi blynyddoedd lawer o wasanaeth i Opera Cenedlaethol Cymru.

Yng nghanol y chwe degau fe'm penodwyd i Bwyllgor Heddlu siroedd Caerfyrddin a Cheredigion, ychydig cyn i Awdurdod Heddlu Dyfed Powys ddod i fodolaeth. Un o'n dyletswyddau cyntaf yn yr Awdurdod newydd oedd penodi Prif Gwnstabl. Dau yn unig a ymgeisiodd am y swydd, sef R. B. Thomas, Prif Gwnstabl Canolbarth Cymru, a John Ronald Jones, Prif Gwnstabl siroedd Caerfyrddin a Cheredigion. Roedd poblogaeth Dyfed deirgwaith yn fwy na phoblogaeth Powys, ond fe benodwyd naw aelod o Bowys a deunaw o Ddyfed ar yr Awdurdod newydd. Roedd John Ronald Jones yn credu y byddai'n ennill y bleidlais yn rhwydd, ond doeddwn i ddim mor ffyddiog. Mi wyddwn y byddai personoliaeth ac osgo uchelwrol Richard Thomas yn apelio llawer mwy at yr Arglwyddi Rhaglaw, a fyddai â llais allweddol yn y penderfyniad, na'r hyn oedd gan John Ronald i'w gynnig yn hynny o beth. Ar ôl un o gyfarfodydd Heddlu Caerfyrddin-Ceredigion yn Neuadd y Sir yn Aberaeron, mi ddywedais wrth John Ronald nad oeddwn yn credu fod ganddo'r un bleidlais yn sbâr. Pan ddaeth dydd y penodi cafodd J. R. Jones bedair ar ddeg o bleidleisiau ac R. B. Thomas dair ar ddeg. Roedd John Ronald wedi ei ysgwyd braidd gan ba mor agos oedd y bleidlais, a bu'n dyfalu'n hir pwy oedd wedi ei adael i lawr. Cymeriad arbennig iawn oedd John Ronald Jones. Roedd yn rhydd iawn ei barabl ac yn gallu dweud pethau carlamus mewn pwyllgor. Byddai llawer un wedi mynd dan y don mewn bywyd cyhoeddus petai wedi mentro dweud hanner y pethau a lefarwyd gan John Ronald Jones, ond roedd yn greadur hoffus dros ben.

Daeth John Ronald Jones i adnabod y Tywysog Charles yn dda pan ddaeth i Aberystwyth i astudio Cymraeg cyn yr Arwisgo yn 1969. Y Prif Gwnstabl oedd yn bennaf cyfrifol am drefnu ei ddiogelwch. Pan gynhaliwyd cinio i holl Brif Gwnstabliaid Cymru a Lloegr yn Llundain, fe wahoddwyd

Charles i fod yn ŵr gwadd. John Ronald Jones oedd i gyflwyno'r siaradwr yn ystod y cinio. Pan ddaeth yn amser i'r Tywysog annerch, fe gydiodd y Prif Gwnstabl yn ei lwy er mwyn ei tharo ar y bwrdd i sicrhau gosteg i Charles, a eisteddai wrth ei ochr. Daeth y llwy i lawr yn nerthol, gan fethu â tharo'r bwrdd ond llwyddo i chwalu plât y Tywysog yn deilchion. Galwodd J. R. ar un o'r gweinyddesau gan ofyn iddi gasglu'r darnau, a'i siarsio i gadw pob darn. Ar ôl y cinio fe gasglodd John Ronald yr holl ddarnau, gan fynd â nhw adref a chael rhywun i roi'r plât yn ôl wrth ei gilydd bob yn ddarn. Y chwedl yw bod y plât wedi ei weld yn hongian ar un o furiau ei gartref.

Yn Ionawr 1974 bûm dan lawdriniaeth go fawr. Serch fy mod yn gadeirydd Cyngor Dyfed ar y pryd, doeddwn i ddim yn ôl yn y Cyngor Sir am ddeufis. Erbyn mis Mehefin roeddwn yn teimlo'n ddigon da i fynd i gynhadledd Prif Gwnstabliaid Prydain yn Eastbourne, gan aros yn yr un gwesty â'r Prif Gwnstabl. Gan fod y tywydd mor braf, awgrymodd John Ronald ein bod yn mynd i nofio un gyda'r nos. Dywedais wrtho nad oedd gennyf dryncs. 'Mae gen i ddau bâr,' meddai. Teg yw dweud bod y Prif Gwnsstabl dipyn yn fwy na fi rownd ei ganol. Dyma fi'n lapio tryncs JR amdanaf, ac i mewn â ni i'r môr. Fi aeth i mewn gyntaf, ac ar ôl ychydig eiliadau o nofio dyma J. R. yn gweiddi, 'Hei, Heulyn, rwyt ti'n starcyrs!' Wrth lwc mi lwyddais i ddod o hyd i'r tryncs a'u gwisgo yr eilwaith cyn dod i'r lan, ond dyna ddiwedd ar y nofio yn Eastbourne.

Un pryder cyson wrth ymwneud â bywyd cyhoeddus yw'r posibilrwydd y bydd rhywun yn eich camliwio yn y wasg. Cefais fy nghynhyrfu'n arw gan adroddiad yn y *Western Mail* pan oedd Awdurdod Heddlu Dyfed Powys yn ystyried penodi Prif Arolygwr i Aberystwyth. Trwy gamddealltwriaeth, fe ddehonglwyd rhywbeth a ddywedais i fel ymgais i ganfasio ar ran un o'r ymgeiswyr. Daeth y sylwadau i sylw'r *Birmingham Post* a chyfeiriodd erthygl amdanaf yn y papur hwnnw at 'the unpersuasive Alderman Roberts'. Roeddwn i'n gynddeiriog ac mi ffoniais Eric Carson, Clerc yr Awdurdod, i ddweud fy mod am fynd â'r papur i'r Llys am gyhoeddi'r erthygl heb ymgynghori â fi o gwbl. Cyngor Eric Carson oedd imi beidio â gwneud dim yn fyrbwyll, ond y dylwn gysgu ar y mater am ddwy neu dair noson. Roedd yn llygad ei le: gall camau cyfreithiol mewn achosion fel hyn wneud mwy o ddrwg nag o les. Bydd rhyw gof annelwig am y digwyddiad yn aros ym meddyliau pobl beth bynnag oedd dyfarniad y llys. O edrych yn ôl mi fûm yn gall i dderbyn cyngor Clerc yr Awdurdod Heddlu, a gwneud dim.

Doedd fy nghyfarfyddiad cyntaf â Peter Thomas, a benodwyd yn Ysgrifennydd Gwladol Cymru pan ffurfiodd Edward Heath ei Lywodraeth Dorïaidd yn 1970, ddim yn un addawol. Rwy'n credu mai â Sir Aberteifi y talodd ei ymweliad swyddogol cyntaf fel Gweinidog y Goron. Cofiaf i un ar bymtheg ohonom gael cinio yn ei gwmni yng ngwesty'r Talbot yn Aberystwyth. Roedd hi'n noson gynnes iawn, yr ystafell yn fach a'r bwrdd yn llai fyth, a phawb yn hynod anghysurus. Gan fy mod yn eistedd ar bwys Peter Thomas, gadewais iddo blygu ymlaen i gael ei gegaid gyntaf tra oeddwn innau'n plygu'n ôl. Fy nhro i oedd hi wedyn i blygu ymlaen. A siglo fel dau bendil y buon ni am weddill y pryd, gyda thymheredd yr ystafell yn codi'n gyson. Serch hynny, mi gawsom sgwrs ddigon difyr.

Ar ddiwedd y cyfarfod mi awgrymais rywbeth ynglŷn â'r iaith Gymraeg a gynhyrfodd yr Ysgrifennydd Gwladol yn fawr. 'I'm not going to be brow-beaten by you or anyone else on this matter,' taranodd. Doeddwn innau ddim yn barod i dderbyn ymosodiad fel hyn gan neb, yn enwedig ar ôl imi gynnig yr hyn a oedd yn fy marn i, yn gyngor doeth iddo. Erbyn hyn roedd wedi troi ar ei sawdl a'i brasgamu hi am y drws. Dilynais innau, gan ddweud nad oeddwn am adael i neb siarad fel yna â fi, a'm bod yn credu ei fod wedi fy nghamddeall. Na, doedd hwnnw ddim yn gyfarfod cyfeillgar.

Dychmygwch fy syndod, ym mis Mai 1971, pan dderbyniais wahoddiad gan Peter Thomas i fod yn aelod o Gyngor Cymru. Gwrthod wnes i, gan deimlo nad oedd llawer o werth i gorff anetholedig nad oedd ganddo rym i weithredu ar unrhyw beth.

Derbyniais lythyr digon hynaws gan yr Ysgrifennydd Gwladol, yn dweud ei fod yn deall fy rhesymau dros wrthod.

O bryd i'w gilydd fe ddeuai gwahoddiad, yn sgil rhyw swydd neu'i gilydd, i arddwest ym Mhalas Buckingham. Yn un o'r rheini, a Margaret a minnau'n mynd heibio pabell y Cabinet yn yr arddwest, fe welodd Peter Thomas fi a'm gwahodd i gwrdd â rhai o'i gyd-Weinidogion. Fe'm cyflwynodd iddyn nhw fel yr unig un erioed i wrthod gwahoddiad i fod yn aelod o Gyngor Cymru.

Doedd gen i ddim gwrthwynebiad i fynychu garddwest ym Mhalas Buckingham, ond mi wrthodais gyfle arall i ymweld â'r lle. Fel Cadeirydd cyntaf Dyfed, gofynnwyd imi a fyddwn yn fodlon gadael i'm henw fynd ymlaen am ystyriaeth i dderbyn anrhydedd gan y Frenhines. Ond doeddwn i ddim yn teimlo'i bod hi'n iawn i Gymro dderbyn anrhydedd a fyddai'n parhau'r syniad o Ymerodraeth Brydeinig, o gofio mai Cymru oedd ei threfedigaeth gyntaf.

Yn 1972 fe'm penodwyd gan Peter Thomas yn aelod o Gyngor Chwaraeon Cymru dan gadeiryddiaeth y Cyrnol Harry Llewellyn, oedd yn dipyn o Gymro yn ei ffordd ei hun. Enillodd Harry fedal aur am farchogaeth yn Chwaraeon Olympaidd Helsinki yn 1952 a daeth yn ail yn y Grand National yn 1936. Yn ystod fy neuddeng mlynedd ar y Cyngor Chwaraeon, bûm yn gadeirydd y Pwyllgor Cyfleusterau a'r Pwyllgor Grantiau.

Ar ôl i bencadlys y Cyngor Chwaraeon gael ei godi yng Ngerddi Sophia, Caerdydd, roedd yna deimlad y dylai'r Cyngor gael ei uniaethu fwy â'r Gogledd. Penderfynwyd sefydlu canolfan awyr agored a fyddai'n canolbwyntio'n bennaf ar sgiliau'n ymwneud â'r môr. Boddhad mawr i mi oedd y penderfyniad i sefydlu Plas Menai yn hen gynefin fy nhad ger y Felinheli. Mae'r safle yn y cae nesaf i fynwent Llanfair-is-gaer lle claddwyd fy rhieni, a llwch Glyn fy mrawd, ac amryw o'm perthnasau eraill.

Is-gadeirydd y Cyngor oedd George Edwards, pêl-droediwr a chwaraeodd ar yr asgell i Gymru. Roedd George hefyd yn un o gyfarwyddwyr Cardiff City. Un arall a ddaeth yn is-gadeirydd oedd Jack Peterson, y pencampwr bocsio pwysau trwm. Anodd credu i Jack erioed fod yn baffiwr proffesiynol gan mor dawel ac urddasol oedd ei gyfarchiad bob amser. Bu Jack yn aelod Ceidwadol o Gyngor Dinas Caerdydd am gyfnod.

Gwaith y Pwyllgor Grantiau oedd rhoi cymorth ariannol i glybiau chwaraeon lleol. Roedd disgwyl i'r clwb ei hun godi chwarter y cyfalaf angenrheidiol ar gyfer unrhyw gynllun. Byddai'r Pwyllgor wedyn yn rhoi punt am bunt o'r hyn fyddai wedi ei gasglu yn yr ardal. Trwy'r dull hwnnw rhoddodd y Cyngor Chwaraeon gymorth i gannoedd o glybiau i wella'u cyfleusterau. Cofiaf i Glwb Criced Llechryd yng Ngheredigion wneud cais i brynu cae ar gyfer pedwar tîm criced y pentref, a hynny wythnos union cyn diwedd y flwyddyn ariannol. Cost y cae oedd £12,000, a chytunwyd â'r cais ar yr amod fod y clwb criced ei hun yn casglu eu cyfran nhw, a hynny o fewn wythnos. O fewn dau ddiwrnod roedd Garnon Davies wedi casglu tair mil o bunnau ac fe gafodd Clwb Criced Llechryd ei faes chwarae newydd. Dyna beth oedd brwdfrydedd!

Cyn i Gyngor Chwaraeon Cymru, y 'Welsh Sports Council', ddod i fodolaeth, roedd corff dan yr un enw yn Gymraeg, ond a elwid yn 'Welsh Games Council' yn Saesneg, yn gweithredu yn yr un maes. Cefais fy enwebu gan Gyngor Sir Aberteifi i wasanaethu ar y corff hwnnw. Uchafbwynt ein gweithgarwch fyddai trefnu'r mabolgampau oedd yn cael eu cynnal bob haf yn stadiwm y Maendy, Caerdydd, lle byddai tîm Cymru'n cystadlu yn erbyn gwlad neu wledydd eraill. Llywydd y Cyngor Chwaraeon hwnnw oedd Anthony Berry, gŵr hynod gyfeillgar a bonheddig a fyddai'n talu o'i boced ei hun am bryd o fwyd blasus i westeion y Cyngor cyn i ni fynd i weld y cystadlu blynyddol. Roeddwn i wedi profi ei haelioni cyn hynny mewn lleoliad cwbl wahanol. Pan gynhaliwyd cynhadledd genedlaethol yng Nghaerdydd i wrthdystio yn erbyn bwriad Dinas Lerpwl i foddi Tryweryn – lle gwelais George Thomas am y tro cyntaf – fe dalwyd am ginio dau neu dri chant o gynadleddwyr gan Anthony Berry. Dyn heb ronyn o falais yn ei galon ydoedd. Gofid mawr oedd clywed am ei farwolaeth ddisyfyd pan ffrwydrodd bom yr IRA yn ei westy adeg Cynhadledd y Torïaid yn Brighton yn 1982. Heddwch i'w lwch.

Ar ddechrau'r chwedegau, bu tipyn o ymrafael rhwng Pwyllgor Rhanbarth Plaid Cymru yn Sir Aberteifi a'r Arglwydd Ganghellor ynglŷn â phenodi cenedlaetholwyr i fod yn ynadon heddwch. Yn y diwedd, fe benderfynodd y Pwyllgor Rhanbarth adael y mater yn nwylo Llewelyn Bebb a minnau i ymresymu â'r Arglwydd Ganghellor. Dyfalbarhad di-ildio yw'r unig ffordd i ennill y dydd yn erbyn trefn y Sefydliad. Buom yn gohebu gyda'r Arglwydd Ganghellor am saith mlynedd cyn i ni lwyddo i geisio cael Pleidwyr ar y Pwyllgor Ymgynghorol Ynadon Heddwch. Er inni gael ein sicrhau mewn llythyr ar ôl llythyr nad ystyriaethau gwleidyddol a benderfynai pwy a ddewisid i fod yn Ynadon, gwyddwn innau'n iawn mai cynrychiolwyr y pleidiau Rhyddfrydol, Llafur a Cheidwadol yn unig oedd yn eistedd ar y Pwyllgor Ymgynghorol yng Ngheredigion. Doedd dim gobaith i Bleidwyr gael eu penodi'n ynadon nes bod gennym aelod ar y Pwyllgor hwnnw. Yn y diwedd mi anfonais neges at yr Arglwydd Ganghellor i'r perwyl mai ofer oedd inni ddisgwyl sgorio gôl heb fod yn y tîm. Ar 15 Mawrth 1968 derbyniais lythyr yn fy hysbysu fy mod bellach nid yn unig yn aelod o'r Pwyllgor Ymgynghorol ond hefyd wedi fy mhenodi'n Ynad Heddwch. Nid hynny oedd gen i mewn golwg, ond allwn i ddim gwrthod a finnau wedi bod yn gohebu gyda'r Arglwydd Ganghellor am saith mlynedd cyn bwrw'r maen i'r wal.

Rhaid cydnabod na chefais i unrhyw fwynhad o fod yn Ynad Heddwch. Rwy'n amau cymhellion unrhyw un a gaiff bleser wrth wrando ar helyntion pobl eraill. Rhaid wrth ynadon, wrth gwrs, ac mae'n rhaid gwerthfawrogi eu cyfraniad tuag at gynnal cyfraith a threfn. O'm rhan i, fe'i cefais hi'n amhosib rhoi'r amser dyladwy i dynnu fy mhwysau ar y fainc yn Aberaeron. Bûm yn cadeirio'n achlysurol pan nad oedd y cadeirydd yn bresennol. Bûm yn gadeirydd y Pwyllgor Ymgynghorol Ynadon Heddwch nes ymddiswyddo oddi ar y Pwyllgor ac oddi ar fainc ynadon Aberaeron yn Awst 1989, bum mis ar ôl cyrraedd oed yr addewid.

Er nad oedd dyletswyddau ynad heddwch bob amser at fy nant, bûm bob amser yn gredwr cryf mewn cyfraith a threfn a thegwch. Pan ofynnwyd i mi a oeddwn yn fodlon i'm henw gael ei ystyried ar gyfer penodiad fel Uchel Siryf Dyfed, mi wnes rai ymholiadau am y swydd cyn penderfynu. Cefais wybod y byddai disgwyl i'r Uchel Siryf eistedd ar ddeheulaw'r Barnwr pan fyddai hwnnw'n ymweld â Llys y Goron yn Nyfed; rhoi tamaid o fwyd i'r Barnwr ac uchel swyddogion y Llys am un diwrnod ym mhob un o dri thymor y Gyfraith; mynychu gwasanaeth crefyddol, yng ngwisg ffurfiol Uchel Siryf, yng Nghadeirlan Llandaf; cyfarfod y teulu Brenhinol ar eu hymweliadau â Dyfed; cynnal partïon bach gyda'r nos i wahoddedigion, o'r sir yn bennaf. Byddai Margaret a finnau hefyd yn derbyn llu o wahoddiadau i achlysuron arbennig trwy Ddyfed a Chymru. Daethom i'r casgliad y gallem ddod i ben â gofynion y swydd. Ar ôl 30 mlynedd o fywyd cyhoeddus prysur dros ben, roeddwn yn teimlo bod gen i hawl i ymlacio rhywfaint am flwyddyn, pe cawn fy newis. Byddai hefyd yn gyfle i Margaret, oedd wedi gorfod gwrthod llu o wahoddiadau a fyddai'n dod i'n rhan, oherwydd gofalon teulu a busnes, fod yn rhan o'r gweithgareddau cymdeithasol. Penderfynais dderbyn y cynnig.

Bu'r flwyddyn 1982/83 yn un eithaf digynnwrf i Uchel Siryf Dyfed. Cawsom gyfle i wahodd tua chant a hanner o bobl i'n partïon bach yn Synod Parc, sef rhyw ugain ar y tro. Roedd y rhain yn llwyddiannus iawn a mawr yw'n dyled i Ann, Awelfryn a Sara Mary, Plas am gynorthwyo Margaret gyda'i pharatoadau.

Yn ystod y flwyddyn aeth Margaret a finnau ar wyliau i Awstria yn westeion i Hans, fy hen gyfaill o garcharor rhyfel, a'i wraig Helga. I gyrraedd Fienna aethom ar y cwch i Ostend, ac ymlaen oddi yno ar y trên. Roedd Hans yn ein disgwyl yn y Westbahnhof, ac aeth â ni i'w fflat lle cawsom gwrdd â Helga am y tro cyntaf. Ar ôl treulio rhai dyddiau yn Fienna aethom i aros am ychydig ddiwrnodau yn Sollenau, cartref arall oedd ganddyn nhw i gyfeiriad Hwngari.

Roedd Hans yn awyddus iawn i ni weld Gratz, ail ddinas Awstria. Ar ein ffordd yno fe fynnodd Hans ein bod yn ymweld â baddonau thermol oedd newydd eu hagor, pump neu chwech o faddonau o wahanol dymheredd. Aethom i mewn i'r baddon mwyaf ac aeth Hans i sefyll â'i wegil o dan y bwrlwm wrth i'r dŵr lifo'n nerthol i mewn i'r baddon. Gwahoddodd finnau i wneud yr un peth. Er bod ein dwylo'n cydio'n dynn yn y bar bob ochr i'r ffrwd oedd yn hyrddio i'r baddon, doedden ni ddim yn gallu gwrthsefyll grym y dŵr er i ni geisio sawl gwaith. Y bore trannoeth roedd bawd a mynegfys fy llaw chwith yn ddiffrwyth; maen nhw'n para'n ddiffrwyth hyd heddiw.

Bûm yn y National Hospital yn Llundain yn cael profion am naw diwrnod, a rhoddwyd fi ar *phenatoine*, cyffur sy'n cael ei ddefnyddio fel arfer i wrthweithio epilepsi, er nad oeddwn i erioed wedi dioddef o'r cyflwr hwnnw. Roedd y dôs yn un cryf iawn, ac yn effeithio ar fy iechyd a'r broses feddyliol. Roeddwn yn sylweddoli fy hun fy mod wedi bod yn siarad lol yn y Cyngor Sir, gan orffen fy sylwadau yn aml mewn boddfa o chwys. O dipyn i beth fe leihawyd fy nôs o *phenatoine*, a llwyddais i fyw gyda'r sefyllfa, er fy mod yn dal i chwysu'n eithafol o dro i dro. Bûm felly am saith neu wyth mlynedd. Cawn hi'n anodd darllen am amser hir heb syrthio i gysgu.

Y meddyg y mae gen i ddyled fawr iddo yw Dr Aeron Davies o Ysbyty Bronglais yn Aberystwyth. Fe'm rhuthrwyd i Fronglais un noson gyda rigor a thymheredd o 104. Pan welodd Aeron Davies fi yn y bore, dywedodd wrthyf am anghofio am y *phenatoine* gan ddweud ei fod yn poeni mwy am gyflwr fy nghalon, a gofynnodd a oeddwn wedi dioddef o'r dwymyn crydcymalau pan yn ifanc. O ddeall fy mod wedi cael crydcymalau, dywedodd ei fod am fy nhynnu oddi ar *phenatoine* a chanolbwyntio ar fy nghalon. Byth oddi ar hynny rwyf wedi gwella gant y cant ac yn gallu darllen yn ddi-dor am oriau os mynnaf. Mae'r chwysu wedi peidio hefyd, a mawr ddiolch am hynny.

Rhaid cydnabod fy malchder pan dderbyniwyd fi i Orsedd y Beirdd yn Eisteddfod Genedlaethol Aberteifi a'r Cylch yn 1976, wyth can mlynedd ar ôl i'r eisteddfod gyntaf gael ei chynnal gan yr Arglwydd Rhys yn yr ardal honno. Dyna, fe dybiwn, fyddai penllanw fy ngyrfa fel Derwydd. Ond tua chanol yr wythdegau gofynnwyd i mi fod yn ddistain yn yr Orsedd. Yn ôl Geiriadur y Brifysgol, mae'r gair 'distain' yn mynd yn ôl i'r unfed ganrif ar ddeg ac yn deillio o'r Saesneg *'dish servant'* Daeth wedyn yn deitl i brif stiward llys a chapten y gwarchodlu. Gwaith y distain, erbyn i mi gyrraedd y swydd, oedd ceisio cadw trefn ar y Derwyddon ac ymorol fod popeth yn mynd yn drefnus ac yn esmwyth. Rhaid cyfaddef nad honno oedd uchafbwynt fy ngyrfa mewn bywyd cyhoeddus. Yn Llanrwst yn 1989 fe lwyddodd criw o Dderwyddon, a minnau a'm cyd-ddistain yn eu plith, i golli'n ffordd rhwng y bysiau oedd wedi'n cludo i'r Maes a'r drws lle'r oeddem i fod i fynd i mewn i'r pafiliwn ar gyfer seremoni'r Cadeirio. O fewn oriau roedd un o'r colledig rai wedi cofnodi'r antur ar gân:

HANES GRŴP O DDERWYDDON A AETH AR GYFEILIORN

Un peth aeth o'i le yn y Steddfod eleni,
Ymgasglodd yr Orsedd yn yr ysgol yn deidi;
Mewn bysiau fe'n cludwyd yn ddiogel i'r Maes
Pawb yn eu gynau, oll yn lân ac yn llaes.

Rhowd trefn i'r orymdaith, pob un yn ei le,
Tyrfaoedd o'n cwmpas, i'r chwith ac i'r dde,
Ymlwybro'n urddasol, wel dyna feddyliwn,
Wrth anelu ein camrau tua drws y pafiliwn.

'Rôl cyrraedd, yn sydyn daeth gwaedd eitha stŷrn,
'Trowch 'nôl yn y ffrynt!' ac fe wnaethom *u-turn*,
Yn ôl heibio'r dyrfa dan ofal dau Ddistain
Gan feddwl bod pawb y tu ôl inni'n dilyn.

Dwsin ohonom – deg Derwydd, dau Ddistain,
Yn symud yn awr yn osgeiddig i'r dwyrain;
Ond ow! o fewn dim rown ni'n teimlo'n ddigwmni
Ar ganol y maes, wedi'n cwbl ynysu.

'Does dim llwybr yn ôl,' meddai un mewn llais croch,
Roedd y crowd wedi cau fel penllanw'r Môr Coch.
'Dad's Army' o Orsedd, wedi drysu yn llwyr
Tu allan i'r gorlan, ac eisoes yn hwyr.

Fe geisiodd un Distain gysylltu â'r trefnydd,
Ond roedd ei ddwylo fe'n llawn gyda grŵp yr
Archdderwydd;
Gwnaeth yn amlwg nad oedd yn awyddus i'n harddel;
Doedd dim byd amdani ond dal i gerdded yn dawel,

Mor dawel â llygod i osgoi'r BBC,
Gan weddïo na welem 'run camera TV.
A bola pob un o'r bataliwn yn dost
Wrth basio y crefftau a stand Swyddfa'r Post.

Gwaethygodd y profiad anffodus, anhapus
Wrth gerdded mewn lein o dan sein 'Cymru Daclus'
Y deuddeg ohonom yn crwydro'n betrusgar
Yn gweld ystyr newydd i 'Cymry ar Wasgar'.

Ond plismon a welodd ein bod ni mewn trwbwl,
'Na phoenwch!' cyhoeddodd. 'Fe drefna i'r cwbwl.
Dyma gefn y pafiliwn, af â chi rownd y bac.'
Ond yffach, arweiniodd ni lan rhyw *cul-de-sac*.

Yn sydyn fe welwyd bod ffordd o ddihangfa,
A churwyd y drws oedd yn arwain i'r Swyddfa;
Roedd llygaid pob clercen yn syllu yn syn
Wrth weld criw o dderwyddon yn cyrraedd fan hyn.

Yn y pasej roedd Derec Llwyd Morgan mewn sioc,
Yn siŵr bod yr Orsedd wedi rhedeg *amok*.
Dim gair ddaeth o'i enau, ond ei olwg oedd glir –
Bydd nifer yr Orsedd yn llai cyn bo hir

Daeth terfyn o'r diwedd i'r holl grwydro anhapus
A'r wasg heb ein gweld, fe'n corlannwyd yn daclus,
Ond ofnwn mai arnom daw'r gosb felltigedig
O berthyn i ddosbarth 'Y Derwyddon Colledig'.

(arwyddwyd) 'Un ohonynt'
Nos Iau, 10 Awst 1989

CYMDEITHASAU'R CYNGHORAU

Am y rhan fwyaf o'm cyfnod fel cynghorydd bûm yn weithgar gyda chymdeithasau'r cynghorau sir, o fewn Cymru ei hun ac ar lefel Cymru a Lloegr. Roedd y cymdeithasau hyn yn gynghorau a gydweithiai, gan ddysgu oddi wrth broblemau a phrofiadau'r naill a'r llall, a chyfleu barn llywodraeth leol i weinidogion y Goron er mwyn ceisio dylanwadu ar eu penderfyniadau. Wrth fynychu cyfarfodydd y cymdeithasau hyn roedd yna gyfle hefyd i sylwi ar y gwleidydda mewnol a'r ymrafael am rym a dylanwad y deuthum ar ei draws gyntaf ar Gyngor Sir Aberteifi yn nechrau'r pum degau.

Dechreuodd yr ehangu gorwelion yn fy hanes i yn 1963 pan gefais fy mhenodi'n un o dri chynrychiolydd Sir Aberteifi ar y CCA (Cymdeithas Cynghorau Sir Cymru a Lloegr) a Phwyllgor Siroedd Cymru. Cyfarfod unwaith bob chwarter yn Llundain wnâi'r CCA, a byddai'r pwyllgorau hefyd yn cyfarfod yn chwarterol. Fel arfer, byddai Pwyllgor Siroedd Cymru'n cyfarfod ar y dydd Mawrth o flaen y CCA, a hynny'n aml yn Amwythig, yn ogystal â chynnal cyfarfodydd eraill yng Nghymru yn ôl yr angen.

Un o wendidau pennaf Pwyllgor Siroedd Cymru yn y cyfnod hwnnw oedd bod Morgannwg gymaint yn fwy o ran ei phoblogaeth na'r un sir arall. O ganlyniad byddai'n tueddu i geisio tra-arglwyddiaethu dros y gweddill ohonom. Doedd cael Clerc Morgannwg, Richard John, fel Ysgrifennydd yn fawr o les i Siroedd Cymru chwaith, yn enwedig wrth iddo gael ei gyhuddo o lunio'n hagenda ar gefn stamp!

Cafwyd gweddnewidiad llwyr yn 1968 pan benodwyd Haydn Rees, Clerc Sir y Fflint, yn Ysgrifennydd. Bron na ddywedwn ein bod ni wedi mynd o'r gwachul i'r gwych.

Ymdaflodd Haydn i'r gwaith â'i holl egni, gan ddod â phwrpas a brwdfrydedd i'n trafodaethau. Gallem ddibynnu arno i'n bwydo â nodiadau cefndir am unrhyw broblem o bwys, a byddai hynny'n gymorth mawr i grisialu barn a phenderfyniad.

Yn ystod 1973/74 bûm yn cadeirio Cymdeithas Siroedd Cymru ar ran yr hen 13 sir, a hefyd ar ran yr wyth sir newydd a gymerodd eu lle. Gallaf hawlio, felly, mai fi oedd cadeirydd olaf yr hen drefn a chadeirydd cyntaf y drefn newydd. Bu rhannu Morgannwg yn dair rhan yn fantais fawr i'r Gymdeithas. Morgannwg Ganol bellach oedd ein sir fwyaf poblog, gyda thros bedwar can mil o bobl yn byw ynddi. Sicrhaodd poblogaeth fwy cytbwys yr unedau llywodraeth leol newydd na fyddai'r un sir yn gallu gwneud fel y mynnai heb gydsyniad y lleill. O ganlyniad, magodd Siroedd Cymru ysbryd newydd gyda chynrychiolaeth gref ym mhob cyfarfod. Hybwyd hynny hefyd gan ein penderfyniad i adael i bob sir gadeirio Siroedd Cymru yn ei thro, a hynny am gyfnod o ddwy flynedd.

Yn sgil yr ad-drefnu llywodraeth leol yn 1973, a ddigwyddodd yn Lloegr yn ogystal â Chymru, fe sefydlwyd cymdeithas newydd i gynrychioli siroedd Cymru a Lloegr. Bellach roedd y CCA (*County Councils Association*) wedi ei ddisodli gan yr ACC (*Association of County Councils*). Roedd wyth sir newydd Cymru i gyd yn perthyn i'r ACC, ynghyd â'r siroedd yn Lloegr oedd yn cynnwys ardaloedd gwledig. Yn y cyfnod hwnnw fe ddatblygodd cryn anniddigrwydd ymysg cynghorau sir Cymru ynglŷn â'n perthynas o fewn yr ACC. Roedd gwraidd y tyndra'n mynd yn ôl i 1964 pan sefydlwyd y Swyddfa Gymreig a swydd Ysgrifennydd Gwladol i Gymru, dechrau'r broses ddatganoli yr ydym yn dal yn ei chanol. Yn y blynyddoedd wedi 1964, wrth i fwy a mwy o rym gael ei drosglwyddo i Gaerdydd, daeth lleisio barn a chynnal gohebiaeth â'n Hysgrifennydd Gwladol trwy'r Swyddfa Gymreig yn rhan bwysig o waith Siroedd Cymru, tra byddai'r ACC, wrth reswm, yn delio â'r gwahanol weinyddiaethau yn Llundain. Ofn yr ACC oedd y byddai siroedd Cymru yn sefydlu cymdeithas gwbl annibynnol arnyn nhw, fel yr un a fodolai yn yr Alban – rhywbeth y byddwn i, wrth gwrs, wedi ei groesawu. Arweinydd y Blaid Lafur, John Allison, a minnau fel arweinydd yr Annibynwyr fu'n cynnal trafodaethau gyda chynrychiolwyr Siroedd Lloegr ar yr ACC, er mwyn iddyn nhw ddeall yn ddiamwys sut y byddai Siroedd Cymru'n gweithredu yn y dyfodol. Fe gymerwyd cam bach tuag at fwy o annibyniaeth trwy sefydlu swyddfa barhaol i Siroedd Cymru yng Nghaerdydd.

Ysgrifennydd y Siroedd ar y pryd oedd Huw Thomas, prif weithredwr Morgannwg Ganol, ac o fewn pencadlys braf y sir honno yng Nghaerdydd y lleolwyd ein swyddfa, oedd yn gwbl anhepgor i waith y Gymdeithas. Mae'n diolch i Forgannwg Ganol, a Huw Thomas yn arbennig, am osod y seiliau. Bellach roedd yr ACC yn gwybod yn ddigamsyniol y byddai Siroedd Cymru'n ymgynghori gyda'n Hysgrifennydd Gwladol yn yr holl feysydd oedd wedi eu trosglwyddo i'w ofal. Rhoddwyd asbri newydd i Siroedd Cymru ar ôl i ni ddiffinio'n harwahanrwydd yn y sefyllfa gyfansoddiadol newydd.

Siom i mi, serch hynny, oedd inni wrthod y cyfle i dorri'n rhydd o'n haelodaeth o'r ACC a sefydlu Cymdeithas Sirol Gymreig fel yr un oedd gan ein cefndryd yn yr Alban. Dyma enghraifft arall ohonom yn ofni cymryd cyfrifoldeb dros ddiogelu'n buddiannau a meithrin ein cynnydd, sydd wedi llesteirio cymaint ar ddatblygiad y Cymry fel cenedl.

Y ddau ymgeisydd am gadeiryddiaeth gyntaf yr ACC oedd Derrick Pickering, Ceidwadwr o Berkshire, a Meredith Whittaker, cynghorydd Annibynnol o Swydd Gogledd Efrog. Er bod Meredith Whittaker wedi ymladd unwaith fel Ceidwadwr mewn etholiad Seneddol, roedd yn ddigon annibynnol ei farn ac yn boblogaidd iawn. Tori o'r iawn ryw oedd Pickering. Doedd hi ddim yn anodd, felly, i mi ymgyrchu dros yr ymgeisydd Annibynnol.

Cyn ein cyfarfod cyntaf, lle byddai'r cadeirydd yn cael ei ddewis am y tair blynedd nesaf, derbyniais nodyn gan Meredith gyda'r neges, 'Now is the time for all good men to come to the aid of the non-party.' Roeddwn mewn sefyllfa i'w sicrhau y câi holl bleidleisiau cynrychiolwyr Cymru, gan y gwyddwn na fyddai cynrychiolwyr Llafur byth yn cefnogi Pickering. Er mai'r Ceidwadwyr oedd â mwyafrif ar yr ACC, fe bleidleisiodd amryw o'r rheini gyda Whittaker, ar sail ei record fel cadeirydd doeth a chadarn yr hen CCA. Felly, Meredith Whittaker a benodwyd yn gadeirydd cyntaf y Gymdeithas newydd.

Fel arweinydd y grŵp Annibynnol, roedd angen i mi dreulio cryn dipyn o'm hamser yn Llundain, a dygymod â hinsawdd tra gwahanol i'r un oedd yn bodoli cyn 1973. Anaml y byddai'r gri boliticaidd yn cael ei chlywed yng ngweithgareddau'r hen Gymdeithas. Fe wyddem yng nghyfarfod cyntaf yr ACC fod y dyddiau dedwydd hynny ar ben. Yr eiliad y cododd gŵr o'r enw Wilson o Swydd Nottingham ar ei draed, daeth yn amlwg fod ysgarmesoedd gwleidyddol didrugaredd o'n blaenau. Os oedd ambell un yn dal i amau hynny, fe ddaeth cadarnhad pan gododd Michael Cowan o'r un sir gan draethu yr un mor ddeifiol. Cynghorydd Llafur oedd Cowan, a'i elyn pennaf yn y Gymdeithas oedd Tori o'r enw Coutts, oedd yn un o gyfarwyddwyr tîm pêl-droed Norwich City. Waeth beth fyddai'r testun, byddai'r gwreichion yn siŵr o dasgu wrth i'r gwroniaid hyn fynegi eu barn.

Yn ystod fy nhymor olaf ar yr ACC, 1985–89, y cawsom ein profiadau mwyaf cythryblus. Doedd gan yr un garfan fwyafrif dros y gweddill, ac felly roedd hi'n amhosib rhag-weld i sicrwydd i ba gyfeiriad yr âi unrhyw bleidlais. Oherwydd hynny fe gafodd y pedwar arweinydd grŵp eu hethol yn is-gadeiryddion yr ACC. Byddai'r pedwar ohonom yn cyfarfod yn rheolaidd er mwyn ceisio dod o hyd i ryw gymaint o gytgord ac unoliaeth barn. Byddai hynny ar y naill law yn dangos yn ddiamwys i'r Llywodraeth ganol bod y siroedd o ddifrif ynglŷn â'u dyletswyddau, ac yn dangos hefyd eu bod nhw'n pryderu'n wirioneddol am y dirywiad oedd yn digwydd yn y berthynas rhwng y Llywodraeth ganolog a Llywodraeth Leol.

Roedd y dirywiad hwnnw wedi dechrau yn nyddiau'r

llywodraeth Lafur, a'r wasgfa ariannol o du'r Canghellor Dennis Healey yn y saith degau. Yng nghanol yr wyth degau fe ddaeth gwrthdaro mawr arall, ac yn ei sgil fe newidiodd natur yr ACC, gan ddod â her newydd i minnau o ran llywio cyfarfod. Digwyddodd hynny yn ystod un o benodau mwyaf stormus teyrnasiad Margaret Thatcher – y rhwyg rhyngddi hi a rhai o gynghorau dinasoedd mawr Lloegr, oedd yn cael eu rheoli gan adain chwith y Blaid Lafur. Roedd yr awdurdodau Metropolitan hynny yn gwrthod gweithredu toriadau ariannol y Llywodraeth. Yn eu plith roedd Cyngor gwrthryfelgar Llundain, y GLC, dan arweiniad Ken Livingstone.

Roedd yr wyth awdurdod trefol hynny wedi ffurfio'u cymdeithas eu hunain, yr Association of Metropolitan Authorities, ar ôl yr ad-drefnu yn 1973, gan wrthod ymuno â 38 o siroedd mwy gwledig Lloegr ac wyth sir Cymru yn yr ACC. Ymateb Mrs Thatcher i wrthryfel yr awdurdodau Metropolitan oedd cyhoeddi fod yr wyth awdurdod hynny i gael eu dileu ym Mawrth 1986, a Byrddau i gael eu sefydlu i weithredu yn eu lle. Penderfynodd pedwar o'r gwrthryfelwyr, gan gynnwys Llundain, y bydden nhw'n ymaelodi yn yr ACC am y flwyddyn oedd ar ôl o'u hoes. Gan fod eu poblogaeth mor uchel roedd ganddyn nhw hawl i gael pum aelod yr un, a dyna ychwanegu ugain at gynrychiolaeth y Blaid Lafur yn y Gymdeithas. Sicrhaodd hyn fod gan Lafur fwy o aelodau na'r Torïaid ar yr ACC, ond dim digon i sicrhau mwyafrif Llafur yn y Gymdeithas.

Cadeirydd yr ACC rhwng 1983–85 oedd John Lovill, Tori o Ddwyrain Sussex. Roedd wedi llywyddu'n cyfarfodydd yn ddeheuig dros ben, ac er gwaetha'i wleidyddiaeth roeddwn i o'r farn y byddai'n llesol i'r ACC ei benodi am y drydedd flwyddyn. Gwyddwn y buasai'n dipyn o sgarmes am y gadeiryddiaeth oherwydd yr ychwanegiad yn rhengoedd Llafur. Ychydig ddyddiau cyn y cyfarfod blynyddol mi dderbyniais alwad ffôn gan John Stevenson, ysgrifennydd yr ACC, yn gofyn a fyddwn i'n fodlon cadeirio'r cyfarfod tra bydden ni'n ethol cadeirydd parhaol. Doedd yr un o'r pleidiau gwleidyddol yn barod i adael i unrhyw blaid arall gael y fantais o lywyddu ar ddechrau'r cyfarfod. Mi gytunais â'r cais.

Pan wawriodd y dydd i ethol cadeirydd, roedd Neuadd helaeth Dinas Llundain yn fwrlwm i gyd. Fe'm penodwyd i lywyddu heb fawr o drafferth. Dechreuodd y tanio pan gododd Ian Coutts, Tori, ar ei draed gan weiddi "*I spy strangers*". Cyfeiriad oedd hyn at yr aelodau Llafur o'r Siroedd Metropolitan yr oedd eu presenoldeb yn dân ar groen y Thatcheriaid. Dechreuodd hynny ddadl danllyd ynglŷn â hawl y newydd-ddyfodiaid i fod yno. Y llefarydd ar ran Llundain oedd Ken Livingstone, gŵr nad oedd yn ofni neb, ac a welodd chwith am fod ei hawl i fod yn y cyfarfod yn cael ei amau, ac yntau'n arweinydd y Cyngor ac wedi arfer teyrnasu yn yr union siambr lle'r oedd y cyfarfod yn digwydd. Ymhen hir a hwyr fe benderfynwyd, yn gwbl gywir, fod presenoldeb yr ugain o gynrychiolwyr y Siroedd Metropolitan yn hollol gyfansoddiadol.

Dyma fynd ati wedyn at y mater swyddogol cyntaf ar yr agenda, sef dewis cadeirydd i'r Gymdeithas. Cymerodd y ddefod honno awr ac ugain munud, a chollais gyfrif ar sawl gwaith y codwyd materion o drefn. Bernais mai annoeth, dan yr amgylchiadau, fyddai i mi fwrw pleidlais. Roeddwn yn ddiolchgar iawn fy mod wedi cael tair blynedd o brofiad o gadeirio rhai cyfarfodydd digon anystywallt ar Gyngor Dyfed! John Lovill a benodwyd yn gadeirydd am flwyddyn arall.

Erbyn 1985, roedd nifer yr Annibynwyr ar yr ACC wedi disgyn i un ar ddeg, ond yn y flwyddyn honno y gwnaethom ein cyfraniad mwyaf fel grŵp i waith y Gymdeithas. Gan nad oedd gan yr un blaid fwyafrif, bu bargeinio caled ynglŷn â phwy a ddylai fod yn gadeiryddion ac is-gadeiryddion y gwahanol bwyllgorau. Penderfynodd y Blaid Lafur nad oedden nhw am dderbyn yr un gadeiryddiaeth nac is-gadeiryddiaeth. Oherwydd bod gan yr aelodau Annibynnol fwy o brofiad o lywodraeth leol na'r un garfan arall, ac nad oedd cynrychiolwyr y pleidiau gwleidyddol yn awyddus i weld aelod o blaid arall yn cael gormod o sylw, fe benodwyd Annibynwyr, llawer ohonyn nhw o

Gymru, i rai o'r swyddi allweddol. Daeth Arthur Harries yn gadeirydd y Pwyllgor Addysg, W. R. P. George yn gadeirydd y Parciau Cenedlaethol, Tom Jones yn is-gadeirydd Cyllid, Rhys Webb yn is-gadeirydd Amaethyddiaeth, Joe Griffiths yn is-gadeirydd Gwasanaethau'r Gweithlu, a minnau'n is-gadeirydd yr ACC. Cofiaf yn dda y tro y bu Tom Jones, Llanuwchllyn, yn cadeirio'r Pwyllgor Cyllid yn absenoldeb y cadeirydd. Dangosodd Tom ei allu ym myd arian nes peri i'r Saeson synnu at drylwyredd ei wybodaeth a'i reolaeth ar y cyfarfod.

O bryd i'w gilydd fe ddeuai cyfle i ddylanwadu ar faterion o bwys i Gymru. Fy nghyfraniad pennaf i oedd sicrhau bod y Gymdeithas yn sefydlu pwyllgor i gadw llygad barcud ar y lefelau o ymbelydredd ar ôl trychineb Chernobyl. Effeithiodd y ffrwydrad hwnnw ar lefelau ymbelydredd cannoedd o ffermydd yng Nghymru, a hynny am ei bod hi'n digwydd bwrw glaw pan oedd cwmwl Chernobyl yn teithio uwchben Cymru rai dyddiau ar ôl y ddamwain. Y drefn yn yr ACC oedd y byddai'r pwyllgor gwaith llawn, oedd yn cyfarfod bob chwarter, yn ystyried cofnodion yr holl bwyllgorau a fyddai wedi eu cynnal yn ystod y tri mis blaenorol. Yn Ebrill 1985 y digwyddodd ffrwydrad Chernobyl, ac roedden ni'n cyfarfod fel pwyllgor gwaith yr ACC ychydig wythnosau'n ddiweddarach. Am rai dyddiau roedd y Llywodraeth Doriaidd wedi ceisio bychanu'r perygl o Chernobyl, ond fe ddaeth yn fwyfwy amlwg bod cannoedd o ffermydd yn cael eu gwahardd rhag gwerthu defaid, am fod yr ymbelydredd yn y cig yn rhy uchel. Wyddwn i ddim sut i godi'r peth yn yr ACC gan nad oedd sôn am Chernobyl yn yr un cofnod. Sut bynnag, mi welais fod yna gyfeiriad at drochi defaid yng nghofnodion y Pwyllgor Amaethyddol. Cyflwynwyd adroddiad y Pwyllgor Amaethyddol gan ŵr gydag enw addas, y Capten Robin Sheepshanks, a phan gyrhaeddodd yr eitem yn delio gyda throchi defaid, dyma fi ar fy nhraed. Dywedais ei bod hi'n bwysig fod defaid yn cael eu trochi, ond gymaint pwysicach oedd hi i ni ofalu bod ein bwyd yn ddiogel i'w fwyta, gan gyfeirio at y ffaith bod cannoedd o ffermwyr Cymru yn methu gwerthu eu defaid oherwydd y gwaharddiad. Gofynnais beth oedd yr ACC am ei wneud i warantu bod iechyd y cyhoedd yn cael ei ddiogelu a bod ffermwyr yn cael eu digolledu.

Dyma John Allison o Abertawe, cadeirydd Llafur cyntaf yr ACC, ar ei draed yn syth i ddweud fy mod allan o drefn wrth godi'r cwestiwn am Chernobyl, gan nad oedd cyfeiriad at Chernobyl mewn unrhyw adroddiad Pwyllgor. Os do fe, torrodd yr argae a chefais fy eilio gan David Heath, Rhyddfrydwr o Wlad yr Haf, gyda chefnogaeth llawer o aelodau Llafur. Yn y diwedd, dim ond ychydig iawn o Dorïaid a bleidleisiodd yn erbyn cymryd y camau priodol i weld bod yr ACC yn chwarae ei rhan yn llawn wrth ymgodymu â phroblem o'r pwys mwyaf. Fe sefydlwyd pwyllgor a alwyd yn Bwyllgor Chernobyl, cyn trosglwyddo'r cyfrifoldeb i'r Pwyllgor Tân a Chyfrifoldeb Argyfwng yn 1987. Golygai hyn fod adroddiadau cyson ynghylch ymbelydredd yn dod i sylw'r ACC. Trefnwyd seminarau gwerthfawr ar ymbelydredd ac ar orsafoedd niwclear yn gyffredinol. Dros ugain mlynedd wedi'r trychineb, mae effaith Chernobyl yn parhau ar rai o ffermydd mynydd Cymru. Yr hyn a'm digalonnodd yn fwy na dim, yn ein trafodaeth yn yr ACC, oedd parodrwydd rhai Torïaid i wadu'r perygl er mwyn cynnal safbwynt Llywodraeth Dorïaidd ar ynni niwclear: safbwynt sydd heddiw, mae'n ymddangos, yn cael ei rannu gan Tony Blair a Gordon Brown.

Ar ôl etholiad 1985 fi oedd 'Tad y Tŷ' ar yr ACC, gan fy mod wedi fy ethol yn ddi-dor ers dwy flynedd ar hugain i gynrychioli fy sir ar y Gymdeithas. Yn 1989 cynhelid dathliadau i nodi canmlwyddiant sefydlu cynghorau sir ym Mhrydain. Sylweddolais gyda chryn fraw fy mod wedi bod yn gynghorydd am ymhell dros draean y can mlynedd hwnnw, ac yn aelod o Gymdeithas y Cynghorau Sir am chwarter canrif. I ddathlu'r canmlwyddiant fe gynhaliwyd gwasanaeth arbennig yn Abaty Westminster, gydag Archesgob Caergaint yn pregethu. Ni welodd Margaret Thatcher yn dda i fod yno: triniaeth gwrs ond nid annisgwyl gan Brif Weinidog nad oedd yn gwerthfawrogi ymdrechion cynghorau lleol i gydweithio mewn partneriaeth â'i llywodraeth. Dywedir i'w thad unwaith adael rhyw gyngor lleol yn Swydd Lincoln dan dipyn o gwmwl, a bod Madam Thatcher fyth oddi ar hynny yn ddig wrth lywodraeth leol yn gyffredinol.

Yn 66A Eaton Square, pencadlys yr ACC, mae llun ysblennydd o holl gadeiryddion cynghorau sir Cymru a Lloegr yn 1889, wedi ymgasglu o flaen y Frenhines Victoria. Roedden ninnau'n awyddus i wneud y dathlu ar 6 Mawrth 1989 yn ddiwrnod i'w drysori. Doedd dim gobaith nac awydd gennym i efelychu gwisgoedd lliwgar a ffurfiol 1889, ond fe benderfynwyd archebu baner deilwng ac arni logo Cymdeithas y Cynghorau Sir. Ond pwy fyddai'n ei chario yn yr orymdaith yn Abaty Westminster? Gyda'r pleidiau gwleidyddol unwaith eto'n ddrwgdybus o'r naill a'r llall, penderfynwyd mai fi – fel Annibynnwr a 'Thad y Tŷ' – fyddai'n cael yr anrhydedd.

Ddechrau mis Chwefror, fis cyn yr achlysur, cefais fy rhuthro mewn ambiwlans i Ysbyty Glangwili, a bûm yno am dair wythnos. Cael a chael oedd hi a fyddwn wedi gwella mewn pryd ar gyfer y gwasanaeth. Byddai'r chwithdod o golli'r profiad o gario'r faner wedi bod yn fwy am fy mod yn golygu ymddeol oddi ar y Cyngor Sir a'r ACC o fewn ychydig wythnosau. Er i staff yr ysbyty gael trafferth rheoli fy ngwres am y pythefnos cyntaf, ac er gwaethaf dau sgan a phob math o brofion, doedden nhw ddim yn gallu dweud beth oedd o'i le. Cyfarchiad un o'r staff wrth fy rhyddhau o'r ysbyty oedd, 'You are a mystery man'.

Erbyn hynny roedd y tywydd wedi troi'n iasol a doeddwn i ddim wedi bod allan am dro ond dwywaith cyn i Margaret a minnau ei throi hi am Lundain ar 5 Mawrth. Yn yr orymdaith, cludwr y faner oedd yr olaf i gerdded i gyfeiriad yr allor, yn dilyn Dug a Duges Caerloyw a gynrychiolai'r Frenhines. Ar ddiwedd y gwasanaeth cefais air gyda'r Dduges, oedd yn hanu o Ddenmarc ac yn glên dros ben. O ddeall fy mod yn Gymro, ac mai Cymraeg oedd iaith ein haelwyd, dywedodd pa mor bwysig oedd hi i bobl gadw'u hunaniaeth. Roedd hi'n amlwg yn ei chynnwys ei hun yn y gosodiad hwnnw

Archesgob Caergaint, Dr Robert Runcie, oedd yn traddodi'r bregeth. Daeth ataf i ysgwyd llaw ar ddiwedd y seremoni. Gwyddwn ei fod yn enedigol o Lerpwl ac wedi ei addysgu yn ysgol Merchant Taylors, Crosby, a soniais innau mai yn yr Institute y bûm i'n ddisgybl. 'I played cricket many times against the Institute in Greenbank Road,' meddai. Ar ôl chwilio toriadau o bapurau newydd y cyfnod hwnnw, mi ganfûm fy mod wedi bod yn chwarae yn ei erbyn. Does dim cofnod, serch hynny, imi gymryd ei wiced!

Gadewais Gyngor Dyfed yn 1989, ar ôl cyrraedd fy saith deg oed. Roeddwn wedi bwriadu ymddeol wyth mlynedd ynghynt, ond doeddwn i ddim yn siŵr pwy oedd ar gael i'm holynu, a phenderfynais ymladd etholiad arall, gan ddigwydd ennill. Ymhen pedair blynedd roeddwn i'n dal i fethu gweld y bydden ni'n cael person o'r un daliadau â fi i sefyll, felly mi ddaliais ati am bedair blynedd arall gan ddweud yn bendant mai hwnnw fyddai fy nhymor olaf. Dyna wnes i, a chafwyd Emrys Jones, dyn galluog oedd wedi bod yn athro da yn yr ysgol uwchradd, i gadw'r sedd a'r olyniaeth mewn dwylo diogel.

Pan fydd pobl yn gofyn fydda i'n colli gwaith llywodraeth leol, byddaf yn dyfynnu'r hen ddywediad 'Gormod o bwdin dagith gi'. Hwyrach bod rhai yn meddwl fy mod i wedi dal ymlaen yn rhy hir! Ond na, wnes i ddim gweld eisiau'r gwaith. Rydych chi wedi gwneud eich cyfraniad hyd y gallwch chi, a mater i'r rhai sy'n dilyn yw parhau'r gwaith.

Mae gen i ddiddordeb o hyd, wrth gwrs, yn hynt llywodraeth leol. Yn 1996 fe ddaeth ad-drefnu arall a welodd ddiddymu Dyfed. Mae rhywun yn ceisio bod yn deg ac osgoi agwedd nawddoglyd, ond y gwir amdani oedd bod Dyfed a'r saith Cyngor Sir arall oedd yn bodoli ar y pryd yn llawer rhy gryf i'r llywodraeth ganolog. Bu'r hen straegaeth *'Divide and Rule'* yn effeithiol iawn. Dydw i ddim wedi cyfarfod neb yng Ngheredigion, Sir Benfro na Sir Gaerfyrddin sy'n anghydweld â'm dyfarniad i. Maen nhw i gyd o'r farn mai'r peth gwaethaf ddigwyddodd oedd i Ddyfed ddiflannu.

Y TEULU

Erbyn hyn rwyf wedi mynd i sôn gormod amdanaf fy hun yn hytrach na rhoi'r lle priodol i'm teulu. Soniais eisoes am eni'r ddwy ferch hynaf, Meinir a Rhian. Ganwyd Mair yn 1956, flwyddyn union ar ôl marwolaeth Mam. Yn chwech oed, roedd hi yn ysbyty Aberystwyth yn cael gwared â'i phendics. Gan fod yr ysbyty'n llawn, bu raid iddi fod mewn ystafell ar ei phen ei hun. Bu'n eithriadol o dda o feddwl bod un mor ifanc yn gorfod ymgodymu â sefyllfa mor unig.

Yn 1961 y ganwyd Glyn, bum mlynedd a hanner ar ôl Mair. Yn dri mis a hanner dilynodd yntau ei chwaer i Ysbyty Aberystwyth, i gael triniaeth am hernia. Gan fod ei fam yn ei fwydo, cafodd hithau bythefnos o wyliau yn ei sgil.

Roedd Meinir yn dair ar ddeg oed pan anwyd Glyn, felly roedd yn naturiol mai Meinir a Rhian oedd yn gwneud fwyaf gyda'i gilydd, gan nad oedd ond dwy flynedd a hanner rhwng y ddwy. Byddai'n gamarweiniol rhoi'r argraff nad oedd Meinir a Glyn yn agos at ei gilydd – roedden nhw'n dipyn o ffrindiau. Daeth hynny'n fwyfwy amlwg wrth iddyn nhw fynd yn hŷn. Anodd yw dychmygu sefyllfa pan nad yw'n plant yn gyfeillgar gyda'i gilydd.

Cerddoriaeth fu diddordeb mawr Meinir, er pan oedd hi'n dair oed. Doedden ni ddim yn berchen piano, ond pan âi Meinir i aros efo'i Nain yn Lerpwl byddai'n ei gwadnu hi am y parlwr, lle'r oedd y piano, bob gafael. Dechreuodd gael gwersi ar y piano gan Eirian Jones, Croesheddyg Newydd, ac yn ddiweddarach gan Ted Morgan, Llandysul.

Athrawes gyntaf Meinir ar y delyn oedd Alwena Roberts, Aberystwyth. Un o Gymry Lerpwl, fel finnau, oedd Miss Roberts ac roedd hi'n athrawes ymroddedig. Mynychai ei theulu'r Sun Hall, Islington ar y Sul, a chafodd hi ei chodi i barchu a gwerthfawrogi gwerthoedd gorau ei chenedl. Yn 1992, a'r Eisteddfod Genedlaethol yn cael ei chynnal yn Aberystwyth, fe gyflwynwyd rhaglen deyrnged i Alwena gan Meinir ac Elinor Bennett, un arall o'i disgyblion. I Goleg y Brifysgol Caerdydd yr aeth Meinir, a graddio mewn Cerddoriaeth. Ar ôl treulio blwyddyn yn cael ei hyfforddi i fod yn athrawes aeth i'r Eidal am flwyddyn fel *au pair* gyda theulu Victor Salvi, y gwneuthurwr telynau. Roedd cartref Salvi yn San Ilario, nid nepell o Nervi a Genoa. Y bwriad oedd i Meinir ddysgu Saesneg i Marco a Nicoletta, plant Salvi, ond ofnaf mai Meinir fu ar ei hennill gan iddi ddod yn eithaf rhugl mewn Eidaleg. Tra oedd yn San Ilano fe gafodd wersi yn y Conservatoire yn Genoa, a daeth Salvi â thelyn at wasanaeth Meinir er mwyn iddi gael ymarfer gyda'r nos. Ar ôl dychwelyd o'r Eidal bu Meinir yn chwarae gyda Cherddorfa Ymarfer y BBC ym Mryste am flwyddyn. Fe'i penodwyd yn brif delynores Cwmni Opera Cenedlaethol Cymru yn 1972, swydd a wnaeth am ddeng mlynedd ar hugain. Bellach hi yw Prif Gydlynydd y delyn yng Ngholeg Brenhinol Cerdd a Drama Cymru ac mae hefyd yn dysgu plant cynradd ar rai diwrnodau yn ystod yr wythnos. Mae ganddi hi a'i gŵr, Brian, gwmni cyhoeddi, sef Alaw, sydd wedi cynhyrchu nifer o lyfrau cerddoriaeth i'r delyn.

Bu Rhian, hithau, yn cael gwersi piano a daliodd i chwarae er ei boddhad ei hun – ac eraill, o ran hynny. Mae'n syndod y gwahaniaeth sy'n bodoli rhwng plant a fagwyd ar yr un aelwyd ac a dderbyniodd yr un cyfarwyddyd gan eu rhieni. Fe ddeuai Meinir adref o'r ysgol â'i dillad yr un mor dwt ag oedden nhw pan adawai yn y bore. Byddai Rhian, ar y llaw arall, yn cyrraedd adref gyda'i chot ar agor, ei thei ysgol ar dro a'i sanau hanner ffordd i lawr ei choesau. Serch hynny, roedd Rhian yn hynod o gyfeillgar a chymeradwy gan ei chyd-ddisgyblion.

Gwnaeth Rhian ei phenderfyniad yn ifanc mai am fynd i ddysgu plant iau yr oedd hi, felly gwyddai mai i goleg hyfforddi y byddai'n mynd. Ar ôl cael Lefel O digon da, fe benderfynodd

Rhian ei bod am fwynhau'r ddwy flynedd nesaf yn ysgol Aberaeron, a dyna wnaeth hi! A bod yn gynnil gyda'm geiriau, prin y gellid dweud i Rhian ladd ei hun â gwaith ysgol rhwng 16 a 18 oed, pan gafodd ei derbyn i Goleg y Normal, yr un coleg â'i mam.

Ar ôl cwblhau ei chwrs yno, gwnaeth dri chais am swydd. Ei phrif ddymuniad oedd cael dysgu yng Nghaerdydd a'i thrydydd dewis, mae'n ddrwg gennyf ddweud, oedd ei sir enedigol. Ond Sir Forgannwg, y dewis canol, aeth â hi, a dechreuodd Rhian ar ei gwasanaeth mewn ysgol cynllun agored yn Notais ar bwys Porthcawl, gan rannu llety gyda ffrindiau ym Mhenybont. O Notais symudodd i Bont Siôn Norton yng Nghilfynydd, Pontypridd, yr ysgol Gymraeg a fynychodd Gwen a Sara, plant Meinir, yn ddiweddarach. Erbyn i Gwen gyrraedd Pont Siôn Norton doedd dim sôn am ei modryb gan ei bod wedi priodi a symud i Went erbyn hynny. Bu Rhian yn dysgu yn Ysgol Gymraeg Bargoed ac yna yn Llanbradach.

Yng Nghasnewydd, fel y soniwyd eisioes, y ganwyd Meinir ond ganwyd y tri arall yng Ngheredigion – Rhian yn Aberteifi a Mair a Glyn yn Aberystwyth. Mynychodd y plant i gyd Ysgol Gwenlli a chawsant sylfaen addysg wych yno gan Miss Nellie Lewis, Miss Watson a Mrs Mali Jones. Yn eu tro fe symudodd y pedwar i Aberaeron lle buont yn eithaf hapus.

Ar ôl sefyll lefel A fe benderfynodd Mair astudio Cymraeg fel prif bwnc yng Ngholeg Prifysgol Gogledd Cymru, Bangor. Ar ôl graddio dilynodd gwrs ysgrifenyddol trwy gyfrwng y Gymraeg dan gyfarwyddyd Marian Elias yn Wrecsam. Ar ddiwedd y cwrs fe'i penodwyd yn ysgrifenyddes yn yr Academi Gymreig. Tipyn o boendod oedd gwaith yr Academi gan nad oedd digon ohono i foddhau ysbryd bywiog. Am lawer o'r amser byddai'r goes dde wedi ei chroesi dros y goes chwith ac yn siglo 'nôl a blaen mewn rhwystredigaeth! Ymhen rhyw flwyddyn cafodd waith ysgrifenyddes gyda'r BBC yn y pencadlys yn Llandaf, lle bu'n gwneud dwy neu dair o wahanol swyddi.

Soniais o'r blaen y byddai wedi bod yn amhosib imi gyflawni'r holl waith mewn bywyd cyhoeddus oni bai am lafur tawel fy ngwraig yn gofalu am y busnes a magu'r teulu. Mi briodais wraig nad oedd ganddi asgwrn diog yn ei chorff, un oedd yn frwd ym mhopeth a wnâi. Pan oeddem yn cadw'r siop, daeth gwraig ifanc o Saesnes, yn amlwg un o'r llu ymwelwyr yn yr ardal, i ofyn a allai brynu potel ar gyfer bwydo'i babi â llaeth. Gofynnodd Margaret iddi pam na fuasai'n bwydo gyda llaeth y fron, fel yr oedd hi ei hun wedi gwneud. Pan atebodd y wraig nad oedd ganddi amser, dyma Margaret yn dweud, 'Why, when I was feeding my last child I was feeding fifty pigs at the same time!' Doedd y wraig ifanc ddim yn gwybod am ein hanturiaethau fel ffermwyr moch.

Yn 1980 mi ddywedodd Margaret wrthyf ddwywaith ei bod yn teimlo'i hun yn diffygio ac yn ofni y byddai'n marw. Dyma fi'n dweud wrthi yn y fan a'r lle ein bod ni'n mynd i roi'r gorau i'r busnes. A dyna a wnaethon ni, pan oedd Margaret yn 57 oed.

Doedden ni ddim yn awyddus i weld dieithriaid yn cymryd at y busnes, felly dyma ni'n trefnu i'r holl deulu gyfarfod yn nhŷ Meinir a Brian ym Mhontypridd i drafod y mater. Digwyddodd hynny yn ystod haf 1980, cyn i Margaret a minnau fynd i America ar ein gwyliau. Roedden ni wedi gwneud ein hewyllysiau cyn mynd, a dyma ddweud wrth y teulu beth oedd y drefn! O ddod i drafod Crud-yr-awel dywedodd Meinir a Brian nad oedd ganddyn nhw ddiddordeb yn y lle, gan eu bod wedi torri eu cwysi eu hunain ym myd cerddoriaeth. Dywedodd Glyn, oedd newydd sefyll ei arholiadau lefel A, ei fod yn credu ei fod yn rhy ifanc i feddwl am redeg busnes. Dangosodd Rhian a Mair fod ganddynt ddiddordeb gwirioneddol. Erbyn hyn roedd Rhian yn briod a chanddi un plentyn, Betsan. Roedd Jim ei gŵr yn athro ac yn gynghorydd dros y Blaid ar Gyngor Dosbarth Islwyn. Roedd Mair hithau'n briod, ond heb blant.

Er ein bod ni wedi cael blynyddoedd llewyrchus yng Nghrud-yr-Awel, erbyn 1980 roedd diweithdra ar gynnydd a'r rhagolygon tymor byr ymhell o fod yn ffafriol. Roedden ni'n credu ei bod hi'n bwysig i'r gŵr ennill cyflog ar wahân i'r busnes. Roedd hi'n edrych yn llai o fenter i Mair a'i gŵr Alun nag i Rhian a Jim, felly penderfynu o blaid Mair ac Alun wnaethon ni. Daeth swydd addysg gorfforol yn wag yn Ysgol Gyfun Aberaeron, ymgeisiodd Alun amdani ac fe'i penodwyd i ddechrau ym mis Ionawr 1981. Parhaodd Mair i weithio i'r BBC am ychydig, nes eu bod wedi gwerthu eu tŷ yng Ngwaunmiscyn.

Ar ôl dod i Grud-yr-Awel fe newidiodd Mair ac Alun gryn dipyn ar y lle – er gwell yn sicr. Caewyd y siop a'r swyddfa bost er mwyn eu hymgorffori yn y caffi a gwneud *restaurant* a bar. Caewyd y siop grefftau a'i gwneud yn lolfa i'r *restaurant.*

Bu Mair ac Alun wrthi'n ddyfal hyd at 1990 yn gofalu am y busnes. Erbyn hynny roedd ganddyn nhw ddau fab, Ifan ac Owen, a doedden nhw ddim yn teimlo'u bod nhw'n gallu rhoi digon o sylw i'r plant, yn enwedig ym mhrysurdeb gwyliau'r haf. Yn 1990 fe benodwyd Mair i gymryd gofal o'r Ganolfan Iaith yn Ysgol Gyfun Dyffryn Teifi. Roedd yn cael llawer o foddhad o'r gwaith, ac yn teimlo'i bod yn gwneud cyfraniad o wir werth wrth gyflwyno'r Gymraeg i hwyr-ddyfodiaid yr ardal. Erbyn hyn mae Mair yn Athrawes Fro yn ardaloedd Aberystwyth ac Aberaeron.

Safodd Glyn ei arholiad Lefel A yn 17 oed ac fe'i derbyniwyd i'r Coleg ger y Lli cyn cyrraedd ei ddeunaw, i astudio Economeg Amaethyddol. Yn ystod ei ail flwyddyn penderfynodd newid ei gwrs, gan ei fod yn gweld Economeg Amaethyddol braidd yn ddiflas. Pan ofynnais iddo beth a fwriadai ei gymryd yn ei le, atebodd mai gwleidyddiaeth. 'Gwleidyddiaeth?' meddwn i. 'Pam yn y byd wyt ti am gymryd gwleidyddiaeth?' 'Dyna un pert i siarad ydych chi!' oedd yr ateb, a dyna ddiwedd ar y trafod.

Graddiodd Glyn gydag anrhydedd mewn gwleidyddiaeth yn ugain oed, ond gyda diweithdra'n gwaethygu'n ddifrifol, doedd hi ddim yn hawdd cael swydd. Cafodd Glyn ei dderbyn ar gyfer cwrs Gwarchod Natur yn y Coleg Normal, i ddechrau ym mis

Medi. Rhyw wythnos cyn i'r cwrs ddechrau, cafodd gynnig gwaith gyda chwmni cysylltiadau cyhoeddus Strata yn Aberystwyth, a derbyn y cynnig yn syth.

Roedd Glyn wrth ei fodd gyda gwaith cysylltiadau cyhoeddus. Nid yn unig roedd yn cael cyfle i gyfarfod â phob math o bobl ond, gyda'r blynyddoedd, roedd wedi derbyn mwy o gyfrifoldeb o fewn y cwmni. Bu hyn yn ffordd o feithrin ei bersonoliaeth a rhoi mwy o hyder iddo. Bu'n ffodus iawn yn ei gyflogwr, Wynne Melville Jones, oedd â dawn i arwain ac i ysbrydoli eraill. Bu Glyn gyda'r cwmni am ddeng mlynedd.

Mae hefyd wedi etifeddu diddordeb ei dad mewn chwaraeon. Bu'n gapten tîm rygbi Aberystwyth am ddwy flynedd, ac mae'n nofio a hwylfyrddio'n gyson.

Bu Glyn wedyn yn ymgynghorydd ariannol am gyfnod, ac yn cyfrannu colofn wythnosol ar fuddsoddi i'r *Cambrian News*. Ers pum mlynedd mae ei wraig Menna ac yntau'n cadw gwesty'r Harbwrfeistr yn Aberaeron.

ERGYDION

Dyna braf oedd cael ymddeol o fywyd cyhoeddus yn 1989 a chael mwynhau cwmni Margaret yn gyson. Roedd hyn yn dipyn o sioc i drefn bywyd fy ngwraig annwyl – roedd hi wedi cyfarwyddo â gwneud yr hyn a fynnai tra oeddwn innau'n treulio cymaint o amser oddi cartref. Os oedd hi'n cael yr awydd i fynd i rywle arbennig, wel i ffwrdd â hi heb neb i holi pam na sut. Fe lwyddodd i reoli ei rhwystredigaeth yn gampus yn ystod blynyddoedd cyntaf f'ymddeoliad.

Roedden ni'n dau'n hoff o grwydro, ac mi welsom dalp da o'r Unol Daleithiau a nifer o wledydd Ewrop. Cawsom sawl gwyliau cofiadwy yng Nghymru hefyd, gan gynnwys taith i Ynys Enlli ar ddydd Gwener y Groglith, oedd yn falm i'r enaid. Ond does neb ohonom yn gwybod beth sydd o'n blaenau, a da o beth yw hynny. Yn Rhagfyr 1993, o fewn pedair blynedd i mi ddibennu â'r cyngor sir, fe gawsom y profiad dirdynnol o golli Rhian.

Roedd pawb yn hoffi Rhian, a phawb o'r teulu yn dweud yn ddistaw bach mai hi oedd yr orau ohonon ni i gyd. Yn Rhagfyr 1993, yn ferch holliach yn byw ym Mhontllanfraith, aeth allan ar nos Fercher i ginio Nadolig Merched y Wawr. Doedd hi ddim yn teimlo'n dda ar ôl cyrraedd adref, a bore trannoeth dywedodd Jim, ei gŵr, bod yn well iddi aros gartre o'r ysgol lle'r oedd hi'n athrawes. Bore Gwener roedd hi'n dal i deimlo'n sâl, ond am wneud ymdrech i fynd i'r ysgol. 'Na, aros gartre,' meddai Jim. Pan gyrhaeddodd y meddyg fore dydd Sadwrn doedd o ddim yn sicr beth oedd arni. Roedd o'n ofni *meningitis*, llid yr ymennydd. Ac roedd o'n iawn. Aed â Rhian yn syth i'r ysbyty yng Nghasnewydd, ond doedd Margaret a finnau a gweddill y teulu'n gwybod dim am hyn. Gan ei bod hi'n ddydd Sadwrn, a'r Nadolig yn agosáu, roedden ni i gyd yn brysur yn gwneud gwahanol bethau. Gyda'r nos y cawson ni wybod fod Rhian yn yr ysbyty yng Nghasnewydd. Roedden ni yn Ysbyty Gwent cyn hanner nos ac mi fuon yno gyda hi drwy'r nos. Roedd hi'n ymladd am ei gwynt ac yn amlwg yn gwaethygu. Bu farw ychydig cyn pump o'r gloch y prynhawn Sul. Yr hyn a wnaeth yr argraff fwyaf arnon ni i gyd oedd y modd yr oedd y nyrs oedd â gofal am Rhian wedi'i thrafod hi mor dyner. Ond roedd yn anodd iawn derbyn y drefn. Roedd Rhian wedi ymwneud â'r pethau gorau ar hyd ei hoes. Roedd hi'n dair a deugain oed. Collodd Betsan, Geraint a Branwen fam arbennig, a hwythau'n ifanc.

Mae'n anodd amgyffred teimladau rhieni sy'n claddu un o'u plant os nad ydych chi wedi bod trwy'r profiad hwnnw eich hun. A doedden ninnau fawr o feddwl, adeg colli Rhian, y bydden ni o fewn ychydig dros flwyddyn yn ceisio cysuro un o'n plant ein hunain yn yr un sefyllfa.

Gwen, merch Meinir, oedd yr hynaf o'n hwyrion a'n hwyresau. Roedd hi'n arian byw o ferch, yn taflu'i hun i mewn i bob gweithgaredd yn ysgolion Pont Siôn Norton a Rhydfelen ym Mhontypridd. Roedd hi'n ddisglair yn yr ysgol, yn addawol fel telynores ac yn barod iawn i helpu pob achos da.

Un diwrnod yn Ionawr 1995, roedd hi newydd ddod adref o gwrs cerddorfa yn Ogwr gan ddweud wrth ei mam ei bod wedi mwynhau ei hun gymaint fel ei bod hithau â'i bryd ar ddilyn gyrfa fel telynores. Wedyn aeth allan i ymweld â ffrind oedd yn byw yn y Rhondda. Wrth gyrraedd drws y tŷ dyma Gwen yn dweud, 'Dwi ddim yn teimlo'n dda'. A dyma hi'n disgyn i freichiau ei ffrind, a marw. Doedd neb yn gwybod fod dim byd yn bod arni – hyd y gwyddem ni, roedd hi'n holliach. Doedd hi erioed wedi cwyno am ddim. Daeth Alun, gŵr Mair, draw i'n tŷ ni yn ei sioc a dweud yn syml bod Gwen wedi marw. Am wn i mai dyna'r ffordd orau i dorri'r newydd. Ar ôl clywed mi aethon ni'n syth draw i Bontypridd. Un ar bymtheg oed oedd hi, ac allwn i ddim peidio meddwl bod y drefn yn annheg – Tadcu'n cael ei gadw a Gwen wedi mynd.

Yr her wedyn oedd ceisio bod o gymorth i Meinir, mor fuan ar ôl i ni golli Rhian. Rydyn ni'n dal yn deulu clòs iawn.

Cafodd Margaret a finnau drigain mlynedd o fywyd priodasol. Does dim dwywaith mai ei chyfarfod hi, yn y ddarlith honno gan Ambrose Bebb yn Lerpwl, oedd y peth gorau a ddigwyddodd i mi yn fy oes. Roedden ni'n eneidiau hoff cyûn, ac eto'n annibynnol ein barn. Os oedd Margaret yn dweud 'Na' am rywbeth, doeddwn i ddim yn ei wneud. Roedd hi'n amryddawn ac yn eang iawn ei diddordebau, ac yn ddarllen-wraig eithriadol. Byddai wedi hoffi bod yn llyfrgellydd.

Yn 1994 roedd Capel Brynrhiwgaled yn dathlu canmlwyddiant sefydlu'r achos, ac ym mis Ionawr y flwyddyn honno penderfynodd Margaret ysgrifennu sgript i nodi'r achlysur. Bu'n codi am 6 o'r gloch y bore ac yn ysgrifennu hyd 9 o'r gloch, a hynny am wythnosau lawer. Yn y diwedd, roedd ganddi sgript oedd i bara am ddwy awr a hanner wrth ei llwyfannu. Roedd dros hanner cant o aelodau Brynrhiwgaled yn cymryd rhan, ac mae tâp o'r cyflwyniad yn y Llyfrgell Genedlaethol. Cawsom beth wmbredd o fwynhad wrth ymarfer, ac fe ddaethom o hyd i amryw yn ein mysg oedd yn actorion naturiol.

Yng Ngorffennaf 1994, pan oedd Margaret a finnau'n dathlu'n priodas aur, fe gyfansoddodd y Prifardd Idris Reynolds englyn inni'n dau ar gyfer yr achlysur. Mae wedi ei fframio ac yn cael lle anrhydeddus yn Synod Parc:

Geneth yr afon Llethi – a hogyn
Golygus y Mersi,
A dwy alaw eu dyli
Yn un llais yng ngrym y lli.

Hwyrach fod colli priod yn rhywbeth y mae rhai pobl yn ei rag-weld ac yn paratoi ar ei gyfer. Ond doedd y posibilrwydd hwnnw erioed wedi croesi fy meddwl i. Roeddwn i'n sicr y byddai Margaret yma ar fy ôl.

Yn ystod ei deng mlynedd olaf byddai'n llewygu'n gwbl ddirybudd, a hynny tua thair neu bedair gwaith mewn blwyddyn. Ar rai o'r adegau hynny byddai'n taro'i phen. Un bore cafodd niwed difrifol i'w phen ac arweiniodd hynny at waedu mewnol, a phroblemau cylchrediad gwaed. Yn Hydref 2002 aed â hi i ysbyty Bronglais ac wedyn i Ysbyty Tregaron. Yn anffodus, nid oedd ei hiechyd yn caniatáu iddi ddychwelyd gartref ac am flwyddyn gron bu yng nghartref nyrsio Blaendyffryn, Llandysul. Yn ystod ei blwyddyn yn yr ysbytai a'r cartref bûm yn ei gweld bob diwrnod ac eithrio rhyw chwe niwrnod, pan oeddwn i'n dioddef annwyd neu ryw anhwylder. Bu farw ar y pedwerydd o Chwefror 2004. Roedd hi bron yn 81 oed, ac roeddwn i mor falch o gael bod yn ei chwmni tan y diwedd gyda Meinir, Mair a Glyn.

Yn 2005 bûm yn sôn am y profiad o golli merch, wyres a chymar mewn rhaglen ar Radio Cymru gyda Sian Pari Huws. Cafodd Sian fel finnau ei magu ar Lannau Mersi, hithau hefyd yn ferch i longwr. Roedd ei holi sensitif a threiddgar yn ei gwneud hi'n hawdd i mi fynegi fy nheimladau. Ond roedd yn anodd rhoi ateb ar amrantiad pan ofynnodd a oedd y profiad o ddygymod â'r tair colled fawr wedi newid fy agwedd at fywyd. Yn y diwedd, mi ddywedais:

> Na, fyddwn i ddim yn dweud ei fod. Dwi'n credu, wrth heneiddio, fy mod i'n llai ffyrnig nag o'n i pan oeddwn i'n iau. Yn fwy goddefgar. Yn barotach i faddau . . . Ond un peth rydw i'n sicr ohono ydi, mae o wedi cryfhau fy ffydd i. Rydw i'n gwbl sicr y bydd ein hysbrydion ni'n cwrdd â'i gilydd yn y dyfodol. Dwi'n hollol sicr o hynny, ac yn diolch am hynny hefyd. Rwy'n mynd yn ôl at y sicrwydd gefais i o fywyd tragwyddol ysbrydol y diwrnod yr es i i Lerpwl o Geredigion, a nhad yn marw pan oeddwn i ar fy ffordd i'w weld. Mi welais i ei gorff marw, a doedd y corff yn golygu dim. Roeddwn i'n eithriadol hoff o nhad, roeddwn i'n ei barchu'n fawr

iawn. Ond heb yr ysbryd doedd y corff ddim yn bod. Dyna pam rwy'n gallu sôn gyda'r fath sicrwydd am fywyd tragwyddol ysbrydol.

Y peth olaf y byddai Margaret ei eisiau fyddai i mi suro tuag at fywyd, ac ildio i hunandosturi ar ôl cael fy ngadael ar fy mhen fy hun. Ac rwy'n falch o ddweud imi lwyddo i gadw'r ffydd, a pharhau i fwynhau bywyd yn y ffordd y byddai hi wedi dymuno. Mae cwmni'r teulu, sy'n cynnwys tri ŵyr a thair wyres, yn galondid mawr, er bod rhai ohonyn nhw ar wasgar. Rwy'n hynod falch fod y plant yn gwneud cymaint efo'i gilydd.

Rwyf bellach yn perthyn i ddwy gymdeithas sef Pont, a Hwyl a Hamdden. Bwriad Pont yw dwyn cynifer ag sy'n bosibl o fewnfudwyr i ddod yn aelodau er mwyn iddyn nhw fagu gwreiddiau yn ein cymdeithas gynhenid. Saesneg yw'r cyfrwng, ond mae llawer o Gymry Cymraeg yn aelodau hefyd. O ran Hwyl a Hamdden, chewch chi ddim perthyn i hwnnw heb eich bod chi wedi ymddeol. Mae'n glwb arbennig iawn, yn cwrdd yng Nghanolfan Felinfach unwaith yr wythnos ar wahân i fisoedd yr haf. Rydym yn cael darlithoedd, mae pobl yn dod i'n dysgu ni sut i wneud gwahanol bethau – sydd o fwy o ddiddordeb i ferched, efallai – ac mae pawb yn cael mwyniant yng nghwmni ei gilydd. Mae llawer i'w ddweud dros gael tebyg at ei debyg.

Mae'n anodd credu mai dim ond dau sydd ar ôl bellach o blith y pymtheg gwreiddiol a etholwyd o Geredigion i gynrychioli'r hen sir ar y Ddyfed newydd. Roedd D. E. G. Davies a finnau wedi cyfarfod ein gilydd am y tro cyntaf yn 1952 ar glos fferm Glyniscoed, pan oeddwn i'n sefyll fel ymgeisydd am sedd ar y Cyngor Sir i gynrychioli Troedyraur, ac yntau'n galw yno yn ei waith fel milfeddyg. Pan ddeallodd 'Defi'r Fet' pam fy mod i yno fe ddangosodd ddiddordeb mawr, gan ddweud y byddai yntau'n ymgeisydd am sedd ym mhlwyf Llandysul ar ôl ymddeol. Dyna'n union beth a wnaeth yn 1973.

Fe allen ni'n hawdd fod wedi dod i adnabod ein gilydd adeg y rhyfel yn 1943, pan oedd y Coleg Milfeddygol lle'r oedd Defi'n astudio wedi gorfod symud o Lundain i Streatly ger yr afon Tafwys yn Berkshire. Yr hydref hwnnw roeddwn innau'n ymadfer ar Goring Heath yn yr un ardal yn union. Yn gymharol ddiweddar y casglwyd yr wybodaeth honno, wrth i sgwrsio Defi a minnau fynd â ni i bedwar ban y byd.

A dyma un o binaclau bywyd bellach – cwrdd â hen gyfeillion i drafod hynt y byd a'r betws am oriau maith. Mae cof a gwybodaeth Defi'n ddiarhebol a goddefgarwch Mary tu hwnt – heb sôn am y croeso i Awel Teifi.

Rydw i hefyd yn dal i fwynhau crwydro, ac yn 2006, yn 87 oed, bûm ar wyliau yng Ngogledd America oedd yn cynnwys pymtheg diwrnod yn y Rockies a mordaith fythgofiadwy o Seattle i Alaska. Roedd y Rockies yn syfrdanol – bron nad oeddech chi wedi cael digon ar weld mynyddoedd erbyn y diwedd. Ond y mwynhad mwyaf gefais i oedd gweld y morfilod yn Alaska, dros bump ar hugain ohonyn nhw. Roedd yr holl brofiad yn fendigedig.

Ers y daith honno mae llawer yn gofyn i ble'r ydw i'n bwriadu mynd nesaf. A'r ateb maen nhw'n ei gael ydy 'Aberdaron'. Mae'n lle mor dangnefeddus hyd yn oed heddiw, ac yn ennyn cymaint o atgofion am ein gwyliau gyda Mrs Hughes yn Henfaes pan oedd y plant yn fach. Ar y ffordd yno mi fydd y car yn arafu ychydig wrth ben y lôn sy'n arwain at y safle ym Mhenyberth sydd heddiw'n gwrs golff, maes carafanau a chartref henoed i'r Pwyliaid. Ac mi fydd yr atgofion yn llifo'n ôl am Noel a minnau'n cerdded y ffordd honno ar y bore yn 1936 – taith a newidiodd gwrs fy mywyd.